医動物学

― 改訂8版 ―

京都府立医科大学 名誉教授
吉 田 幸 雄

京都府立医科大学 名誉教授
有 薗 直 樹

京都府立医科大学 客員教授
山 田 稔

南 山 堂

MEDICAL ZOOLOGY

YUKIO YOSHIDA, M.D., Ph.D.

Professor Emeritus, Department of Medical Zoology,
Kyoto Prefectural University of Medicine,
Kyoto, Japan

NAOKI ARIZONO, M.D., Ph.D.

Professor Emeritus, Department of Medical Zoology,
Kyoto Prefectural University of Medicine,
Kyoto, Japan

MINORU YAMADA, Ph.D.

Visiting Professor, Department of Infectious Diseases,
Kyoto Prefectural University of Medicine,
Kyoto, Japan

Eighth Edition

NANZANDO COMPANY, LIMITED
Tokyo

改訂8版の序

　本書は1985年に「図説人体寄生虫学」の姉妹編として初版が刊行され，以来，1～2年毎に刷りを改めて新知見を加え，さらに4～5年に一度，全面改訂を行ってきた．今回その時期となり，ここに改訂8版を刊行することとなった．

　本書は当初，臨床検査技師や看護師を目指す学生を主な読者対象として制作していたが，第4版からは医学生のための簡明な教科書としても用いることができるよう総論を充実し，症状，診断，治療など臨床的な内容を増補した．また第5版からは有薗直樹博士を，さらに第7版からは山田稔博士を共著者に迎えた．今回の改訂は山田稔博士を中心に進められた．

　わが国における寄生虫症の歴史をみると，戦前はもとより戦後十数年頃までは肥料に人糞を用いる習慣があり，生活の困窮とあいまって，回虫，鉤虫，鞭虫をはじめ種々の寄生虫が多くのヒトに感染し，結核とともに国民病といわれていた．その頃は医師も行政もマスコミも寄生虫の重要性を認識していたが，その後の経済発展により上下水道，塵芥処理，化学肥料などが普及充実するに伴って次第に寄生虫感染症が減少してくると関心が薄れ，医学教育においても軽視され，当然の結果として医療現場における診断能力が著しく低下してきた．

　ところが近年，種々の原因により寄生虫感染も多岐にわたり複雑化している．アニサキス症を筆頭に，馬肉やジビエの生食による肉胞子虫感染，ヒラメの生食によるナナホシクドア感染もあり，食を介する寄生虫症は持続してみられる．また，輸入寄生虫症，人獣共通寄生虫症，さらにエイズの合併症，性行為感染，高齢者や要介護者収容施設での寄生虫の感染など，国際化，高齢化，格差社会，災害，廃棄物処理，環境破壊，地球温暖化などとも関連している．最近の事例をみてもハチ刺傷による死亡例やコンタクトレンズ使用によるアメーバ性角膜炎，ダニ媒介日本紅斑熱，ツツガムシ病，重症熱性血小板減少症候群の増加，ヒアリの侵入など新顔の寄生虫を含め多岐にわたり診断を困難にしている．

　今回の改訂では最近重要度を増してきた寄生虫症ならびに衛生動物媒介疾患について内容の全面改訂を行った．医動物学の知識を豊富な図表と解説でわかりやすくまとめた本書が，読者の皆様のお役に立てば幸いである．

　最後に今回の改訂にあたり貴重なご意見ならびに資料を提供いただいた各位に深甚の謝意を表すとともに，出版に尽力された南山堂スタッフに感謝する．

2022年12月

吉田幸雄

初版の序

　医動物というのはヒトの体内あるいは体表に寄生する動物，さらに種々の伝染病を媒介する動物の総称で，広い意味の寄生虫である．現在の日本には，もはや寄生虫などいないと考えている人があるかも知れないが，実態は決してそうではない．むしろ最近は増加の傾向にある．とくに海外との交流が盛んになるにつれて輸入寄生虫症が増え，魚肉や獣肉の生食による寄生虫症やペット由来の人畜共通寄生虫症が増加し，さらに免疫抑制剤の多用による潜在感染の顕性化など，寄生虫症も先進国型になってきている．

　本書は臨床検査技師およびナースのための医動物学教科書ないし参考書として役立つように心掛けて著述した．もちろん，卒業後も検査の手引き書として利用して頂けるよう配慮した．そこで上記の目的に沿うようにいくつかの新しい企画がもり込まれている．すなわち，

1. 文章はできるだけ簡潔にし，多くの図や写真を用い，読む教科書より見る教科書とした．
2. 各病原虫の重要度に従い，1頁あるいは見開き2頁を単位として図・写真と共にまとめた．
3. 各病原虫や項目の冒頭に"ポイント"を示し，まず大要を把握できるようにした．
4. 各病原虫の重要度を★印で示した．★印が多いほど，現在の日本において重要であると理解して頂きたい．
5. 症状や治療法はなるべく簡潔に箇条書きとしたが，最新の治療薬は漏らさぬよう記載した．
6. 臨床検査やテクニックについては，とくにくわしく，かつ具体的に示すようにした．
7. 巻末に国家試験に対処するため多数の練習問題を用意した．

　臨床検査にたずさわる方々はこれらの知識を正確にたくわえ，適確な検査をしてもらいたいと念願する．そのために本書が役立つならば著者の大きな喜びである．

　本書作成の過程で当教室の塩田恒三，山田　稔，松本芳嗣，石黒太朱世の諸君の協力を得た．記して謝意を表する．また南山堂スタッフの熱意に対し謝意を表する．

　昭和60年2月3日

吉田　幸雄

目 次

総 論

- I. 医動物学 Medical Zoology とは ……………………………… 2
- II. 生物の分類法と命名法 …………………………………………… 3
- III. 宿主・寄生体相互関係 …………………………………………… 3
- IV. 寄生虫の生殖方法 および 生活史 ……………………………… 4
- V. 寄生虫の棲息場所 および 病原性 ……………………………… 5
- VI. 寄生虫感染に対する宿主の反応と免疫 ………………………… 6
- VII. 寄生虫の感染経路と疫学 ………………………………………… 8
- VIII. 感染症法の制定と寄生虫疾患 および 新興・再興感染症 …… 8
- IX. 寄生虫症の診断と治療に関するコンサルテーション ………… 10

各 論

I. 原虫類

1. 人体寄生原虫　総論 ……………………………………………… 12
2. 人体寄生原虫の分類 ……………………………………………… 13
3. 赤痢アメーバ［A］歴史・疫学・形態・生活史 ……………… 14
4. 赤痢アメーバ［B］病理・症状・感染経路 …………………… 16
5. 赤痢アメーバ［C］診断・治療 ………………………………… 18
6. その他の消化管寄生アメーバ，ヒトブラストシスチス ……… 20
    大腸アメーバ／ハルトマンアメーバ／歯肉アメーバ／
    小形アメーバ／ヨードアメーバ／ヒトブラストシスチス
7. 消化管寄生原虫の臨床検査 ……………………………………… 22
8. 病原性自由生活アメーバ ………………………………………… 24
    I. 髄膜脳炎を起こすアメーバ
    　フォーラーネグレリア／カルバートソンアメーバ／
    　Balamuthia mandrillaris
    II. 角膜炎を起こすアメーバ
    　カステラーニアメーバ／多食アメーバ
9. ランブル鞭毛虫 …………………………………………………… 26
10. 腟トリコモナス，消化管内寄生鞭毛虫類 …………………… 28
    腟トリコモナス／二核アメーバ／口腔トリコモナス／
    腸トリコモナス／メニール鞭毛虫
11. トリパノソーマ科原虫　総論 …………………………………… 29

12. トリパノソーマ科原虫　各論［A］トリパノソーマ ……………… 30
　　　　ガンビアトリパノソーマ／ローデシアトリパノソーマ／
　　　　クルーズトリパノソーマ
13. トリパノソーマ科原虫　各論［B］リーシュマニア ……………… 32
　　　　ドノバンリーシュマニア／熱帯リーシュマニア／
　　　　ブラジルリーシュマニア／メキシコリーシュマニア
14. クリプトスポリジウム ……………………………………………… 34
15. 戦争シストイソスポーラ，サイクロスポーラ …………………… 36
16. 肉胞子虫 …………………………………………………………… 38
　　　　ヒト肉胞子虫／フェイヤー肉胞子虫／
　　　　Sarcocystis suihominis／リンデマン肉胞子虫
17. トキソプラズマ［A］歴史・形態・生活史・感染経路 …………… 40
18. トキソプラズマ［B］症状・診断・治療・予防 …………………… 42
19. マラリア［A］歴史・疫学，サルマラリア ………………………… 44
20. マラリア［B］生活史 ……………………………………………… 46
21. マラリア［C］ヒト寄生4種マラリア原虫の形態 ………………… 48
　　　　三日熱マラリア原虫／熱帯熱マラリア原虫／
　　　　四日熱マラリア原虫／卵形マラリア原虫
22. マラリア［D］症状・診断・治療・予防 …………………………… 50
23. マラリア［E］血液検査 …………………………………………… 52
24. バベシア，大腸バランチジウム …………………………………… 53
25. ニューモシスチス［A］分類・疫学・形態・生活史 ……………… 54
26. ニューモシスチス［B］症状・診断・治療・予防 ………………… 56
27. ニューモシスチス［C］臨床検査 ………………………………… 58
28. ナナホシクドア …………………………………………………… 60
29. 後天性免疫不全症候群（AIDS） ………………………………… 61

II．蠕虫類

A．線形動物

30. 蠕虫類 および 線形動物　総論 …………………………………… 64
31. 人体寄生線虫の分類 ……………………………………………… 65
32. 回虫 ………………………………………………………………… 66
33. ブタ回虫，イヌ回虫，ネコ回虫，アライグマ回虫 ………………… 68
34. 幼虫移行症 ………………………………………………………… 70
35. アニサキス［A］歴史・分類・形態・疫学 ………………………… 72
36. アニサキス［B］生活史・感染源・病理 …………………………… 74
37. アニサキス［C］症状・診断・治療・予防 ………………………… 76

38. 蟯虫 …………………………………………………… 78
39. 鉤虫［A］形態・生活史 …………………………… 80
　　　ズビニ鉤虫／アメリカ鉤虫
40. 鉤虫［B］臨床・検査法 …………………………… 82
41. 東洋毛様線虫 ………………………………………… 84
42. 広東住血線虫 ………………………………………… 85
43. 糞線虫 ………………………………………………… 86
44. 有棘顎口虫, 剛棘顎口虫 …………………………… 88
45. ドロレス顎口虫, 日本顎口虫 ……………………… 90
46. バンクロフト糸状虫, マレー糸状虫 ……………… 92
47. イヌ糸状虫 …………………………………………… 94
48. 東洋眼虫, 回旋糸状虫, ロア糸状虫, メジナ虫 … 96
49. 鞭虫, フィリピン毛細虫 …………………………… 98
50. 旋毛虫 ………………………………………………… 99
51. 旋尾線虫 ……………………………………………… 100

B. 扁形動物
a. 吸虫類
52. 扁形動物 および 吸虫類　総論 …………………… 102
53. 人体寄生吸虫の分類 ………………………………… 103
54. 肝吸虫, タイ肝吸虫 ………………………………… 104
55. 横川吸虫 ……………………………………………… 106
56. 有害異形吸虫, 槍形吸虫, 肥大吸虫, 膵蛭 ……… 108
57. ウェステルマン肺吸虫［A］形態・生活史・疫学 … 110
58. ウェステルマン肺吸虫［B］症状・診断・治療 …… 112
59. 宮崎肺吸虫 …………………………………………… 114
60. 大平肺吸虫, その他の肺吸虫 ……………………… 116
　　　大平肺吸虫／小形大平肺吸虫／佐渡肺吸虫
61. 棘口吸虫 ……………………………………………… 117
62. 肝蛭 …………………………………………………… 118
63. 日本住血吸虫, メコン住血吸虫 …………………… 120
64. マンソン住血吸虫, ビルハルツ住血吸虫 ………… 122
65. 鳥類住血吸虫のセルカリアによる皮膚炎 ………… 124
　　　ムクドリ住血吸虫／*Trichobilharzia brevis*／
　　　Trichobilharzia physellae
66. 咽頭吸虫 ……………………………………………… 125

b. 条虫類（付. 鉤頭虫類）
67. 条虫類　総論 ………………………………………… 128

- 68. 人体寄生条虫の分類 …………………………… 129
- 69. 広節裂頭条虫，日本海裂頭条虫 ………………… 130
- 70. クジラ複殖門条虫，マンソン裂頭条虫 ………… 132
- 71. 孤虫症（幼裂頭条虫症） ………………………… 133
  　　　　マンソン孤虫／芽殖孤虫
- 72. 無鉤条虫 …………………………………………… 134
- 73. 有鉤条虫 …………………………………………… 135
- 74. 単包条虫，多包条虫 [A] 形態・生活史 ………… 136
- 75. 単包条虫，多包条虫 [B] 臨床・疫学 …………… 138
- 76. 小形条虫，縮小条虫，瓜実条虫，多頭条虫，有線条虫，サル条虫 …… 140
- 77. 鉤頭虫類 …………………………………………… 142

Ⅲ．衛生動物

- 78. 衛生動物　総論 …………………………………… 144
- 79. 医学上重要な貝の分類と形態 …………………… 145
- 80. 医学上重要な軟体動物 …………………………… 146
- 81. 医学上重要な甲殻類 ……………………………… 148
- 82. ダニ　総論 ………………………………………… 149
- 83. ダニの分類 および マダニ総論 ………………… 150
- 84. マダニが媒介する疾患 [A] 日本紅斑熱，野兎病 …… 152
- 85. マダニが媒介する疾患 [B] ライム病，
  　　重症熱性血小板減少症候群 …………………… 154
- 86. ツツガムシ および ツツガムシ病 [A] 歴史・形態・生活史 …… 156
- 87. ツツガムシ および ツツガムシ病 [B] 臨床・疫学 …… 158
- 88. ヒゼンダニ，イエダニ …………………………… 160
- 89. ニキビダニ，屋内塵ダニ および ダニアレルギー …… 162
- 90. 蚊 …………………………………………………… 164
- 91. ブユ，アブ ………………………………………… 166
- 92. ハ　エ ……………………………………………… 167
- 93. ノ　ミ ……………………………………………… 168
- 94. アタマジラミ および コロモジラミ（ヒトジラミ） …… 170
- 95. ケジラミ，トコジラミ …………………………… 172
- 96. ハ　チ ……………………………………………… 174
- 97. シバンムシアリガタバチ，ゴキブリ，ムカデ，ヒアリ …… 176
- 98. 毒　蛇 ……………………………………………… 178
- 99. ネズミ ……………………………………………… 180

Ⅳ. 知識のまとめと検査法

- 100. 人体寄生虫の感染経路のまとめ …………………………………… 182
- 101. 人体寄生虫の寄生部位のまとめ …………………………………… 183
- 102. 中間宿主または媒介者を有する寄生虫のまとめ ………………… 184
- 103. 現在の日本における主な寄生虫症の流行要因別分類 …………… 185
- 104. 人獣共通寄生虫症 …………………………………………………… 186
- 105. 主要な寄生虫症に対する最近の駆虫薬のまとめ ………………… 187
- 106. 糞便からの寄生虫卵検査法 ………………………………………… 188
- 107. 主要人体寄生虫卵図譜 ……………………………………………… 190
- 108. 虫卵の大きさ，色，検査法のまとめ ……………………………… 192
- 109. 主な寄生虫症における診断検査材料 ……………………………… 193
- 110. 免疫学的診断，DNA 診断など …………………………………… 194
- 111. 寄生蠕虫標本作成法［A］吸虫類，条虫類 ……………………… 196
- 112. 寄生蠕虫標本作成法［B］線虫類 ………………………………… 197

Ⅴ. 練習問題

- Ⅰ. 医動物学全般 ………………………………………………………… 200
- Ⅱ. 原虫類 ………………………………………………………………… 203
- Ⅲ. 線虫類 ………………………………………………………………… 206
- Ⅳ. 吸虫類 ………………………………………………………………… 209
- Ⅴ. 条虫類 ………………………………………………………………… 211
- Ⅵ. 衛生動物 ……………………………………………………………… 213

日本語索引 …………… 217
外国語索引 …………… 224

本書中の「筆者」は原著者 吉田幸雄 博士,「筆者の教室」は京都府立医科大学医動物学教室(当時)を指す.

総　論

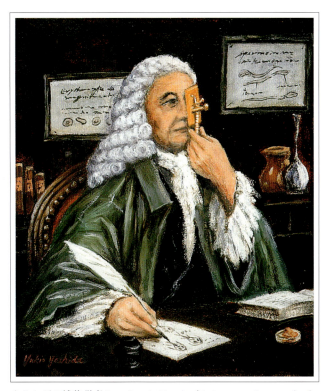

オランダの博物学者レーウェンフック（Antony van Leeuwenhoek, 1632～1723）は1681年，自作の顕微鏡で自分の糞便中にランブル鞭毛虫を見出した．これが本虫の最初の発見とされている．（本文26頁参照）　　　　　　　　　（その模様を想像して筆者描く）

I．医動物学 Medical Zoology とは

この地球上には現在，少なくとも300万種，未発見のものを含めれば恐らく1,000万種に及ぶ生物が生存しており，すでに絶滅した種はこれ以上であろうといわれている．現在の通説によると，35億年ほど前にまず**原核生物**が地球上に現れた．これはバクテリアのようなもので嫌気的代謝をするものであった．次にそれに光合成をするシアノバクテリアのようなものが取り込まれて葉緑体が形成され，酸素が地球上に生じ始めた．そうすると嫌気性のものは死ぬか，地下へ潜っていった．このような原核生物は核膜で被われた真の核を持っていないが，いくつかが共生しあい，真の核を持つ**真核生物**が現れてきた．そして好気的条件下でエネルギーを大量に生産するプロテオ細菌が取り込まれてミトコンドリアになったと考えられている．

地球上の生物を肉眼的に観察していた頃は，動き回る動物と動かない植物とに簡単に分けていた．ところが光学顕微鏡が発見され微生物の研究が進むと，細菌，スピロヘータ，藻類，菌類，原生動物など，植物とも動物ともはっきりいい難い中間領域の生物が分かってきた．ドイツの生物学者 Haeckel（1866）はこの中間群を**原生生物界 Protista** と呼ぶことを提唱した．さらに電子顕微鏡が作られ，超微細構造が明らかになるにつれ分類法も次のような基礎に立脚するようになった．今後さらに遺伝子解析によって大きな改変が予想される．

A．原核生物 Prokaryote

前核生物ともいう．細菌，放線菌，藍藻，スピロヘータ，クラミジア，リケッチアなどで，ほとんどが10 μm以下の小形細胞で，核には核膜がなく，有糸分裂を行わず，染色体，色素体，紡錘体，ミトコンドリア，ゴルジ体，小胞体などを持たない．この生物群を**モネラ界 Kingdom Monera** ともいう（図1）．

B．真核生物 Eukaryote

原核生物以外のすべての生物がこれに含まれる．ほとんどが10 μm以上の大きな細胞で，核膜に囲まれた真の核を有する．これはさらに次のように分類され，モネラ界と合わせ生物は5界に分類される（**5界説**，**図1**）．

1. 原生生物界　Kingdom Protista
2. 菌類界　　　Kingdom Fungi
3. 植物界　　　Kingdom Plantae
4. 動物界　　　Kingdom Animalia

C．ウイルス Virus

ウイルスはRNAあるいはDNAによって構成され，宿主細胞に感染して増殖するが，他の細胞性微生物とは異なり，自らは代謝系を持たない粒子状構造体である．

微生物学の研究領域

原核生物，菌類界，ウイルス，原生生物界の一部を主として取り扱う．

医動物学の研究領域

原生生物界の一部である原生動物（原虫ともいう）と

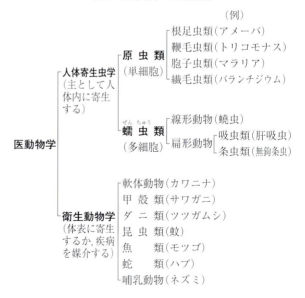

表1．医動物学の研究領域

図1．生物の分類図
Margulis の 5-Kingdom 説による．
（Whittaker，1977 を参考とし，寄生虫を中心に描く）

動物界に属する生物の中で医学に関係のあるものを取り扱う．大まかに分類すると**表1**のごとくである．

医動物学と寄生虫学とはどう違うか

結論からいうと全く同じ学問と考えてよい．古くから**寄生虫学 Parasitology** という語が用いられてきた．勿論，**表1**のすべてのものを研究対象とするのであるが，ややもすると人体の内部に寄生するもののみを対象にするという印象を与える．そこで単に人体内あるいは体表に寄生するものだけでなく，疾病の媒介者，中間宿主，病原体の保有者，ヒトに直接害を与えるものなど，ヒトの健康に関係のあるすべての動物を研究対象にするという意図から**医動物学 Medical Zoology** という名称が生まれた．時にこの名称は**表1**の中の衛生動物学の別名であると考えたり，あるいは実験動物の研究をする学問と考えたりする人がいるが，それは間違いである．

II．生物の分類法と命名法

生物の分類は，次のように近い関係にある種を属にまとめ，近い属を科にまとめ，科を目へ，というふうにまとめている．回虫を例にとると次の如くである．

[例]
Phylum（門）　　Aschelminthes
Class（綱）　　Nematoda
Order（目）　　Ascaridida
Family（科）　　Ascarididae
Genus（属）　　Ascaris
Species（種）　　lumbricoides
Ascaris lumbricoides　　回虫

さらに細分する場合は Subclass（亜綱），Superfamily（上科），Subfamily（亜科），Subgenus（亜属）のように各々の間に入れる．また Species の下に Subspecies（亜種）を設けることもある（13頁第2項など参照）．

種 Species が生物の基準となる．この種を表現するのにラテン語あるいはラテン語化した属名と種小名の2語を組み合わせて用いる．属名は大文字で始まり種小名は小文字で始まる．そしてその次にその生物を初めて記載した人の名前を書き，コンマをして次に発表された時の年号を書く．これが**学名 scientific name（種名 species name）** で万国共通である．左記の例の回虫の学名は ***Ascaris lumbricoides*** **Linnaeus, 1758** となる．また属名と種小名はイタリック体を用い他と区別する．このような生物の命名法を**二名法 binomial nomenclature** といい，Carl von Linné（Carolus Linnaeus）が1758年に確立したものである．日本語の種名を**和名**という．

Linné 以来，生物の分類は形態の違いによって行われてきたのであるが，分子生物学の発展に伴い遺伝子配列の違いによって分類されるようになった．例えば広節裂頭条虫と日本海裂頭条虫とは形態的には差異はないが塩基配列に違いがあるため別種とされ，わが国をはじめ極東に分布する種は日本海裂頭条虫であるとされた．したがって今後，正確に種を同定するためには遺伝子解析が必要とされるようになった．

III．宿主・寄生体相互関係

地球上の生物はそれぞれ種々な相互関係を保って生存している．その宿主・寄生体相互関係（**host-parasite relationship**）について種々の用語があるのでその主なものについて解説する．

自由生活 free living

ある生物が他の生物に依存しないで一応独立して生活している場合をいう．

片利共生 commensalism

ある生物が他の生物の体内あるいは体表に存在して生活している場合，前者を**寄生体 parasite**，後者を**宿主 host** という．寄生体は生活の場や食物を宿主から与えられ利益を得ているのは間違いない．しかし宿主の方はたいした害も利益も得ていないような場合，これを片利共生という．例えばヒトと，その大腸内で生活する大腸アメーバとの関係の如くである．

相利共生 mutualism（symbiosis）

寄生体のみならず宿主も利益を得ている場合をいう．例えばシロアリの腸内には Trichonympha 属の原虫が多数棲息しており，シロアリが食べた木の繊維を消化して増殖している．一方，シロアリは木の繊維を消化する酵素を持たず，この原虫の死体から炭水化物や蛋白質を栄養源として得ている．従ってこの原虫がいないとシロアリは生存できない．このような関係が相利共生である．

寄生 parasitism

上記の片利共生も相利共生も広い意味の寄生であるが，寄生体が寄生することによって宿主が害を受けている場合を**真の寄生**という．医動物学で研究対象になるのはこのような寄生虫である．

宿主特異性 host specificity

宿主と寄生虫との間には様々な特殊な関係が見られる．例えばある寄生虫はある限られた宿主のみに寄生する（**宿主特異性**）とか，ある特定の組織や臓器のみに寄生する（**組織・臓器特異性** tissue and organ specificity）といった性質である．例えばヒトの回虫はヒトの体内でのみ感染が成立して小腸内に寄生し，肝吸虫の成虫は胆管内以外に寄生することはまずない．しかしこのような現象の理由はほとんど解明されていない．

固有宿主 definitive host

ある寄生虫がある宿主に感染して，その体内で増殖したり，また成虫にまで発育して次の世代を産生したりすることが出来る場合，その宿主をその寄生虫の固有宿主という．例えば，原虫感染の場合，赤痢アメーバがヒトに感染して大腸や肝臓の中で分裂・増殖する場合とか，蠕虫感染の場合でいうと，回虫の幼虫保有卵をヒトが摂取すると，その後成虫に発育し産卵を行う，というような場合である．

非固有宿主 undefinitive host

ある寄生虫がある宿主に侵入することが出来ないか，侵入出来ても増殖出来ないか，あるいは成虫にまで発育出来ないような場合，非固有宿主という．例えばヒトがアニサキス幼虫を魚肉と共に摂取すると幼虫は胃壁に侵入して腹痛を起こすが，その後，成虫にまで発育することはない．ヒトはアニサキスの非固有宿主である．

少宿主性および多宿主性

1つあるいは限られたごく少数の固有宿主しかもたない寄生虫を少宿主性の寄生虫といい，広い範囲の動物を固有宿主としてもっているものを多宿主性の寄生虫という．例えば三日熱マラリア原虫，回虫，無鉤条虫などは前者に属し，赤痢アメーバ，肝吸虫，肺吸虫，日本住血吸虫などは後者に属する．また固有宿主の中の主要な宿主を**主宿主 principal host** という．

保虫宿主 reservoir host

多宿主性の人体寄生虫において，ヒト以外の固有宿主を保虫宿主という．例えば肝吸虫はヒト以外にイヌ，ネコ，ネズミなどに自然感染が見られる．このような宿主をいう．保虫宿主は人体寄生虫の感染源としての役割を果たしているので寄生虫の撲滅対策上も重要である．

人獣共通感染症 zoonosis

動物とヒトとに共通して感染する疾患の総称で，寄生虫に限らず細菌，ウイルス，リケッチアなど広範囲の病原体を含んでいる．FAO（国連食糧農業機関）とWHO（世界保健機関）が1967年に決定した世界の人獣共通感染症は約122疾患に上るが，そのうち寄生虫疾患は45を占めている．詳しくは第104項を参照されたい．

Ⅳ．寄生虫の生殖方法および生活史

生殖方法

A．無性生殖 asexual reproduction

1．**2分裂 binary fission**：赤痢アメーバやランブル鞭毛虫のように栄養型虫体がほぼ同じ形の2個の娘虫体に分裂する．

2．**多数分裂 multiple fission**（または **schizogony**）：マラリア原虫のように一度に多数の娘虫体に分裂する．

3．**出芽 budding**：トキソプラズマで見られるように母虫体から出芽により2個の娘虫体が生ずる．

B．有性生殖 sexual reproduction

1．**両性生殖 bisexual reproduction**：雌雄の性細胞を生じ，これの合体による．原虫類ではマラリアやトキソプラズマなど胞子虫類が無性生殖の他にこの有性生殖を行う．蠕虫類ではすべてのものが有性生殖を行う．

蠕虫の中には回虫，鞭虫，住血吸虫のように**雌雄異体 gonochorism** のものと肺吸虫，無鉤条虫のように**雌雄同体 hermaphroditism** のものとがある．

また有性生殖の特異な形として単為生殖と幼生生殖とが寄生虫でもみられる．

2．**単為生殖 parthenogenesis**：糞線虫のように寄生世代の雌成虫は雄虫なしで単独で虫卵や幼虫を産出する．

3．**幼生生殖 paedogenesis**：幼生生殖は吸虫類の幼生期の増殖などでみられる．例えば肝吸虫では第1中間宿主マメタニシの体内でスポロシスト，レジアを経て多数のセルカリアを生ずる．

生活史

成虫から産出された虫卵や幼虫が再び感染・発育して成虫となり次の世代を生ずる，そのサイクルを**生活史 life history** または**生活環 life cycle** という．

1．**終宿主 final host**：寄生虫の生活史の中で有性生殖が行われる宿主を終宿主という．トキソプラズマではネコの体内で有性生殖，ヒトの体内で無性生殖が行われるので終宿主はネコである．蠕虫の場合は成虫が寄生し，有性生殖によって次世代が生産される宿主を終宿主という．

2．**中間宿主 intermediate host**：その体内で幼生生殖が行われる（肝吸虫など）か，あるいは幼虫が一定の発育を行う（フィラリアなど）宿主をいう．寄生虫の種類によって中間宿主を1つ必要とするものと2つ必要とす

るものとがある．後者の場合，早い時期のものを第1中間宿主，後のものを第2中間宿主という．

3. 待機宿主（延長中間宿主）paratenic host：これは中間宿主と終宿主との間に介在する宿主で，その寄生虫の生活史上必ずしも必要不可欠のものではない．例えば有棘顎口虫では第2中間宿主が淡水魚，終宿主はイヌなどであるが，雷魚などがこの第2中間宿主を捕食すると顎口虫の幼虫はその体内に移行し保存され，終宿主への感染源となる．

V．寄生虫の棲息場所および病原性

棲息場所

寄生虫の棲息場所はその種によってほぼ決まっている．

1. 外部寄生虫 ectoparasite（ectozoa）

ダニ，ノミ，シラミ，蚊などのようにヒトの体表に寄生するものをいう．

2. 内部寄生虫 endoparasite（endozoa）

赤痢アメーバ，マラリア，回虫，肺吸虫のようにヒトの体内に寄生するものをいう．

3. 異所寄生 heterotopic parasitism

例えばウェステルマン肺吸虫が脳に寄生するように，本来の寄生場所である肺から離れて別の場所に寄生するような場合をいう．

4. 迷入寄生 erratic parasitism

例えば小腸腔内に棲息している回虫が誤って胆管や虫垂に侵入するような場合をいう．

5. 転移 metastasis

赤痢アメーバのような小さい寄生虫が原発巣の大腸から血流に乗って肝臓や脳に移動し膿瘍を形成するような場合，癌細胞などと同様，転移といっている．

病原性

宿主は寄生虫の存在によって種々の影響を受けるが大まかに分けると次の如くである．

1. 機械的影響

原虫類の増殖により，または蠕虫類の成虫や幼虫や虫卵の存在によって組織の破壊が起こったり，またそれらが腸管，胆管，膵管，血管，リンパ管などに塞栓して流通障害や栄養障害や管の破壊や穿孔を起こしたりする．例えば赤痢アメーバによる大腸壁の破壊・穿孔，回虫の胆管迷入による膵胆管閉塞，虫垂迷入による虫垂炎，フィラリアの寄生によるリンパ管の破壊，包虫による肝臓や脳の組織の圧迫など，枚挙にいとまがない．

2. 化学的影響

毒蛇やハチのように直接有毒物質がヒトに注入される場合は勿論であるが，虫体は絶えず新陳代謝産物を排出しており，これが人体に吸収されて有毒に作用したり，アレルゲンとして作用したりする．また虫体が人体内で死亡したような場合も同様である．例えばマラリアの場合，被寄生赤血球が破壊されて代謝産物であるマラリア色素が血流中に放出されると高熱を発する．

3. 発癌性

ある寄生虫の感染が癌の発生と関係があるという統計は世界でかなり報告されている．

エジプトのナイル川流域のビルハルツ住血吸虫流行地では膀胱癌の発生率の高いことが以前から知られている．またわが国でも井内（1992）の報告によると山梨県の日本住血吸虫感染者の肝癌発症率は5％で，非感染者の発症率0.9％の3.6倍を示したという．また小川ら（1992）はタイ国東北部のタイ肝吸虫流行地での胆管癌発症頻度はタイ国の本虫非流行地における発症頻度の約3倍を示すと報告している．

また動物実験においてもこれらを裏付ける結果を示しており，日本住血吸虫を感染させたマウスに発癌剤を投与した場合と，非感染マウスに同じ発癌剤を投与した場合とを比較すると，後者の肝癌発症率7.0％に対し前者は31.2％であったという．このように未だそのメカニズムは明らかにされていないが，少なくともある種の寄生虫はある種の癌の発生に関連のあることが疫学的にも実験的にも示されている．

4. 病原性の進化

寄生虫はどのような進化の過程を経て宿主に寄生するようになったのであろうか．生物とくに動物では種族保存のために摂食，生殖，防御などの本能があり，そのためには自由生活をするより他の動物に依存して生活する方が便利な場合もある．寄生虫は，初めは自由生活をしていたものが上の条件を満たす宿主を探し，これに寄生するように適応したのではないかと考えられる．またある種の宿主に寄生していた寄生虫が他の動物にも寄生するようになることも考えられる．しかし寄生虫の害があまり大きくて宿主を殺してしまうようなら寄生虫自身も死滅するわけであるから，parasitism は commensalism ないしは mutualism の方向に進化していくように考えられる．

Ⅵ．寄生虫感染に対する宿主の反応と免疫

　寄生虫の侵入と存在に対し宿主はこれを排除し，生体の恒常性を保とうとする．局所の組織においては炎症が起こり，次いで**肉芽腫**，**結節**，**虫嚢**などを形成することもある．そしてその程度はそれぞれの寄生虫と宿主との相互関係により，また寄生部位によっても異なる．これらの反応は免疫と深く関わっていることが明らかになっている．

　免疫とは本来，疫病を免れるという意味で，一度ある伝染病に感染すると，その後同じ病気にかからないという古くから経験してきた現象に与えられた名称である．そしてこれについて研究する免疫学は近年大いに進歩し，非自己 not-self の認識と，これに対する生体の反応の解明に関する生物学の大きな部門を占めるに至った．

　寄生虫に対する免疫現象は細菌，リケッチア，ウイルスなどに対するそれと本質的に異なるものではないが，種々の点で特異な現象が見られる．また寄生虫の中でも単細胞の原虫と多細胞の蠕虫とでは異なった免疫現象を示すことが知られている．

　まず免疫には**自然免疫** natural immunity（先天免疫）と**獲得免疫** acquired immunity（後天免疫）とがある．前者は，ある動物はある寄生虫には感染しない，すなわち先天的に感受性を持っていないというような現象である．一方，獲得免疫は寄生虫に感染することによって生じたり，人為的に接種することによって生ずる免疫で，一般に腸管腔内に寄生する寄生虫よりも組織内に寄生するものに強く表れる．また細菌やウイルスなどによる免疫に比し再感染防御効果が著明でなく，持続期間も短いといわれる．またある寄生虫が少数でも体内に寄生し，抗原刺激が行われている間だけ認められる免疫を**感染免疫 premunition** と呼んでいる．

　寄生虫は細菌やウイルスに比し巨大な構造物であり，抗原要素も複雑であるが，一応，虫体成分由来の**体抗原 somatic antigen** と**排泄分泌抗原 excretory-secretory antigen** とに分けている．前者は宿主体内で死亡した虫体，後者は生きている虫体から出される体外酵素，吐物，排泄物などが抗原となる．藤田によると IgG 抗体を誘導する抗原は主として前者に，IgE 抗体誘導抗原は後者に存在しているという．

　今日，免疫現象は**体液性免疫**と**細胞性免疫**，およびこれらの協同作業によって仕組まれていることはよく知られている．前者はいわゆる **B-cell** が抗原刺激を受けて分化して形質細胞となり，抗体を産生し免疫に関与しているものである．抗体としての機能を担うのは免疫グロブリンと呼ばれる一群の蛋白質で **IgG**，**IgM**，**IgA**，**IgD**，**IgE** の5つのクラスが知られ，これらは血清中では γ-globulin 分画中に含まれているが，体液中にも広く分布する．

　一方，細胞性免疫は **T-cell** が主役と考えられ，機能から主に1型ヘルパー細胞（Th1 細胞）と2型ヘルパー細胞（Th2 細胞）に分けられる．寄生虫感染においても抗原と感作された T-cell との結合によって細胞性免疫反応の起こることが知られている．

　抗原抗体反応はヒトに有利な場合だけでなく，この反応のため被害を被る場合もある．古くからこれをアレルギーと呼んできたが，これは**即時型過敏反応 immediate type hypersensitivity** と**遅延型過敏反応 delayed type hypersensitivity** とに大別される．前者は特異抗体によって引き起こされる．すなわち体液性免疫が主であり後者は感作リンパ球によって起こる．すなわち細胞性免疫が主体となる．例えばアニサキスの再感染時，急に起こる腹痛などは即時型過敏症によるとされ，また肺吸虫や肝蛭などの診断に用いられる即時型皮内反応も同様の機序によると考えられている．遅延型過敏症の例としては組織内の虫卵結節の形成などで証明されている．

　一方，原虫感染の時は見られないが蠕虫感染の時に見られる特異的な所見として**好酸球増加 eosinophilia** がある．これは末梢血に見られる他，寄生虫の種類や寄生部位によっては脳脊髄液中や胸水中などにも見られる．また寄生虫が組織内に存在する時は**好酸球性肉芽腫 eosinophilic granuloma** を形成する．

　これら蠕虫感染時における IgE や好酸球増加のメカニズムは非常に複雑であるが，最近の研究によると，原虫感染時にはヘルパー T 細胞から Th1 細胞が，蠕虫感染時には主に Th2 細胞が誘導され，分泌されるサイトカインにより制御されている．Th1 細胞は IFN-γ を産生しマクロファージを活性化する．自然リンパ球にはフェノタイプにより3つに分けられ，グループ1には NK（natural killer）細胞と LC（innate lymphoid cells）1が含まれ多くの原虫でこれら宿主細胞が応答する．トキソプラズマでは IL-33 の産生・分泌を促進し ILC 細胞からの IFN-γ の産生を誘導することがわかっている．グループ2には ILC2 が含まれ，蠕虫免疫に関与し，腸管寄生蠕虫感染ではマスト細胞がグループ2の ILC を誘導するのに大事で虫体の排除に役立つとする研究がある[註1]．グループ3には ILC3 と LTi（Lymphoid Tissue inducer）-like ILC3 が含まれ，原虫のトキソプラズマで知られている．グループ1の ILC1 は NK 細胞と共に IFN-γ を産出する．一方 Th2 細胞は IL-4 産生による

註1．Shimokawa C et al.（2017）：immunity，46：863-874.

表 2. 寄生虫感染とヒトにおける免疫応答

人体寄生虫	ヒトにおける免疫応答
原虫	Th1 細胞のエフェクター機能（Th1 細胞による制御） ①組織内寄生原虫は貪食細胞で排除されるが，細胞内寄生原虫では貪食細胞（マクロファージや好中球）内で死滅せず増殖 ②IL-33 が ILC に作用して IFN-γ を産生 ③NK 細胞や ILC1 が自然免疫反応を促し IL-10，IL-17 を産生・促進，その後 IL-12 や IFN-γ を分泌 ④他に補体，抗体：IgG，IgM，IgA，サイトカインの IL-2，IL-3，TGF-β やリンフォトキシン lymphotoxin が作用
蠕虫	Th2 細胞エフェクター機能（Th2 細胞による制御，自然免疫系細胞の刺激誘導） ①上皮細胞・ILC2・マスト細胞・樹状細胞の刺激誘導，樹状細胞が ILC2 により IL-13 を産生し活性化，樹状細胞による Th1 細胞の誘導など多彩 ②腸管や組織内寄生虫に対する防御反応として ILC2 細胞が IL-5 や IL-13，他に IL-4，IL-9，amphiregulin（EGF ファミリーの成長因子）を分泌する．IL-13 は感染組織の上皮細胞の増殖・修復と粘液産生を誘導，平滑筋の収縮を促し腸管寄生虫を排除 ③IL-25（腸管粘膜固有層に働く）と IL-33 は ILC2 細胞を刺激，マスト細胞は ILC2 細胞を誘導し，虫体を排除 ④IL-4 と IL-13 を介した IgE 抗体産生，M2 マクロファージの動員と活性化，IL-5 による好酸球の組織内動員と活性化，IL-3 と IL-9 を介するマスト細胞を動員し，特異的 IgE がマスト細胞に結合 ⑤虫体に対する Th2 の優位な細胞性反応として好酸球，好塩基球，マスト細胞，特異的/非特異的 IgE 抗体の関与，好酸球の IgG・IgA 抗体との連携などによる殺傷など ⑥抗体依存性細胞障害反応（ADCC） ⑦補体依存性細胞障害反応（CDCC） ⑧被嚢化，肉芽（腫）形成（例：好酸球性肉芽種）

IgE クラススイッチと IL-5 産生による好酸球の分化・増殖に関与している．グループ 2 の ILC2 も反応してタイプ 2 サイトカインの IL-4，IL-5，IL-13 を産出・分泌する．これにより杯細胞の増殖，粘液の過剰産生，平滑筋の攣縮を起こし，好酸球，マスト細胞をおびき寄せ，M2 マクロファージの貪食を促す．また ILC2 は IL-25 や IL-33 に反応し，IL-5 および IL-13 を大量に産生分泌する．消化管寄生蠕虫に対するマスト細胞増加もこの機構によるとされている．表 2 に原虫と蠕虫感染の場合のヒトの免疫応答についてまとめた．

これら宿主の寄生虫に対する免疫反応はそれぞれの寄生虫症の免疫診断に利用されている．古くは寒天ゲル内沈降反応（Ouchterlony 法）や免疫電気泳動法，抗原を用いた皮内反応が行われたが，今ではほとんど用いられなくなった．現在はイムノクロマト法（抗原，抗体を検出），間接蛍光抗体法，間接赤血球凝集反応，間接ラテックス凝集反応，酵素抗体法（ELISA 法），ウエスタンブロット法などが用いられている．これらは主として患者血清中の抗体を検索するものであるが，循環抗原を検索する方法もある．これらについては各項目のところで述べる．

寄生虫の免疫回避機構

ここまで述べてきたことは寄生虫感染に対する宿主側の反応であるが，これに対して寄生虫の側には宿主の免疫反応を逃れようとする機構が認められる．その機構には，例えば抗原変換（antigenic variation）と呼ばれる機構があり，例えばガンビアトリパノソーマは宿主に感染すると一旦増殖するが，やがて生じた抗体によって増殖が抑えられる．すると今度は虫体側は自らの体表の抗原性を変化させて抗体の攻撃を回避しようとする．マラリア原虫にも同様の機構が知られている．

また分子模倣（molecular mimicry や molecular camouflage）と呼ばれる機構では，ある寄生虫（住血吸虫）において虫体の表面を宿主の抗原類似物を産生して被い，攻撃を回避しようとしたり，また一部の寄生虫（リンパ性フィラリアやブルセイトリパノソーマ）では宿主免疫系を調節，操作して，宿主の免疫機構を抑制あるいは失調させ，特に制御性 T 細胞（regulatory T cells）を誘導して攻撃を弱めようとしたり，種々の巧妙な機構のあることが知られている．また一部の寄生虫（トキソプラズマ，マラリア，旋毛虫など）は，宿主細胞（赤血球や組織細胞）に感染して寄生包膜（parasitophorous vacuole）を形成してその中で増殖したり，マラリアでは発育の各段階で体表を被覆するタンパク質を変化させたりする．あるいは抵抗型や潜伏状態（トキソプラズマでは筋肉や脳内で嚢子化，旋毛虫では横紋筋の筋肉細胞内で被嚢化，蠕虫類の幼虫や虫卵の周囲の肉芽（腫））となり宿主の攻撃から免れる．

VII. 寄生虫の感染経路と疫学

寄生虫症は感染症であり，ヒトからヒトへ，またヒトから他の動物を介してヒトへと感染する．そして，それを左右する多くの要因がある．われわれは個々の寄生虫症患者を診断し，治療するだけでなく，広く疫学的にこれをとらえ，寄生虫の感染予防，寄生虫の撲滅に取り組まなければならない．以下に感染と疫学に関するいくつかの事項を説明する．

A. 感染源

1. 患者 patient
その寄生虫に感染し，何らかの症状を発し，医療の対象となる者．

2. 保虫者 carrier
その寄生虫に感染しているが症状を示していない者．

3. 保虫宿主 reservoir host
人体寄生虫を保有しているヒト以外の動物．

以上のヒトおよび動物はその寄生虫の感染源としての役割を果たしている．

B. 感染型

その寄生虫がヒトに感染してくる場合の形態をいう．あるものは虫卵（**幼虫形成卵 embryonated egg**）で，またあるものは一定度発育した幼虫（**感染幼虫 infective larva**）の状態で侵入してくる．寄生虫によってそれぞれ一定している．

C. 感染経路

感染型の虫卵や幼虫はヒトの口から侵入してくる場合（**経口感染 oral infection**）と，幼虫が皮膚を貫いて侵入してくる場合（**経皮感染 cutaneous infection**）とがある．後者の場合，経粘膜感染もあり，また昆虫の刺咬時に侵入する場合もある．さらにトキソプラズマや犬回虫のように胎盤を通って病原虫が母親から胎児に移行し感染する場合（**胎盤感染 placental infection** または **prenatal infection**）もある．

最近，**性感染症**（**sexually transmitted disease, STD**）という言葉がよく使われるようになった．性交によって感染する疾病の総称で，淋病・梅毒・軟性下疳・第四性病など従来のものの他に AIDS，クラミジアなど多くのものが加わり，腟トリコモナス・ケジラミ・赤痢アメーバ・ランブル鞭毛虫・蟯虫などの寄生虫もこれに含まれるようになった．

D. 伝播方法

1. 直接伝播
感染型が直接ヒトからヒトへと伝わってゆく．蟯虫やケジラミなどがその例である．

2. 間接伝播
これには，さらに2つの方法が考えられ，その1つは**機械的伝播 mechanical transmission** で，例えば赤痢アメーバの囊子がハエやゴキブリなどによって機械的にヒトの食品上に運ばれてくるような場合である．いま1つは**生物学的伝播 biological transmission** で，例えばフィラリアや肝吸虫のように病原虫が媒介者あるいは中間宿主の体内で一定の必須の発育をとげたのちヒトに運ばれてくる場合である．

そこで，機械的伝播を行っているものを主に**伝播者 transmitter** といい，生物学的伝播を行っているものを**媒介者 vector** といっている．媒介者と中間宿主は機能的には同じであるが，蚊，ブユ，ダニのように積極的にヒトを襲って疾病を媒介するものを主に媒介者と呼び，一方，ヒトが魚，肉，貝などを摂取することによって感染する場合，それらを中間宿主と呼んでいる．

E. 浸淫的発生 endemic prevalence と流行的発生 epidemic prevalence

浸淫的発生とは一地域において常時発生している状態をいい，**地方病**または**風土病 endemic disease** ともいう．流行的発生とは，ある感染症が，ある地域またはある時期に異常に多発する現象をいう．endemic な地区で epidemy の起こる場合がある．これは地域免疫の低下や媒介者の異常多発などが原因となる場合が多い．流行が世界的に拡がると**世界的流行 pandemic** という．

VIII. 感染症法の制定と寄生虫疾患および新興・再興感染症

第二次世界大戦後のわが国における疾病構造の変化は目を見張るものがある．これはわが国の工業化，農業の近代化，医療の普及充実，食生活・住環境の変化などによって，感染症は次第に少なくなり，これに代わって悪性腫瘍，脳・心臓血管障害，高血圧，糖尿病などが生命の終末に関わる疾患となってきている．

感染症は次第に少なくなってはいるものの決して問題がなくなったわけではなく，研究の進展により新たに認識された疾患や，新たに外国から持ち込まれた疾患（**新興感染症 emerging diseases**）も多く，また一旦はなくなったかに見えた感染症の復活（**再興感染症 reemerging diseases**）も大きな問題となってきた．

わが国の感染症に関する法律は明治30年（1897）に制定された**伝染病予防法**があり，法定伝染病，届け出伝

染病，指定伝染病などに区分されていたが，上記のような疾病構造の変化に対応するため1999年に新しい法律（感染症の予防及び感染症の患者に対する医療に関する法律，**感染症法**）が制定され，必要に応じて見直されることになっている．2023年に一部追加改正されたものを下に示す（**表3**）．この中には本書に含まれている寄生虫による疾患（赤字）や衛生動物が媒介する疾患（青字）が多く含まれている．

表3．感染症法対象疾患（令和5年6月7日一部改正施行）

1類	エボラ出血熱，クリミア・コンゴ出血熱，痘そう，南米出血熱，ペスト，マールブルグ病，ラッサ熱
2類	急性灰白髄炎，結核，ジフテリア，重症急性呼吸器症候群（病原体がコロナウイルス属SARSコロナウイルスであるものに限る），中東呼吸器症候群（病原体がベータコロナウイルス属MERSコロナウイルスであるものに限る），鳥インフルエンザ（H5N1），鳥インフルエンザ（H7N9）
3類	コレラ，腸管出血性大腸菌感染症，細菌性赤痢，腸チフス，パラチフス
4類	E型肝炎，ウエストナイル熱，A型肝炎，エキノコックス症，エムポックス，黄熱，オウム病，オムスク出血熱，回帰熱，キャサヌル森林病，Q熱，狂犬病，コクシジオイデス症，ジカウイルス感染症，腎症候性出血熱，西部ウマ脳炎，ダニ媒介脳炎，炭疽，チクングニア熱，ツツガムシ病，デング熱，東部ウマ脳炎，鳥インフルエンザ（H5N1，H7N9を除く），ニパウイルス感染症，日本紅斑熱，日本脳炎，ハンタウイルス肺症候群，Bウイルス病，鼻疽，ブルセラ症，ベネズエラウマ脳炎，ヘンドラウイルス感染症，発しんチフス，ボツリヌス症，マラリア，野兎病，ライム病，リッサウイルス感染症，リフトバレー熱，類鼻疽，レジオネラ症，レプトスピラ症，ロッキー山紅斑熱，重症熱性血小板減少症候群（病原体がフレボウイルス属SFTSウイルスであるものに限る）
5類	（全数届出感染症）アメーバ赤痢，ウイルス性肝炎（A型肝炎およびE型肝炎を除く），カルバペネム耐性腸内細菌目細菌感染症，急性弛緩性麻痺（急性灰白髄炎を除く），急性脳炎（ウエストナイル脳炎，西部ウマ脳炎，ダニ媒介脳炎，東部ウマ脳炎，日本脳炎，ベネズエラウマ脳炎およびリフトバレー熱を除く），クリプトスポリジウム症，クロイツフェルト・ヤコブ病，劇症型溶血性レンサ球菌感染症，後天性免疫不全症候群，ジアルジア症，侵襲性インフルエンザ菌感染症，侵襲性髄膜炎菌感染症，侵襲性肺炎球菌感染症，水痘（入院例に限る），先天性風しん症候群，梅毒，播種性クリプトコックス症，バンコマイシン耐性黄色ブドウ球菌感染症，バンコマイシン耐性腸球菌感染症，風しん，麻しん，薬剤耐性アシネトバクター感染症，百日咳 （定点届出感染症）（省略） インフルエンザ/COVID-19*定点，小児科定点，眼科定点（以上，週単位で報告），性感染症定点（月単位で報告），基幹定点（週単位で報告，月単位で報告） * COVID-19とは，新型コロナウイルス感染症（新たに人から人に伝染する能力を有することとなったコロナウイルスを病原体とする感染症であって，一般に国民が当該感染症に対する免疫を獲得していないことから，当該感染症の全国的かつ急速なまん延により国民の生命及び健康に重大な影響を与えるおそれがあると認められるもの）のうち，病原体がベータコロナウイルス属のコロナウイルス（令和2年1月に，中華人民共和国から世界保健機関に対して，人に伝染する能力を有することが新たに報告されたものに限る）であるものに限る． 学校保健安全法施行規則の一部を改正する省令が令和5年4月28日に公布され，同年5月8日から施行された．改正の概要は①新型コロナウイルス感染症〔病原体がベータコロナウイルス属のコロナウイルス（令和2年1月に，中華人民共和国から世界保健機関に対して，人に伝染する能力を有することが新たに報告されたものに限る．以下同じ）であるものに限る．以下同じ〕の第二種の感染症への追加（以前は第一種），②新型コロナウイルス感染症に係る出席停止の期間の基準の設定（以前は第一種で出席停止の期間の基準について「治癒するまで」としていたが，第二種の感染症に位置付けることに伴い，出席停止の期間の基準を「発症した後五日を経過し，かつ，症状が軽快した後一日を経過するまで」とすることが設定された（発症した日や症状が軽快した日の翌日から起算する）．

感染症法では，1～5類感染症以外に，新型インフルエンザ等感染症，指定感染症，新感染症の分類があるが，現在これらに該当する感染症はない．新型コロナウイルス感染症（COVID-19）は，令和2年2月7日からは指定感染症，令和3年2月13日からは新型インフルエンザ等感染症に分類されていたが，令和5年5月8日から5類感染症に移行された．
1, 2, 3, 4類および指定感染症は診断後直ちに届け出，5類は7日以内に届け出る．風しん，麻しん，侵襲性髄膜炎菌感染症は5類だが，診断後直ちに届け出る．（厚生労働省令第131号．平成29年12月による）
1類感染症，ジカウイルス感染症，チクングニア熱，中東呼吸器症候群，デング熱，鳥インフルエンザ（H5N1），鳥インフルエンザ（H7N9），マラリア，侵襲性髄膜炎菌感染症，水痘（入院例に限る），風しん，麻しんにおいては，届出様式における感染地域の項目に「渡航期間」を記載項目として追加され令和2年1月1日より適用．

　上記疾患のうち，赤字で示したものは病原体自身が寄生虫であるもの，青字で示したものは，病原体自身はウイルス，リケッチア，細菌などであるが，それが蚊，ダニ，ノミ，シラミあるいは哺乳類によって媒介される疾患で本書に記述されているものである．
　最近，**新興感染症**，**再興感染症**という言葉がよく用いられる．最近，注目されている新興寄生虫感染症としてはアカントアメーバ，クリプトスポリジウム，サイクロスポラ，肉胞子虫，バベシア，サルマラリア，ナナホシクドア，旋尾線虫，サル条虫などの感染，およびマダニ媒介による日本紅斑熱やライム病，重症熱性血小板減少症候群，蚊の媒介によるデング熱，ジカ熱などが挙げられる．一方，再興寄生虫感染症としては，赤痢アメーバ，マラリア，糞線虫，肺吸虫，エキノコックス，衛生動物領域ではツツガムシ病をはじめマダニ，ヒゼンダニ，ニキビダニ，アタマジラミ，コロモジラミ，ケジラミ，トコジラミ，ハチなどが挙げられる．

IX. 寄生虫症の診断と治療に関するコンサルテーション

太平洋戦争終結後，疲弊したわが国において寄生虫の感染は猖獗を極め，蚊やハエやシラミやダニが媒介する伝染病も国民の生命を脅かしていた．そこで政府は全国の大学の医学部に医動物学もしくは寄生虫学の教室の設置を促し，ほとんどの大学に設置され教育研究が行われてきた．ところがその後，わが国の近代化が進むにつれ土着の寄生虫症は減少し，医療面での重要性も次第に低下してきた．医学教育面でも軽視され，教室・講座は縮小，あるいは他の学問領域に転用するところが続出し，その結果，寄生虫学の専門家，研究者は急速に減少しつつある．

ひるがえってわが国の寄生虫症の現状を見ると，感染者の総数は激減しているが，最近再び流行し始めた寄生虫（再興感染症），今までわが国で報告のなかった新顔の寄生虫（新興感染症），動物由来の寄生虫（人獣共通感染症），海外での感染や感染した外国人の入国，輸入食品由来の寄生虫（輸入感染症）など複雑化し，その診断・治療には広範な知識が要求される．臨床各科においては時に遭遇する原因不明の好酸球増多，病理切片に現れた不明の物体，原因不明の高熱，腹痛，腫脹など寄生虫症が疑われるが診断・治療に苦慮する場合がある．近隣の大学に相談すべき専門家がいない場合，日本寄生虫学会ではホームページを通じ下記のようなサービスを行っているので利用されたい．症例はネット上で専門家の間に公開され，種々の意見やアイデアを聞くことができる．

日本寄生虫学会ホームページ
http://jsp.tm.nagasaki-u.ac.jp/
"医療関係者向けコンサルテーション"

一方，寄生虫症の治療薬については，寄生虫の種類によってそれぞれ特殊な薬剤が用いられ，中には日本で販売されていないものも多数ある．そこで日本医療研究開発機構の研究事業「熱帯病治療薬研究班（略称）」が**表4**に示す研究機関に薬剤を保管し，無償で提供しているので相談するとよい．

表4．熱帯病治療薬剤使用機関

市立札幌病院　消化器内科	鈴鹿医療科学大学　保健衛生学部　医療栄養学
獨協医科大学　医学部　熱帯病寄生虫病学講座	鈴鹿医療科学大学　看護学部
獨協医科大学埼玉医療センター　臨床検査部	兵庫医科大学　皮膚科学
埼玉医科大学　医学部　臨床検査医学	奈良県立医科大学　病原体感染防御医学
国際医療福祉大学　医学部　感染症学	関西医科大学　衛生・公衆衛生学講座
東京大学医科学研究所附属病院　感染免疫内科	鳥取大学　医学部　視覚病態学
結核予防会新山手病院　内科	香川大学　医学部　国際医動物学講座
東京都保健医療公社荏原病院　感染症内科	長崎大学　熱帯医学・グローバルヘルス研究科
東京医科大学病院　渡航者医療センター	長崎大学　熱帯医学研究所　寄生虫学分野
国立療養所　多摩全生園	宮崎大学　医学部　感染症学講座　寄生虫学分野
国立医薬品食品衛生研究所　薬品部	琉球大学医学部附属病院　第一内科
金沢大学　先端予防医学研究センター　寄生虫感染症制御学	琉球大学　医学部　附属病院　診療情報管理センター

（熱帯病治療薬研究班：薬剤使用機関（2020年度）による）

熱帯病治療薬研究班のウェブサイト（https://www.nettai.org/）では寄生虫症の薬剤，薬物治療に関する詳しい情報が発信されている．

各論

I. 原虫類

中国古代の経典に見られるマラリア患者の図.「発寒病」とあるが,病気の原因は悪魔,悪霊の仕業,すなわち高熱は火炙り,悪寒は注水,頭痛は叩頭と考え,恐れ戦いている図と思われる. (マレー大学医学部 Prof. Anuar の厚意による)

青蒿の図,この植物から抽出した青蒿素(Quinghaosu)(チンハオスウ)がマラリアに有効. (李沢琳教授の厚意による)

人体寄生原虫　総論

原虫（原生動物）protozoa を定義すると，運動性のある従属栄養（有機栄養）の動物性単細胞真核生物ということができる．そしてその単細胞によって必要なすべての機能（摂食・運動・代謝・生殖など）を行っている．これに対し多数の細胞から成り立っている動物を**後生動物 metazoa** という．地球上には約 65,000 種の原虫が知られ，そのうち，約 10,000 種が寄生種である．本書はこれらの中で医学上重要な種を中心に解説する．

1. 原虫の基本構造（図 2）

a．細胞表層　動物および植物の細胞表層系は本質的な差はなく，原形質の表面は**細胞膜 cell membrane（原形質膜 plasma membrane；単位膜 unit membrane** ともいう）で被われ，さらにその外側には多糖類を持った**糖衣（外被）glycocalyx** がある．

b．核 nucleus および仁 nucleolus　原虫の核は**クロマチン（染色質）**が散在している**胞核**と，これが充満している**充核**とに分けられる．胞核はアメーバの類にみられ，RNA を含む仁は核膜の内側に沿って分散し，DNA を含む**カリオソーム karyosome** は核の中央部近くに存在する．

c．外肉 ectoplasm　原虫の外側部を占め，アメーバ類ではゲル状で主として運動・摂食・排泄などを司る．外肉が分化して種々の小器官，例えば**偽足（仮足）**，**鞭毛**，**繊毛**，**波動膜**，**口器**，**細胞肛門**などを形成する．細胞膜の直下に微小管を認めるものが多い．

d．内肉 endoplasm　原虫の内部を占めゾル状で，核，ミトコンドリア，小胞体，ゴルジ体，食胞，リソソームなどを内蔵する．主として消化・代謝・生殖・栄養貯蔵などを司る．

2. 原虫の生理

a．栄養　原虫の栄養の摂り方は，食物を偽足で体内に取り込む方法（完全動物性栄養）と，周囲のメジウム中の栄養物を体表から吸収する方法（腐生動物性栄養）とがある．

b．分泌・排泄　原虫は取り込んだ食物を消化するために体内酵素を分泌する他，組織融解酵素など体外酵素を出す．また代謝産物を排泄する．これらは宿主に対し抗原として，あるいは毒素として作用することがある．

c．代謝　原虫のエネルギー代謝は本質的には他の生物と変わりはない．分子状酸素の消費によって行われる**好気的代謝**を行っているものと，無酸素下で乳酸発酵やアルコール発酵のような**嫌気的代謝**を行ってエネルギーを生成しているものがある．好気的代謝の方がより進化した方法であり，同じ基質からより多くのエネルギーを引き出すことができる．

d．生殖　原虫の生殖は，根足虫・鞭毛虫・有毛虫などは**無性生殖 asexual reproduction** を営み，分裂によって増殖するが，胞子虫ではこの他に雌雄を生じ**有性生殖 sexual reproduction** を行う．

医学上重要な原虫類を分類すると第 2 項のようになるが，大体 4 つのグループに大別することができる．それらの形態的特徴を示すと図 2 のごとくで，根足虫はアメーバの類で偽足を持っており，鞭毛虫は 1 ないし数本の鞭毛を有し，胞子虫は有性・無性両生殖を行い，有毛虫は多数の繊毛を持っている．

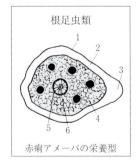 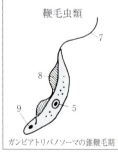 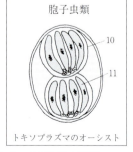 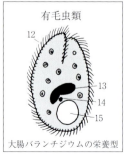

図 2．人体寄生原虫の 4 つの代表的な形態
1．細胞膜，2．外肉，3．偽足，4．内肉，5．核，6．カリオソーム，7．鞭毛，8．波動膜，9．キネトプラスト，10．スポロシスト，11．スポロゾイト，12．繊毛，13．大核，14．小核，15．収縮胞

2 人体寄生原虫の分類

Kingdom Protista 原生生物界
Subkingdom Protozoa 原生動物亜界
Phylum Sarcomastigophora 肉様鞭毛虫門
  Subphylum Sarcodina 肉様虫亜門
    Superclass Rhizopodea 根足虫上綱
      Order Amoebida アメーバ目
        Family Endamoebidae エンドアメーバ科
        ○*# *Entamoeba histolytica* 赤痢アメーバ
          * *E. coli* 大腸アメーバ
          * *E. dispar*（和名未定）
          * *E. hartmanni* ハルトマンアメーバ
          * *E. gingivalis* 歯肉アメーバ
          * *Endolimax nana* 小形アメーバ
          * *Iodamoeba bütschlii* ヨードアメーバ
        Family Acanthamoebidae
          # *Acanthamoeba culbertsoni*
                    カルバートソンアメーバ
        ○§ *A. castellanii* カステラーニアメーバ
        ○§# *A. polyphaga* 多食アメーバ
      Order Schizopyrenida
        Family Vahlkampfiidae
          # *Naegleria fowleri* フォーラーネグレリア
  Subphylum Mastigophora 鞭毛虫亜門
    Order Kinetoplastida キネトプラスト目
      Family Trypanosomatidae トリパノソーマ科
        # *Trypanosoma brucei gambiense*
                    ガンビアトリパノソーマ
        # *T. b. rhodesiense* ローデシアトリパノソーマ
        # *T. cruzi* クルーズトリパノソーマ
        # *Leishmania donovani* ドノバンリーシュマニア
        # *L. tropica* 熱帯リーシュマニア
        # *L. braziliensis* ブラジルリーシュマニア
        # *L. mexicana* メキシコリーシュマニア
    Order Diplomonadida ジプロモナス目
     ○* *Giardia intestinalis* ランブル鞭毛虫
    Order Retortamonadida レトルタモナス目
      * *Chilomastix mesnili* メニール鞭毛虫
    Order Trichomonadida トリコモナス目
     ○** *Trichomonas vaginalis* 腟トリコモナス
      * *T. tenax* 口腔トリコモナス
      * *Pentatrichomonas hominis* 腸トリコモナス
Phylum Apicomplexa アピコンプレックス門
  Class Sporozoea 胞子虫綱
    Order Eucoccidiida 真コクシジウム目
      Family Eimeriidae アイメリア科
       * *Cyclospora cayetanensis* サイクロスポーラ
      Family Cryptosporiidae クリプトスポリジウム科
      ○* *Cryptosporidium hominis*
                ヒトクリプトスポリジウム
      ○* *C. parvum* 小形クリプトスポリジウム
      Family Sarcocystidae 肉胞子虫科
      * *Sarcocystis hominis* ヒト肉胞子虫
      * *S. fayeri* フェイヤー肉胞子虫
      Family Toxoplasmatidae トキソプラズマ科
      ○# *Toxoplasma gondii* トキソプラズマ
      * *Cystoisospora belli* 戦争シストイソスポーラ
    Suborder Haemosporina 住血胞子虫亜目
      Family Plasmodiidae プラスモジウム科
      ○# *Plasmodium vivax* 三日熱マラリア原虫
      ○# *P. falciparum* 熱帯熱マラリア原虫
      ○# *P. malariae* 四日熱マラリア原虫
      ○# *P. ovale* 卵形マラリア原虫
      ○# *P. knowlesi* 二日熱マラリア原虫
    Subclass Piroplasmia ピロプラズマ目
      Family Babesiidae バベシア科
      # *Babesia microti* ネズミバベシア
Phylum Ciliophora 有毛虫門
  Order Trichostomatida 毛口目
    Family Balantidiidae バランチジウム科
     * *Balantidium coli* 大腸バランチジウム
Phylum Blastocysta
  ○* *Blastocystis hominis* ヒトブラストシスチス
Phylum Myxozoa
  ○* *Kudoa septempunctata* ナナホシクドア
Phylum Labyrinthomorpha
Phylum Microspora
  従来原虫とされていたが最近，真菌類とされた種
○## *Pneumocystis carinii* ニューモシスチス・カリニ
○## *P. jiroveci* ニューモシスチス・イロベチイ

---

*消化系寄生，#血液または組織内寄生，**泌尿生殖系寄生，§眼寄生，##呼吸系寄生，○印はわが国で医学上とくに重要なもの．

　ここに示した分類は1980年，Society of Protozoologistsが発表した方法（Levineら，J. Protozoology, 27：35-58）に基づき，人体寄生虫に限定して再編．その後 Ramon（J. E. Microbil. 45：184, 1998）の意見や最近重要となった種を追加．最近，原虫の分類が遺伝子解析により変革の過程にある．例えば，クリプトスポリジウムはコクシジウムから区別されている．

赤痢アメーバ［A］歴史・疫学・形態・生活史

赤痢アメーバは大腸に寄生してアメーバ赤痢を起こす．また肝臓に転移してアメーバ性肝膿瘍を起こす．最近わが国で国内感染，輸入感染ともに増加し，特に男性同性愛者の間で感染率が高く，AIDSの合併症としても重要である．感染症法では5類感染症に指定され，本症を診断した医師は7日以内に保健所に届け出なければならない．

【和名・種名】　赤痢アメーバ
Entamoeba histolytica Schaudinn, 1903

【疾病名】
疾病の程度や部位により次の如く分類されている．

1. アメーバ赤痢 amebic dysentery：粘血便を伴う強い消化器症状を主徴とする場合．
2. アメーバ性大腸炎 amebic colitis：粘血便を伴わず，下痢，腹痛などの消化器症状を主徴とする場合．
3. アメーバ性肝膿瘍 amebic liver abscess：赤痢アメーバが肝臓に転移し，膿瘍を形成する場合．
4. 嚢子保有者 cyst carrier：無症状で糞便中に嚢子のみを排出している感染者．
5. アメーバ症 amebiasis：有症の場合の総称．

【歴史】
本虫によると思われる疾患は紀元前から知られていた．患者から初めて虫体を見出したのはLosch（1875）であるが新種の記載を行ったのはSchaudinn（1903）である．わが国では高洲（1902）註1が最初の症例を報告した．その後Brumpt（1925）は形態的には同じだが非病原性のものを別種とし*E. dispar*と命名した．

【疫学】
従来，世界の感染者数は約5億人とされてきたが，最近その約90％は*E. dispar*であることが推定され，その結果，病原性の*E. histolytica*感染者は約4,800万人，年間死亡者は約7万人と報告されている．

本症は全世界とくに熱帯，亜熱帯の非衛生的なところに多い．わが国にも古くから存在していたと思われるが正確な統計はなく1950年頃には年間500例ほどの届け出があった．その後，次第に減少していたが1980年頃から増加し始めた．この原因を分析してみると，①有機農業による国内野菜や輸入野菜の生食，②海外での感染，③性行為による感染（**性感染症 sexually transmitted disease, STD**）：最近，欧米などで同性愛男性の本虫感染率が20～30％と異常に高く，これはoral-anal sexなどの行為によって糞便中の嚢子が直接口に入るためである．わが国でも最近行われた2,798例の本症患者の調査註2によると89％は男性で，大都市に住み，海外渡航歴がなく，他の性病を合併しており，STDを強く示唆する．④AIDSやその他の免疫不全患者における本症の顕在化．⑤重症心身障害者施設内での流行：神奈川県下の5施設で本虫の感染者が入居者の1.8～24.7％（平均11.8％）に見られ註3，山形県下の施設では48.7％に見られたという註4．その他，大阪，香川，福岡，静岡などの施設内でも集団感染が見い出されている．

【形態と生活史】
本虫はその生活史上，栄養型と嚢子の2時期がある．

1. 栄養型 trophozoite（図4-①，5，6，7，8）
アメーバ赤痢患者の新鮮な粘液血性便（図16）の一部を取ってすぐ観察すると，活発にアメーバ運動をしている栄養型を見ることができる．アメーバ性肝膿瘍の穿刺液（図17）の中にも見出される．栄養型は2分裂で増殖する．この栄養型の特徴は次の如くである．

① 偽足を出して盛んに運動する．
② 大きさは20～50μm，大きさ・形は種々変化する．
③ 内肉の中に赤血球を捕食している．
④ カリオソーム karyosome は核のほぼ中央にある．

2. 嚢子 cyst（図4-⑤～⑧，9，10，11，12）
栄養型は大腸腔内で嚢子となる．これを**嚢子形成 encystation** という．栄養型は大腸以外の臓器内や外界では嚢子にならない．嚢子形成の過程は図4-⑤～⑧に示す如く，まず栄養型はやや縮小して球形に近い前嚢子となり，次いで嚢子壁が形成されて1核嚢子（図9）となり，さらに核が分裂して2核嚢子（図10）となる．この時期に嚢子内に**類染色質体 chromatoid body** やグリコーゲン胞 **glycogen vacuole** などが見られる．そして最終的に4核を持った成熟嚢子（図11，12）となる．

成熟嚢子の特徴は次の如くである．

① 球形で直径は12～15μm，丈夫な嚢子壁をもつ．
② 4核をもつ（ごく稀に8核）．
③ カリオソームは核のほぼ中央に位置する．
④ 類染色質体は楕円形．

このような嚢子を摂取すると図4-⑨～⑫に示すように脱嚢，分裂，増殖し大腸に下って栄養型となる．

註1．高洲謙一郎（1902）：東京医学会雑誌，15（24）：26-43．
註2．IDWR（2007）：44号，アメーバ赤痢 1999-2006．
註3．永倉貢一（1992）：感染症，22：97-104．
註4．西瀬祥一ら（2003）：感染症誌，77：922-923．

赤痢アメーバ　15

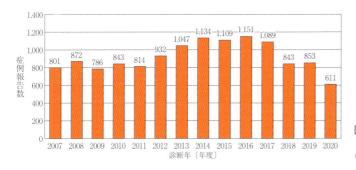

図3．わが国におけるアメーバ赤痢の症例報告数
　　　　（2007〜2020年）
（感染症発生動向調査報告数，2021年10月30日現在）

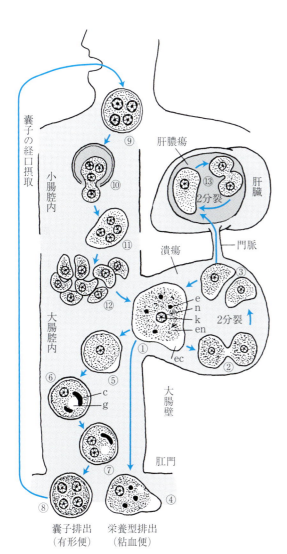

図4．赤痢アメーバの形態，生活史および感染経路
①栄養型（e：赤血球，n：核，k：カリオソーム，en：内肉，ec：外肉），②〜③大腸組織内2分裂増殖，④栄養型排出，⑤〜⑧嚢子形成（⑤前嚢子，⑥1核嚢子（c：類染色質体，g：グリコーゲン胞），⑦2核嚢子，⑧成熟嚢子，⑨経口感染，⑩嚢子からの脱出，⑪後嚢子，⑫分裂した8個の脱嚢後栄養型，⑬肝内転移，2分裂増殖

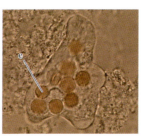

図5．運動中の栄養型，生鮮標本
偽足および捕食赤血球eに注意．

図6．栄養型，生鮮標本
ノマルスキー微分干渉顕微鏡像，n 核

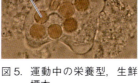

図7．栄養型，ハイデンハイン鉄ヘマトキシリン（HIH）染色

図8．大腸組織内の栄養型（生検材料）HE染色

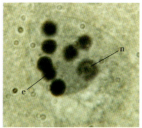
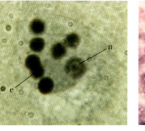

図9．1核嚢子，コーン染色
楕円形の類染色質体cに注意．

図10．2核嚢子，HIH染色
類染色質体は楕円形．

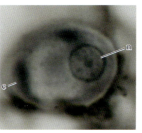
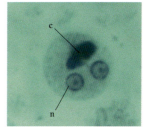

図11．4核嚢子，ヨード染色

図12．4核嚢子，HIH染色

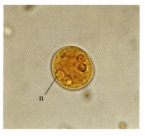
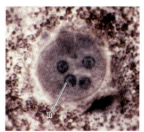

赤痢アメーバ［B］病理・症状・感染経路

赤痢アメーバ症は腸アメーバ症と腸管外アメーバ症とに大別される．腸アメーバ症の場合は大腸に潰瘍を生じ，粘血便を排出する重症例から囊子のみを排出している軽症例まで種々の段階がある．一方，腸管外アメーバ症の場合はアメーバは主に肝臓，稀に脳，肺などに転移して膿瘍を形成し放置すると重症化する．大腸に病変のある患者の約5％が腸管外に転移するとされているが，腸の症状なしに肝膿瘍単独で発症する場合もかなりある．

【病理】

I．腸アメーバ症 intestinal amebiasis

赤痢アメーバは小腸には寄生せず**大腸に寄生**し，通常，粘膜上で細菌と共生して生活しているが，何らかの原因により組織融解酵素を出して粘膜に侵入を開始し，組織を破壊しつつ増殖し潰瘍 ulcer を形成する（種名の histo は組織，lytica は融解の意）．本症の潰瘍は白苔に被われ（図13），壺型に掘れ込んでいる（図14）のが特徴で，周囲の炎症性反応は少ない．潰瘍の好発部位は盲腸，次いでS状結腸，直腸，虫垂，横行結腸，下行結腸，回腸末端部の順である．

II．腸管外アメーバ症 extraintestinal amebiasis

大腸の潰瘍で増殖した栄養型虫体が門脈内に入るとまず肝臓に転移するので肝膿瘍（図15）を起こす頻度が最も高く，次いで脳（図18），肺，脾臓，肛門周囲の皮膚（図19）などに転移することがある．肝膿瘍内には肝臓の組織の破壊によって生じた黄褐色の粘稠な液（図17）が充満し，栄養型虫体は膿瘍内壁付近に多く存在する．細菌は通常陰性である．

【症状】

症状の程度は虫体の数，毒力，宿主の抵抗力などによって異なり，殆ど無症状から致死的なものまである．

I．アメーバ赤痢 amebic dysentery

潜伏期間は4日ないし数か月と不定．腹痛，下痢を以て始まる．重症の場合，下痢はテネスムスを伴って1日数十行に及ぶ．便の特徴は粘液と血液が混じた**苺ゼリー状の粘血便**（図16）である．腹痛は自発痛の他，回盲部やS状結腸部に圧痛がある．発熱は殆どなく白血球増加や赤沈亢進なども軽度である．適切な治療を施さないと慢性化し下痢と寛解を繰り返し，体重減少，貧血などを来す．時に劇症型があり激しい下痢，出血，腸穿孔などを起こし死亡することがある．これは潰瘍性大腸炎などと誤診して免疫抑制剤多用などの場合に見られる．

II．アメーバ性大腸炎 amebic colitis

粘血便などは見られず，主として下痢，腹痛を反復し，時に下痢便中に栄養型虫体を認めるような比較的軽症の場合をいう．

III．無症状感染者（囊子保有者 cyst carrier または囊子排出者 cyst passer）

前述のような症状を示さず糞便中に囊子のみを排出している無症状の感染者は有症者よりもずっと多い．従来の考え方は，大腸内で増殖し病原性を発揮していた *E. histolytica* は，症状が回復して有形便になると囊子のみを排出するようになる．このような感染者を**回復期保虫者 convalescent carrier** と呼び，初めから無症状で囊子のみを排出している感染者を**接触保虫者 contact carrier** と呼んできた．

ところが最近，生化学的，免疫学的および分子遺伝学的研究の結果，これら無症状者が感染しているのは *E. histolytica* ではなく1925年に Brumpt が非病原性の種として記載した ***Entamoeba dispar*** であるという考えが主流となり，治療の必要はないとされてきた．しかし最近，橘ら[註1]は神奈川県下の複数の精神障害者施設で50名の無症状囊子排出者の虫種を PCR, monoclonal antibody, zymodeme などを用い分析したところ，すべて *E. histolytica* であったという．従って感染予防の見地から無症状囊子排出者も治療が必要とされる．

IV．アメーバ性肝膿瘍 amebic liver abscess

症状は右季肋部痛，不規則な発熱，肝腫大（図15），悪心，食欲不振などで白血球増加，赤沈亢進，貧血，肝機能異常などを認め，適切な治療を行わないと次第に衰弱し死亡することがある．

その他，肺膿瘍の場合は胸痛，咳，血痰などが見られ，脳の場合（図18）には種々の精神・神経症状を呈する．また直腸の病変が肛門付近の皮膚に及び潰瘍を生ずる例もある（図19）．

【感染経路】

ヒトは成熟囊子を経口摂取して感染する．栄養型を飲み込んでも胃で殺されて感染しない．囊子は抵抗力が強く，外界でも適温，適湿であれば数週間感染力を有し，野菜や飲料水と共に口に入り，また性行為などの際に糞便と共に口に入り感染する．ヒトの他にイヌ，ネコ，ネズミ，サル，ブタなどにも感染がみられる（保虫宿主）．

註1．Tachibana et al.（2000）: Parasit. Interntl. 49 : 31-35.

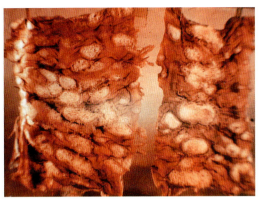

図13. アメーバ赤痢患者の大腸の潰瘍の肉眼的所見
潰瘍は白苔に覆われている.

図14. 壺形に掘れ込んだ潰瘍の組織像
（鈴木俊夫・所沢 剛両博士の厚意による）

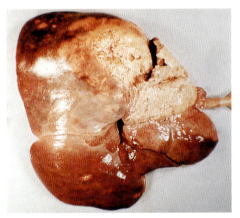

図15. アメーバ性肝膿瘍（黄白色の部分）の肉眼的所見

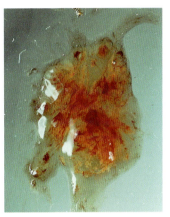

図16. アメーバ赤痢患者の排出する苺ゼリー状粘血便
（Dr. Seitzの厚意による）

図17. アメーバ性肝膿瘍患者（45歳，女性）から肝ドレナージで採取した濃厚な膿汁（筆者経験例）

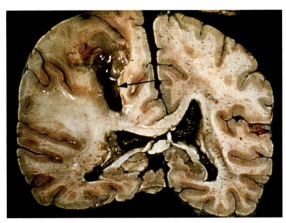

図18. アメーバ性脳膿瘍（40歳，男性）（矢印）
（所沢 剛博士の厚意による）

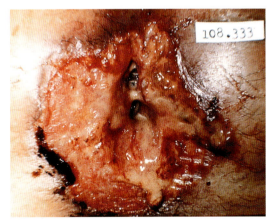

図19. 赤痢アメーバによる肛門の粘膜から周囲皮膚に及ぶ潰瘍

（図13，15，19はDr. Moreraの厚意による）

赤痢アメーバ［C］診断・治療

粘血便を排出している患者を診たときは必ずアメーバ赤痢を疑い栄養型虫体の検出に努める．無症状感染者の診断は糞便検査によって嚢子を検出する．アメーバ性肝膿瘍の場合は膿瘍内容液から栄養型虫体を検出する．組織侵入型のアメーバ症の場合は免疫診断が有用である．最近の遺伝子診断の進歩は診断率の向上，*E. dispar* との鑑別に役立っている．また最近，副作用の少ない有効な駆虫薬が開発され，治療法が一段と進歩した．

【診　断】

I. 腸アメーバ症

特有の苺ゼリー状の粘血便（図16）に注意を払い，これの粘液部分を少量とって37～38℃に保温しながら鏡検し，動いている栄養型虫体（図5）を検出する．またこれらの材料を用いて永久標本を作製する（検査法は第7項参照）．大腸内視鏡による観察（図20，21）および生検材料の組織学的検査（図22）は診断率が高く有用である．無症状感染者（嚢子保有者）の場合は糞便（有形便の場合が多い）をヨード染色法などを用いて検査し嚢子を検出する（図11）（検査法は第7項参照）．人間ドック検診で見つかることがある．

II. 腸管外アメーバ症

肝膿瘍の場合は膿瘍穿刺液または排膿液などについて，栄養型虫体を目標にして粘血便と同様の方法で検索する．しかし肝臓，肺臓，脳などから虫体を検出するのは容易ではない．そのような場合は下記の免疫学的診断法が有用となる．腸管外アメーバ症の中では肝膿瘍が最も頻度が高く，その場合，X線検査で右横隔膜の挙上，CTスキャン（図23），超音波エコー（図24），肝シンチグラム，肝動脈造影などの所見が診断の助けになる．

【免疫学的診断法】血清中の抗体を検索して診断する方法で，Ouchterlony 法，dot-ELISA 法，赤血球凝集反応，間接蛍光抗体法など多くの方法があり，これらによる本症の確診率は竹内ら[註1]によると，肝アメーバ症のように虫体が組織内に侵入する症例では100％に近い．しかし腸アメーバ症の場合は，組織侵入度の高いアメーバ赤痢などでは90～95％と高いが，無症状の嚢子保有者では20～40％と低いという（第110項，表25参照）．また相楽[註2]の得た確診率は肝膿瘍で100％，アメーバ赤痢や大腸炎で47.6％，嚢子保有者では20％であった．

2020年6月に感染症法に基づく届出の基準の追加として赤痢アメーバ抗原検査試薬（商品名**赤痢アメーバ QUIK CHEK**）が認可された．便中の赤痢アメーバ抗原を検出するキットでイムノクロマトグラフ法によるものである．抗赤痢アメーバマウスモノクローナル抗体を使用している．また，核酸増幅法で腸管内の赤痢アメーバの他にランブル鞭毛虫やクリプトスポリジウムを検出するキットもある（商品名 **BD MAX™ Enteric Parasite Panel**）．その他，胃腸病原体（細菌，ウイルス，原虫）を検出する multiple PCR 法もある（商品名①**xTAG™ GPP RUO 胃腸病原体検出キット**，②**FilmArray™ Gastrointestinal Panel**）．

【DNA診断法】糞便，肝膿瘍採取液，生検材料などからDNAを抽出しPCR法を用いて診断する方法が進歩し，診断率の向上と共に非病原性の *E. dispar* との鑑別も可能となった（第110項参照，術式の詳細は**註3**参照）．

【鑑別診断】腸アメーバ症の場合は潰瘍性大腸炎，細菌性赤痢（表6），大腸癌，虫垂炎，胃潰瘍などと鑑別を要する．特に最近，潰瘍性大腸炎と誤診し免疫抑制剤を多用したため腸穿孔などを起こし重症化した例が少なくない．一方，アメーバ性肝膿瘍では肝癌，肝炎，他の原因による肝膿瘍などと鑑別が必要となる．虫の形態では大腸アメーバとの鑑別が大切である（表5）．

【治　療】駆虫薬としては最近，下記の有効な薬剤が開発された．一方，膿瘍に対しては従来，ドレナージによる排膿が行われたが最近は薬物療法が優先される．

1. メトロニダゾール metronidazole（商品名**フラジール Flagyl**）：**アメーバ性大腸炎**の場合は成人量1g/日，分3，毎食後，**アメーバ赤痢**では1.5～2.25g/日，分3，10日間経口投与する．**アメーバ性肝膿瘍**の場合は上記量を14日間経口投与する．経口投与が困難な時や重症アメーバ性肝膿瘍に対してはメトロニダゾール注射薬（商品名**アネメトロ 500mg**）500mgを8時間毎に点滴，7日間投与する．投薬中および投薬後1週間まで禁酒する．また本剤は変異原性があるので妊婦には投与しない．副作用として食欲不振，悪心，嘔吐がみられる．時にしびれなど神経症状の現れた時は投薬を中止する．

2. チニダゾール tinidazole（商品名**チニダゾール錠**）：アメーバ赤痢には1.2g/日，分3，毎食後，7日間，経口投与する．肝膿瘍に対しては2g/日を7日間投与する．変異原性や発癌性はない．

3. 嚢子保有者の治療：糞便内に嚢子のみを排出している感染者は再発の予防と感染源の除去の見地から駆虫が必要とされるがDNA診断で *E. dispar* と確診された場合は必要ない．駆虫薬としては，まず**フロ酸ジロキサニド**が用いられたが，最近はより有効な**パロモマイシン**（商品名**アメパロモ 250mg**，**Humatin**）が用いられている．用量は1.5g/日，分3，毎食後，10日間服用する．85～87％に有効とされるが妊婦や消化管，腎臓に障害のある患者には禁忌とされている．

註1．竹内　勤（1989）：臨床医，15：1468．
註2．相楽裕子（1991）：40回日化療法学東日本支部会抄録，46．
註3．国立感染症研究所（2003）：アメーバ赤痢　検査・診断マニュアル，8-10．

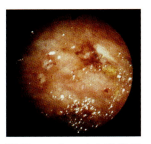

図20. アメーバ赤痢患者（35歳，男性）の下行結腸の内視鏡所見

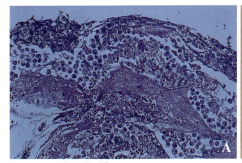
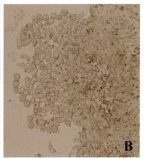

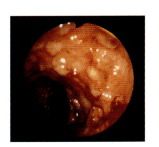

図21. 別の患者（37歳，男性）のS状結腸の内視鏡所見

図22. アメーバ赤痢患者の大腸生検組織像（A，C：HE染色，B：無染色）

（図20，21，22-A，23，24，筆者経験例）

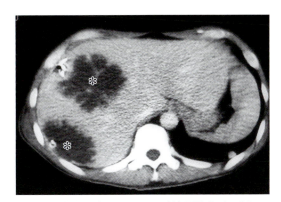

図23. 肝右葉に生じたアメーバ性肝膿瘍（＊印）のCT像（48歳，男性）

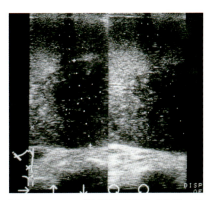

図24. アメーバ性肝膿瘍患者（62歳，男性）の肝臓の超音波診断像

表5. 赤痢アメーバと大腸アメーバの鑑別点

			赤痢アメーバ	大腸アメーバ
栄養型	生鮮標本	運動	活発	不活発
		赤血球捕食の有無	捕食している	捕食していない
	永久染色標本	外肉の発育	発育がよい	発育が劣る
		赤血球捕食の有無	捕食している	捕食していない
		カリオソームの位置	核の中心	中心をはずれる
嚢子	ヨード染色標本	大きさ（直径）	12～15μm	15～25μm
		成熟嚢子内の核の数	4個	8個
		カリオソームの位置	核の中心	中心をはずれる
	永久染色標本	成熟嚢子内の核の数	4個	8個
		カリオソームの位置	核の中心	中心をはずれる
		類染色質体の形	棍棒ないし楕円形	両端尖り裂片状

表6. アメーバ赤痢と細菌性赤痢との主な鑑別点

鑑別点	アメーバ赤痢	細菌性赤痢
発病	多くの場合，緩徐に発病する	急激に発病する
発熱	平熱のことが多い	発熱する
全身状態	比較的侵されない	侵される
テネスムス	比較的弱い	強い
便の量	多い	あまり多くない
便の性状	粘液および血液が便に混和し，苺ゼリー状を示し，時に魚の腸の腐敗したような臭気がある	粘液や膿状物に新鮮血が線状，点状に付着し精液臭がある
治療剤に対する反応	抗生剤で症状が改善しても根治はしない．メトロニダゾールやチニダゾールが有効	抗生剤が有効．抗原虫剤は無効

その他の消化管寄生アメーバ，ヒトブラストシスチス

ヒトの消化管の中には赤痢アメーバの他に数種のアメーバの寄生が知られている．これらはほとんど病原性はなく，かつ現在わが国では感染率も低いが，赤痢アメーバとの鑑別上重要なものがある．またヒトブラストシスチスはアメーバの類ではないがアメーバの囊子によく似て間違いやすく，かつわが国でも寄生率がかなり高く，ときに下痢の原因になるのでここに含めて述べる．

I．大腸アメーバ *Entamoeba coli*

大腸アメーバはその形態が赤痢アメーバに似ているが，腸の組織に侵入したり，他の臓器に転移したりする性質はなく，専ら大腸粘膜上で生活している．したがって病原性はない．世界中に広く分布しており，非衛生的な環境では寄生率は20〜30％と高い．わが国では最近少なくなったが赤痢アメーバとの鑑別上大切である．鑑別点は表5（19頁）にまとめてある．本虫はヒトの他にサル，イヌなどにも感染している．

感染者の下痢便の中に栄養型がみられる．栄養型の大きさは15〜50 μm，図25-A，27に示すごとく，赤血球を捕食しておらず，その代わりに雑菌を捕食している点，カリオソームが核の中心を外れている点などが赤痢アメーバとの主な鑑別点である（表5）．

囊子は通常，有形便の中にみられ，直径15〜20 μmと赤痢アメーバより大きく，生鮮標本をみると円形・油滴状で，中の核がかすかに見える（図28）．ヨード染色標本あるいは永久染色標本を作ってみると，成熟囊子は8核を有し，カリオソームはやはり核の中心を外れているのが分かる（図25-B，29，30）．また永久標本で幼若囊子を見ると，類染色質体は両端が尖り裂片状を示す．

感染方法・発育史などは赤痢アメーバとほぼ同様であるが，病原性がないので強いて駆虫する必要はない．

II．ハルトマンアメーバ *Entamoeba hartmanni*

赤痢アメーバによく似ているが囊子の直径が約10 μmと小さい．従来，赤痢アメーバの小型株とされてきたが，赤血球を取り込まず，病原性もなく，核の構造もやや異なるので独立種とされる（図25-C，D，31）．

III．歯肉アメーバ *Entamoeba gingivalis*

歯肉アメーバはヒトの歯肉部に寄生しているが大した病原性はない．栄養型の大きさは10〜20 μm，偽足を出して活発に運動する（図25-E）．本虫は栄養型だけしか見い出されておらず，感染は直接接触すなわち接吻によると考えられる．

IV．小形アメーバ *Endolimax nana*

小形アメーバはその名の示すごとく大きさは栄養型6〜15 μm，囊子5〜8 μmと小さい（nanaは小形という意味）．栄養型（図25-F，32）は大腸粘膜上に寄生し，組織侵入性はなく，したがって病原性はない．成熟囊子は4核を有する（図25-G，33）．

V．ヨードアメーバ *Iodamoeba bütschlii*

ヨードアメーバの特徴は，囊子に大きなグリコーゲン胞があり，ヨード染色をするとそれが赤褐色に染まることである（図36）．永久標本ではこの部は大きな空胞として認められる（図25-I，35）．栄養型の形態は図25-H，34のごとくで大きさは6〜25 μmである．囊子の大きさは6〜15 μmである．大腸に寄生し，病原性はほとんどない．

VI．ヒトブラストシスチス *Blastocystis hominis*

従来，ヒトの糞便検査をしていると時々これが検出され，非病原性の酵母の一種と考えられ，アメーバの囊子と間違いやすいので注意を要するとされてきた．ところが最近，これは原虫の一種であり，時に下痢の原因となることが知られてきた．

形態は図25-J，26，37，38に示すごとく，直径8〜32 μmの球形で，中に大きな空胞があり，細胞質は周辺に押しやられ，その中に1〜2個の核とミトコンドリアが存在している．感染は感染者の糞便中の虫体が口にはいることによる．

本虫の感染状況について最近，筆者らが調べたところによると，京都市内某病院患者1,079名中15名（1.4％），大阪市内某病院患者1,506名中12名（0.8％），京都市内某知的障害者入所施設122名中21名（17.2％），外国人旅行者14名中11名（78.6％）とかなり高い．また米国の同性愛男性の感染率は50％以上であるという．

治療にはメトロニダゾールやスルファメトキサゾール・トリメトプリム合剤（ST合剤）などが用いられるがなかなか根治し難い（第26項参照）．

その他の消化管寄生アメーバ，ヒトブラストシスチス　21

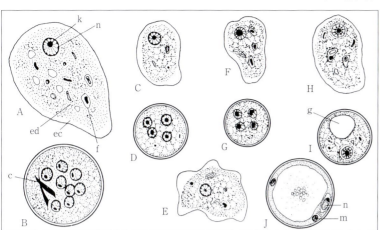

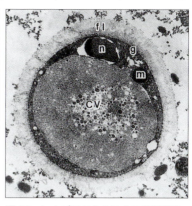

図26. ヒトブラストシスチスの電顕像
cv. 中央空胞，fl. 線維性外被，g. ゴルジ装置，m. ミトコンドリア，n. 核
虫体の直径 10 μm．（吉川哲也博士撮影）

図25. ヒト消化管内寄生非病原性アメーバ類およびヒトブラストシスチスの模式図
A. 大腸アメーバ栄養型，B. 同囊子，C. ハルトマンアメーバ栄養型，D. 同囊子，E. 歯肉アメーバ栄養型（囊子はない），F. 小形アメーバ栄養型，G. 同囊子，H. ヨードアメーバ栄養型，I. 同囊子，J. ヒトブラストシスチス（n：核，k：カリオソーム，ed：内肉，ec：外肉，f：食胞，c：類染色質体（裂片状），g：グリコーゲン胞，m：ミトコンドリア）

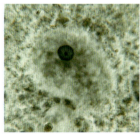
図27. 大腸アメーバ栄養型，HIH 染色

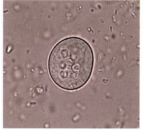
図28. 大腸アメーバ囊子，無染色生鮮標本

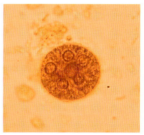
図29. 大腸アメーバ囊子，ヨード染色

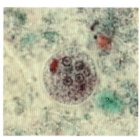
図30. 大腸アメーバ囊子，トリクローム染色

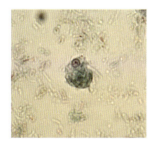
図31. ハルトマンアメーバ栄養型，HIH 染色

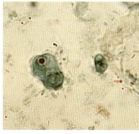
図32. 小形アメーバ栄養型，HIH 染色

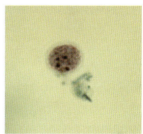
図33. 小形アメーバ囊子，HIH 染色

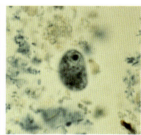
図34. ヨードアメーバ栄養型，HIH 染色

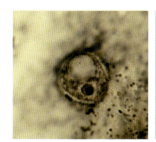
図35. ヨードアメーバ囊子，HIH 染色

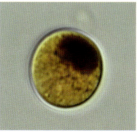
図36. ヨードアメーバ囊子，ヨード染色

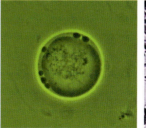
図37. ヒトブラストシスチス，位相差顕微鏡像

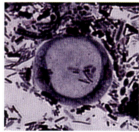
図38. ヒトブラストシスチス，ギムザ染色

（図30〜34は Dr. Ash の厚意による）

消化管寄生原虫の臨床検査

ここに述べる検査法は主として糞便中に出現するアメーバ，鞭毛虫，胞子虫などを検出する方法である．すなわち赤痢アメーバ，大腸アメーバ，小形アメーバ，ヨードアメーバ，ヒトブラストシスチス，ランブル鞭毛虫，メニール鞭毛虫，腟トリコモナス，クリプトスポリジウム，サイクロスポーラ，大腸バランチジウムなどが主な対象となる．

I．栄養型検出法

1．生鮮標本作成法

赤痢アメーバなどの栄養型を生きたまま観察するにはアメーバ赤痢患者の排出直後の糞便の粘液血性部分を少量爪楊枝でスライドグラス上に取り，カバーグラスをかけて直ちに観察し，偽足を出して運動している虫体を検出する．アメーバ性肝膿瘍患者の膿瘍内液（ドレーンまたは穿刺による）も同様に処理する．材料を薄めるときは生理食塩水を用いる．また温度が低いと運動が鈍くなり見逃しやすいので37℃程度に加温して検査する．材料を運搬するときも30〜32℃に保つ必要がある．その他のアメーバ類も同様に処理する．

ランブル鞭毛虫の場合は下痢便の他に十二指腸ゾンデ採取液の沈渣もよい材料となる．腟トリコモナスの場合は腟上皮擦過材料あるいは尿沈渣を直接鏡検する．共に栄養型は鞭毛を動かせて活発に運動している．

2．永久染色標本作成法

糞便中の各種アメーバ類や鞭毛虫類の栄養型および囊子の固定法は従来ガラス面への吸着固定力の強いシャウジン液を用い，ハイデンハイン鉄ヘマトキシリン染色（HIH染色）が用いられてきた（図7，9，12，27，35参照）．ところがシャウジン液には昇汞が含まれており，近年，昇汞の廃液処理の問題から使用禁止となり，以下の固定・染色法が用いられるようになった．

コーン染色（Kohn's stain）変法

【試　薬】

基本液

1) 90%　エタノール　　　　　170ml
2) 100%　メタノール　　　　　160ml
3) 氷酢酸　　　　　　　　　　 20ml
4) フェノール（液体）　　　　 20ml
5) 1%　リンタングステン酸　 　12ml
6) 蒸留水　618mlを合わせ合計1,000mlとする

染色液

1) クロラゾール・ブラックE　　5.0g
2) 基本液　　　　　　　　　　1,000ml

染色液の作成法

1) クロラゾール・ブラックE　5.0gを乳鉢に入れ3分間摩砕する．このとき飛散に注意する．
2) これに基本液を少量加えて摩砕し滑らかなペースト状にする．
3) さらに基本液を加えて5分間摩砕する．
4) 数分間静置した後，液状部を保存用容器に移す．
5) 沈渣に基本液を加え摩砕し，静置後液状部を保存容器に移す．沈査が無くなるまでこの操作を繰り返す．
6) 室温で4〜6週間熟成させる．沈殿物と液状部が分離するが使用時に濾過して液状部を染色液として用いる．

【染色術式】

1) スライドグラスに爪楊枝で少量の糞便，膿などを薄く塗布する．この際，乾燥させてはいけない．
2) 直ちに（材料が液状の時は半乾きにしてから）染色液に浸し室温で2〜4時間放置する．栄養型は短めに，囊子は長めに浸す．
3) 濾紙などで裏側の余分な染色液を拭う．
4) 95%エタノールで10〜15秒間洗浄する．
5) 100%エタノールに5分間，2回浸す．
6) キシレンに5分間，2回浸す．
7) バルサムで封入し，鏡検する．

【結　果】

原虫のエンドソーム，核膜内面のクロマチン顆粒，類染色質体などは黒色〜黒青色〜青緑色に染め出される．本染色液は市販されている．

II．囊子検出法

1．生鮮標本作成法

囊子は主として有形便の中に存在する．スライドグラス上に生理食塩水を1〜2滴置き，糞便少量を爪楊枝でとってよく溶解する．液がやや白濁する程度がよい．カバーグラスをかけて弱拡大で一端から見てゆく．囊子はきれいな円形（ランブル鞭毛虫では楕円形），無色の油滴のように見える．強拡大にして確認しヨード染色に移る．

2．ヨード染色標本作成法

ヨード染色液　　ヨード　　　　　1.0g
　　　　　　　　ヨードカリ　　　 2.0g
　　　　　　　　蒸留水　　　　　100ml

ヨード染色液は時々新調する．ヨード染色は専ら囊子の染色に用い，栄養型の検出には用いない．

スライドグラス上にこのヨード染色液を1〜2滴置き，

糞便を上記1.の要領で溶解し，カバーグラスをかけて観察する．今度は囊子がヨードに染まり濃黄色ないし褐色に見え，さらに核，カリオソームなどもよく観察できる．通常，赤痢アメーバ，大腸アメーバ，小形アメーバ，ヨードアメーバ，ランブル鞭毛虫などの囊子の検出に利用される（図11, 29, 36, 51 参照）．

3．永久染色標本作成法
最近は上述のコーン染色変法を用いる．

4．集囊子法
囊子が少ない場合には次のような集囊子法を行う．

1）硫酸亜鉛遠心浮遊法
(1) 糞便0.5gを小試験管にとり，水を加え充分攪拌溶解し，ガーゼで濾過し，2,000回転，約2分遠沈し，上清を捨てる．
(2) 沈渣に比重1,180の硫酸亜鉛液（水100mlに硫酸亜鉛33gを溶解したもの）を試験管に8分目くらい入れ，よく混ぜ，2,000回転，約2分遠沈し，浮上している上層液を毛細管ピペットで採って鏡検する．

2）ホルマリン・エーテル遠沈法（MGL法）
本法は蠕虫卵集卵法であるが原虫の囊子もホルマリンで固定されて集められる．上述の(1)と同様にして得た沈渣（水の代わりに生理食塩水を用いる）に10%ホルマリン7mlを加え，よく攪拌して30分放置する．次いで3〜5mlのエーテルを加え，管口を指で押さえて約30秒間強く振盪し，次いで2,500回転2分間遠沈する．沈渣以外を捨て，沈渣を毛細管ピペットで吸い取りスライドグラス上に置き，ヨード染色液を加え染色して鏡検する．

Ⅲ．その他の染色法

1）ギムザ染色
赤痢アメーバをはじめ各種アメーバ類，腟トリコモナス，ランブル鞭毛虫，トキソプラズマ，ヒトブラストシスチスなどは材料を塗抹，乾燥，アルコール固定の後，ギムザ染色で良く染色される（染色法は第23項参照）．

2）パパニコロウ染色
細胞診に不可欠な形態観察用の代表的な染色法である．核をヘマトキシリンで染色し，細胞質は分化度合いによってオレンジG，エオシンY，ライトグリーンで染め分ける．染色液は販売されている．

3）PAS染色（過ヨウ素酸シッフ反応）
多糖類の証明法として病理組織切片に応用されている．グリコーゲン，粘液物質，真菌などの染色に用いられているが組織中の赤痢アメーバ栄養型の多糖類の検出に広く用いられている．塗抹標本にも使用できる．

4）トリクローム染色
トリクローム染色は赤痢アメーバをはじめ各種アメーバ類の栄養型および囊子の染色法として米国などで広く用いられてきたが，固定にシャウジン液（昇汞を使用）を用いるため最近は用いられなくなった（図30参照）．

Ⅳ．クリプトスポリジウムの検査法

1．Kinyoun染色法
【試　薬】
Kinyoun石炭酸フクシン液：80%エタノール液に塩基性フクシン4gを溶解し，石炭酸8mlを加え混和する．

【術　式】
糞便をスライドグラス上に薄く塗抹し室温で乾燥後メタノールで4〜5分覆って固定し，上記の染色液で5分間染色する．次いで軽く水洗し，5%硫酸で塗抹面の赤色が無くなるまで脱色し，0.3%ライトグリーンで後染色し，乾燥後キシレンで脱水，バルサムに封入する．

【結　果】
オーシストは赤色，背景は緑色に染まる．酵母などは緑色に染まり鑑別できるが，赤く染まったものはすべてクリプトスポリジウムとは限らないので，まず大きさ（5μm前後），残体，かすかなバナナ状のスポロゾイトなどの形態に留意するすることが大切である（図79参照）．本法はシストイソスポラの検出にも用いられる．

2．蔗糖遠心沈殿浮遊法
【試　薬】
比重1,200の蔗糖液：1級サッカロース500gを650mlの蒸留水に溶解して作成する．

【術　式】
糞便0.5g〜1.0gを10mlの水に溶いてガーゼで濾過し，2,500回転5分間遠沈して上清を捨て，沈渣に上の蔗糖液10mlを加え，よく攪拌し，さらに5分間遠沈する．本虫のオーシストは浮いているのでループエーゼまたは毛細管ピペットで表層水をスライドグラス上にとり，カバーグラスをかけて無染色で鏡検する．

【結　果】
オーシストは小さいので絞りを絞り，カバーグラスの下面にピントを合わせ，初めから400倍で鏡検する．位相差顕微鏡を用いるのがよい（図80参照）．

Ⅴ．組織中の原虫検査法
赤痢アメーバやクリプトスポリジウムが組織内に存在するときは型のごとくパラフィン包埋切片を作成し，ヘマトキシリン・エオジン染色やPAS染色などを行う．その方法は通常の病理組織標本作成法と同じである．

病原性自由生活アメーバ

自然界の水や土壌の中には多数の自由生活アメーバが存在する．これらは非病原性と考えられていたが，この中にヒトに感染して髄膜脳炎を起こしたり，眼に入って角膜炎を起こす種があり，特に後者はコンタクトレンズの普及により増加している．

I．髄膜脳炎を起こすアメーバ

1．フォーラーネグレリア *Naegleria fowleri*

【疾病名】 原発性アメーバ性髄膜脳炎
 primary amebic meningoencephalitis (PAM)

【疫　学】 1965年，豪州で人体感染第1例が報告されてから世界で192例を数えるが生存例は4例に過ぎない．わが国では1979年と1999年に各1例報告されたが前者は次のカルバートソンアメーバと訂正された．

【形態と生活史】 ネグレリア属の特徴は，その生活史上，栄養型，嚢子の他に鞭毛型のあることである．

1．栄養型（図39-A）：大きさは11〜40μm，葉状偽足を出して活発に運動する．内肉内に1個の核があり，中に大きなカリオソームを有する．栄養型は2分裂で増殖するが環境によって鞭毛型や嚢子に変化する．

2．鞭毛型（図39-B）：長径8〜13μm，短径5〜6μm，前端から2本（時に4本）の鞭毛を出し水中を活発に泳ぐ．これがヒトの鼻腔に入ると栄養型となって粘膜から侵入する．鞭毛型は嚢子にもなる．

3．嚢子（図39-C）：直径10〜17μm，1個の核を有し，中に大きなカリオソームがある．嚢子内に1個の栄養型を生じこれが脱嚢する．

【臨床所見】 本症は若い男女が湖沼などで水浴をした後で発症する例が多いが例外もある．アメーバが鼻腔から脳に侵入すると増殖して脳を融解する．病巣は強い化膿性髄膜脳炎の像を呈し，多数の栄養型虫体を認めるが嚢子の検出されないのが特徴である．

症状は頭痛，発熱，嘔吐，項部硬直，意識障害，昏睡へと進み，1〜2週間以内にほぼ全例死亡する．確定診断は脳脊髄液を試験管に採り，21℃以上の室温で数時間放置し沈渣からアメーバを検出する．**治療**にはアムホテリシンB（1.5mg/日，静注，髄腔内投与3日間），ミコナゾール，フルコナゾール，サルファ剤などが用いられる．

2．カルバートソンアメーバ
 Acanthamoeba culbertsoni

【疾病名】 アメーバ性肉芽腫性脳炎
 granulomatous amebic encephalitis (GAM)

アカントアメーバ属の特徴は鞭毛型の時期がなく，栄養型はやや大きく，多数の棘状突起（acanthは棘の意）を有し（図42-左，43）水浴などとは関係なく，ヒトの肺，生殖器，皮膚などから侵入し，無害のまま日和見感染しており，ヒトの免疫が低下した時に発症する．組織中に栄養型の他に嚢子を認める．最近わが国で数例の報告がある（図40）．

3．*Balamuthia mandrillaris*

本種によるアメーバ性肉芽腫性脳炎は世界で200例ほど知られ，わが国では2014年までに3例報告された．いずれも高齢者で激しい脳炎症状を呈し死亡した．

II．角膜炎を起こすアメーバ

わが国で角膜炎を起こすアメーバは次の2種で，形態，症状共にほとんど同じである．

1．カステラーニアメーバ *Acanthamoeba castellanii*
2．多食アメーバ *Acanthamoeba polyphaga*

【疾病名】 アカントアメーバ角膜炎
 acanthameba keratitis

【疫　学】 上記のようなアメーバによる角膜炎がNagingtonの報告以来欧米で200例以上知られ，その85％はコンタクトレンズ装着者で，残りは外傷による発症である．わが国では1988年石橋らが第1例を報告して以来現在までに症例は数百例に達すると思われる．

【形　態】 栄養型は図42-左および図43に示す如く多くの棘状偽足を出し，大きさは20〜35μmである．嚢子は図42-右および図44に示す如く多角形で，大きさは直径11〜18μmである．

【症　状】 主として片眼性に起こり，強い眼痛，結膜の毛様充血，視力障碍，角膜混濁，輪状潰瘍（図41）へと進展し，難治性である．

【診断と検査】 時に角膜ヘルペスと診断され抗ヘルペス治療が行われるが根治しない．病巣の擦過物をスライドグラスにとり，位相差顕微鏡で検索する（図42，43）．またはギムザ（図44），グラム，パパニコロウ，ファンギフローラY*などの染色をする．また培養は1.5％の寒天平板培地に材料を接種し，26〜30℃の暗所で1週間培養する．餌として大腸菌，酵母抽出液などを加える．継代培養などは不必要で乾燥した培地を室温で保存する．

【治　療】 特効薬はなく次のような抗真菌剤の点眼，服用，病巣掻爬などの方法があるが難治性である．

1．0.1％ミコナゾールを1時間ごとに点眼．
2．フルコナゾール200mg，1日1回，食後30分以内に服用，1週間毎に50mgずつ減量する．

病原性自由生活アメーバ　25

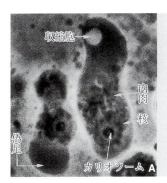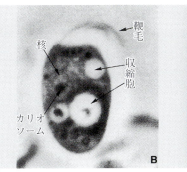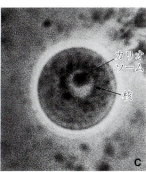

図39.　**Naegleria**属のアメーバ　**A**：栄養型，**B**：鞭毛型，**C**：囊子
（位相差顕微鏡写真，約2,000倍拡大，塩田恒三博士，培養・撮影）

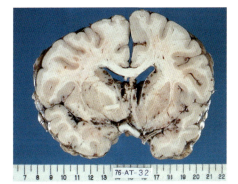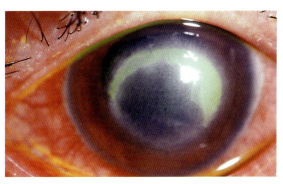

図40.　わが国で初めて報告された原発性アメーバ性髄膜脳炎患者の脳の断面（27歳，女性）（後にアメーバ性肉芽腫性脳炎と訂正された）
ほぼ左右相称的に脳室周辺や脳底に多数の病巣が点在している．　　　　　　　　（中村俊彦博士の厚意による）

図41.　**Acanthamoeba**属アメーバによる角膜炎
蛍光色素点眼により潰瘍部分が緑色に染まっている．1988年，徳島大学で見い出された38歳の女性で，コンタクトレンズ使用による発症．

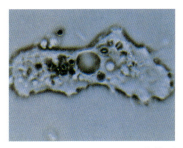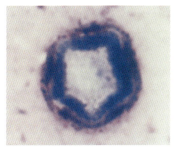

図42.　図41の患者の角膜から検出された**Acanthamoeba sp.**の栄養型（左）および囊子（右，5個）共に位相差顕微鏡写真．

図43.　**Acanthamoeba sp.**の栄養型虫体の位相差顕微鏡像
体表に多数の棘状突起を出す．

図44.　図41の患者より採取した**Acanthamoeba sp.**の囊子のギムザ染色標本

（図41，42，43，44は徳島大学，三村康男教授，塩田洋助教授，伊藤義博助教授の厚意による）

3．**病巣の搔爬**：角膜の病巣部を削り取る．

【**感染予防**】　これらアメーバは広く外界に存在し，土壌や生活水や屋内塵から高率に検出され，コンタクト保存液からも見出される．したがってコンタクトレンズやその保存液の消毒が大切である．アカントアメーバの囊子は抵抗力が強いのでこれを殺すにはコールド滅菌（化学消毒）では不完全で，加熱滅菌（80℃1時間程度）を行うのがよい．

＊①角膜擦過物または培養上清を遠心後，沈査を直接スライドグラス上に塗布して乾燥．②純アルコールを滴下，乾燥．③染色液（冷蔵保存）はA，Bの2種類あるが，B液（蛍光色素液，pH7.2）のみ使用．A液はカウンターステイン用のヘマトキシリン液である．B液1滴を試料に滴下し，一面に広げて約2～5分間染色．④蒸留水で洗い，ウェットの状態のままカバーグラスで封入後，蛍光顕微鏡で観察．

ランブル鞭毛虫

ランブル鞭毛虫はヒトの小腸や胆道に寄生し時に強い下痢を起こす．日本土着の症例の他，最近，海外旅行での感染，同性愛者間での感染などが問題となっている．糞便中の嚢子で汚染された食品や飲料水の摂取により感染する．十二指腸ゾンデ採取液中に動く小体があれば本虫を疑う．本症は感染症法で5類に指定されており届け出の義務がある．

【和名・種名】　ランブル鞭毛虫
Giardia intestinalis

【疾病名】　ジアルジア症 giardiasis
ジアルジア性下痢 giardial diarrhea

【歴史と疫学】

本虫は顕微鏡を発見した Leeuenhoek が 1681 年に自分の糞便中に発見したのが最初で，1859 年になって *Cercomonas intestinalis* と命名されたが，その後 Stiles は *Giardia lamblia* という種名を提唱し，これが広く用いられ和名もこの学名に拠っている．ところが最近 *Giardia intestinalis* と種名の復帰がなされている．

本虫は世界に広く分布し，感染者は数億，衛生状態の悪い熱帯，亜熱帯に多い．わが国でも太平洋戦争後の生活困窮期には住民の 5〜10% が感染していた．その後，次第に減少していたが最近，仕事や旅行で流行地に出かけ感染する例（**旅行者下痢**），さらに同性愛行為による感染（**性感染症**），欧米では水道水汚染による集団感染（**水系感染**）などが報告されている．

【形態と生活史】

本虫はその生活史上，栄養型と嚢子の時期がある．

栄養型 trophozoite（図 45, 47, 48, 49）：分裂増殖している時期で図に示すような特異な形相を示す．長径 12〜15μm，短径 6〜8μm，前方は円く後方は尖る．背方に隆起し，腹面はへこんで**吸着円盤 adhesive disc** を形成し，これで粘膜に吸着する．核は 2 個あり，中にカリオソームを有する．吸着円盤の後方に中央小体（機能は不明）がある．4 対 8 本の鞭毛は体前方の**生毛体 blepharoplast** から発し，図に示す如く体内を走った後，遊離鞭毛となり，これを活発に動かして運動する．

嚢子 cyst（図 46, 50, 51, 52）：長径 8〜12μm，短径 6〜8μm の楕円形で 4 核を有し，吸着円盤の破片（曲刺）や鞭毛の遺残物が見られる．

【感染と寄生部位】

嚢子で汚染された野菜，飲料水の摂取，性行為などの際に感染する．栄養型はヒトの十二指腸，空腸上部，時に胆管や胆嚢の粘膜上に寄生する（図 49）．組織侵入性はほとんどない．栄養型は腸管を下ると嚢子となり糞便とともに外界に出る．

【症　状】

潜伏期間は 2〜8 週間，主症状は**下痢**で，1 日 10 数行の激しい水様性下痢から軟便まで種々で，腹痛，鼓腸，食欲不振，胆嚢炎様症状，肝機能異常値などを示すことが多い．最近，低γグロブリン血症，腸内分泌型 IgA の低下，AIDS，免疫抑制剤の投与などでヒトの免疫能が低下したとき本虫が著明に増殖することが知られている．少数寄生の場合は殆ど無症状で，糞便中に持続的に嚢子を排出するに止まる．これを**嚢子保有者 cyst carrier** と呼び，感染者の大多数を占める．しかし他の人への感染源として重要である．

【診断と検査】

栄養型は下痢便または十二指腸ゾンデ採取液の沈渣の中に見られ，それらを 1 滴とって鏡検すると図 48 に示すような虫体が活発に運動している．これらの材料は第 7 項記載の方法で検査標本を作る．栄養型の染色にはギムザ染色が最も便利である（図 47）．

嚢子は一般に有形便の中に見られる．少量の糞便をヨード染色液で薄く溶いて鏡検するか（図 51），第 7 項に示す硫酸亜鉛遠心浮遊法，蔗糖遠心沈殿浮遊法，蔗糖液濃度勾配法（図 52）などの集嚢子法を用いて集める．本症の臨床診断には免疫検査よりも直接虫体検索のほうが簡便である．ちなみに免疫診断の 1 つ蛍光抗体検査にはジアルジアシストとクリプトスポリジウムオーシストを同時に検出するキットも発売されている．

【治　療】

1. メトロニダゾール（商品名フラジール）：成人量 750mg（3錠）/日，分 3，5〜7 日間連用，服薬中は禁酒，本剤は変異原性があるので妊婦には投与しない．

2. チニダゾール（商品名**チニダゾール錠**）：成人量 2g，1 回投与，服薬中は禁酒，妊娠初期には投与を避ける．

3. アルベンダゾール（商品名エスカゾール）：成人量 400mg/日，1 回投与，5 日間連用．

【予　防】

嚢子は適当な温度と湿度のもとでは長期間生存し，消毒液などに対しても抵抗力が強い．しかし高温には弱く 60℃ 数分以上加熱すると死滅する．流行地では生水，生野菜のみならず汚れた食器，手指などにも注意を払う必要がある．

ランブル鞭毛虫 27

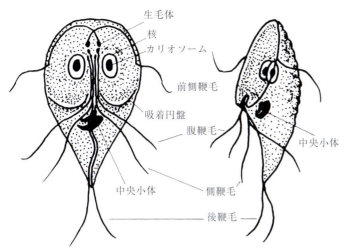

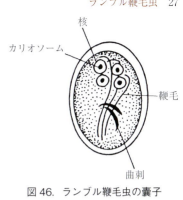

図46. ランブル鞭毛虫の囊子

図45. ランブル鞭毛虫の栄養型
左：腹面像, 右：側面像

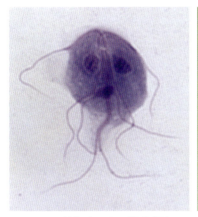

図47. 栄養型のギムザ染色標本
（京都市在住59歳女性患者の胆汁中の虫体）

図48. 栄養型の位相差顕微鏡像

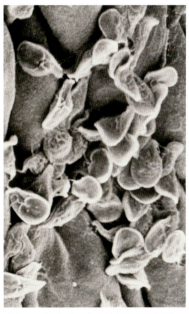

図49. 栄養型の走査電子顕微鏡写真
患者の小腸生検材料. 多数の栄養型が小腸粘膜上を覆っている.

図50. 囊子（merthiolate-iodine-formalin：MIF 液保存標本）

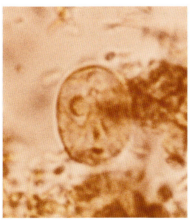

図51. 囊子のヨード染色標本
患者の糞便をヨード・ヨードカリ溶液で溶いて検鏡する.

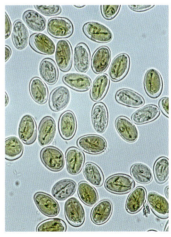

図52. 蔗糖液濃度勾配法で集めた囊子
（ネパールで感染した一医学生の糞便材料）

10 腟トリコモナス，消化管内寄生鞭毛虫類

protozoa ★★★

腟トリコモナスは婦人の腟内に寄生し腟炎を起こす．男性の尿道にも寄生し性交によって蔓延する．世界に広く分布し，わが国の成年女性にもかなり感染している．

【和名・種名】 腟トリコモナス
Trichomonas vaginalis

【形態と生活史】（図53, 54）
この原虫は栄養型のみ存在し，囊子の時期はない．虫体の大きさは長径 $10 \sim 15\,\mu m$，短径 $6 \sim 12\,\mu m$ で，体の前方に大きな核があり，軸索が縦に走り後端は体外に突出している．体前端から5本の鞭毛が出ており，その内4本は遊離鞭毛で，1本は虫体との間に波動膜を形成し，ほぼ体中央で終わる．2分裂で増殖する．

【寄生部位】
婦人の腟内，時に尿道やバルトリン腺にも寄生するが組織侵入性はない．男性の尿道や前立腺にも寄生する．

【感　染】
性交の際，栄養型が直接移行して感染する．性感染症（STD）の一種で娼婦などの感染率は非常に高い．

【症　状】
腟炎 vaginitis を起こす．すなわち腟分泌物の増量（帯下），外陰部の掻痒感，灼熱感，糜爛など．

【診断と検査】
腟の上皮を掻きとって直接鏡検するのが最も検出率が高い．尿沈渣中に活動する小虫体があれば本虫を疑う．検査法は第7項参照．日水培地などで培養．

【治　療】
(1) **メトロニダゾール** 250mg錠剤を朝夕1錠内服．同時に腟錠を1日1錠腟内に挿入，5日間連用．
(2) **チニダゾール** 200mgの錠剤を上と同様投与．

その他の消化管内寄生鞭毛虫類

1. **二核アメーバ** *Dientamoeba fragilis*
長い間アメーバの1種と考えられていたが，現在トリコモナスの仲間と考えられている．

2. **口腔トリコモナス** *Trichomonas tenax*
ヒトの口腔に寄生する．時にヒトの呼吸器系寄生例の報告がある．形態的には腟トリコモナスに似ているが小さい（図55）．囊子は見い出されていない．

3. **腸トリコモナス** *Pentatrichomonas hominis*
ヒトの盲腸に寄生し下痢を起こすことがある．長径 $7 \sim 15\,\mu m$，短径 $7 \sim 10\,\mu m$，後鞭毛は体後端近くまで波動膜を形成し，先端が遊離している．前方に口器がある（図56）．囊子は見い出されていない．

4. **メニール鞭毛虫** *Chilomastix mesnili*
栄養型の長径は $10 \sim 15\,\mu m$，短径は $6 \sim 10\,\mu m$，3本の鞭毛を出す．囊子はレモン形で長径 $7 \sim 10\,\mu m$，短径 $4.5 \sim 6\,\mu m$，大きな核あり（図57）．ヒトの大腸に寄生するがほとんど病原性はない．

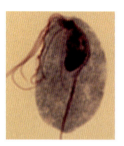

図53. 婦人の腟より採取された腟トリコモナス
（ギムザ染色）

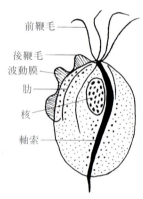

図54. 腟トリコモナス

図55. 口腔トリコモナス

図56. 腸トリコモナス

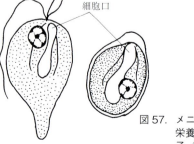

図57. メニール鞭毛虫の栄養型（左）と囊子（右）

11 トリパノソーマ科原虫　総論

この科に属するトリパノソーマやリーシュマニアは世界的見地からみるときわめて重要な寄生虫であるが日本には分布しない．しかし最近，輸入感染症例がみられる．

I．トリパノソーマ科原虫の特徴

(1) 生活史のある時期に1本の**鞭毛**をもつ．
(2) **キネトプラスト kinetoplast**という特殊な器官をもつ．これの機能はまだよくわかっていない．
(3) **昆虫**によって媒介される．
(4) 人体寄生種は**トリパノソーマ属**と**リーシュマニア属**に含まれている．

II．トリパノソーマ科原虫の形態と生活史

この科の原虫は生活史上，種々変態し，その各時期に次のような名称が与えられている．

1. 錐鞭毛期（または**トリパノソーマ型**）（図58-A）

体は細長く，ほぼ中央に核があり，キネトプラストは体の後端（鞭毛の出ている方が前方）近くにある．鞭毛はこの付近の生毛体から起こって体表に現れ，蛇行して体前端で遊離している．鞭毛と虫体との間には**波動膜**が形成されている．

2. 上鞭毛期（または**クリシジア型**）（図58-B）

キネトプラストは核の付近にあり，鞭毛はこの付近の生毛体から起こって短い波動膜を形成したのち，体前端で遊離する．

3. 前鞭毛期（または**レプトモナス型**）（図58-C）

キネトプラストは体前端にあり，鞭毛はこの付近から起こって直ちに遊離鞭毛となり波動膜を形成しない．

4. 無鞭毛期（または**リーシュマニア型**）（図58-D）

円形ないし楕円形で鞭毛を欠く．

5. 発育終末トリパノソーマ型（図59）

ガンビアトリパノソーマおよびローデシアトリパノソーマでは，人体内で錐鞭毛期の虫体が分裂増殖している．それが媒介者である**ツェツェバエ**の体内に入ると上鞭毛期となって増殖し，その後再び錐鞭毛期となる．そして昆虫がヒトを吸血したときこれが侵入してくる．そこで形態は同じであるが昆虫から侵入してくるトリパノソーマ型虫体をとくに発育終末トリパノソーマ型という．

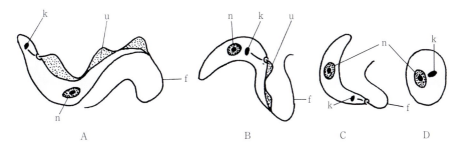

図58．人体寄生トリパノソーマ科原虫の生活史上の主な型と各部の名称
鞭毛は細胞膜が陥入してできた壺状の穴を通って外に出ている．
A．錐鞭毛期，B．上鞭毛期，C．前鞭毛期，D．無鞭毛期，f．鞭毛，k．キネトプラスト，n．核，u．波動膜

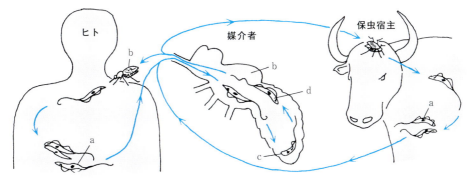

図59．*Trypanosoma brucei gambiense*および*T. brucei rhodesiense*の生活史
a．錐鞭毛期，b．ツェツェバエ，c．上鞭毛期，d．発育終末トリパノソーマ型

30 原虫類

トリパノソーマ科原虫 各論［A］トリパノソーマ

ガンビアトリパノソーマとローデシアトリパノソーマはアフリカで，クルーズトリパノソーマはアメリカ大陸で重要な人体寄生虫である．日本には分布しないが最近，輸入感染症例がみられる．また日系ブラジル人で輸血時感染が認められたり，汚染地での先天性感染も指摘されている．

和　名	ガンビアトリパノソーマ	ローデシアトリパノソーマ	クルーズトリパノソーマ
種名	*Trypanosoma brucei gambiense*	*Trypanosoma brucei rhodesiense*	*Trypanosoma cruzi*
疾病名	アフリカ睡眠病 African sleeping sickness（ガンビアトリパノソーマ症ともいう）	左に同じ（ローデシアトリパノソーマ症ともいう）	シャーガス病 Chagas' disease（アメリカトリパノソーマ症ともいう）
分　布 （図61, 62）	アフリカの赤道をはさんで南北緯15度の間でビクトリア湖以西	ガンビアトリパノソーマの分布地と重ならずその東南	米国のテキサス州以南，中南米各地
形態と生活史 （図59,60,63,64,66）	錐鞭毛期は長さ14〜33μm，幅2〜4μm，変異に富む（図63），生活史は図59に示す通り	左に同じ（形態的に区別できない）	錐鞭毛期は長さ約20μmと小形，C字形に曲がるのが特徴（図64），無鞭毛期は円形〜楕円形で直径は2〜4μm（図66），生活史は図60に示す通り
媒介者 （図65, 67）	ツェツェバエ *Glossina palpalis* など（図65），この唾液腺に現れた虫が刺し口から侵入して感染	ツェツェバエ *Glossina morsitans*（左の種と分布領域が異なるため疾病の分布も異なる）	サシガメ *Triatoma infestans*, *Rhodnius prolixus* など（図67），この糞の中に出てきた虫が刺し口から侵入
寄生部位	血中，リンパ節，肝，脾，中枢神経系，人体内では錐鞭毛期の状態で分裂増殖する	左に同じ	錐鞭毛期は血中に存在するが分裂増殖しない．無鞭毛期が筋，肝，脾の細胞内で分裂・増殖する
症　状 （図68）	発熱，浮腫，リンパ節炎（頸部の腫脹を **Winterbottom 徴候** という），肝脾腫，中枢神経に侵入すると頭痛，意識混濁，嗜眠，貧血	左に似るも症状はさらにひどく死亡率も高い	急性期：発熱，リンパ節炎，顔面とくに片側性の浮腫（**Romaña 徴候** という）（図68），髄膜脳炎など．慢性期：心筋炎，心肥大，巨大結腸など
臨床検査	血液，リンパ節，脳脊髄液塗抹ギムザ染色，上記材料の動物接種，ELISA，蛍光抗体法，IgM	左に同じ	血液，リンパ節塗抹ギムザ染色，培養（NNN 培地），動物接種，**体外診断法**（無感染サシガメに患者の血を吸わせ 2 週間後に昆虫を殺して虫体を検出）
治　療	両種とも下記の如く行う (1)感染初期〜中期には，①**スラミン**：5mg/kg を静注して過敏症テスト後，20mg/kg（最大1g）を1, 3, 7, 14, 21日目に計5回静注．②**ペンタミジン**：4mg/kg/日，7日間点滴静注 (2)感染中期〜末期には，①**メラルソプロール**：初日1.2mg/kg，2日目2.4mg/kg，3および4日目3.6mg/kg静注，7日間隔で3回反復．②**エフロールニチン**：100mg/kg の静注を4時間毎，14日間投与		左の薬剤は効果がない． (1)**ベンズニダゾール**（ラダニール）5〜10mg/kg/日，分2，1〜2ヵ月服用 (2)**ニフルチモックス** 8〜10mg/kg/日，分3，1〜4ヵ月服用

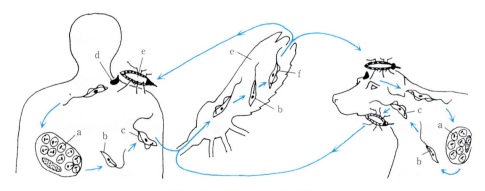

図 60. *Trypanosoma cruzi* の生活史
a. 無鞭毛期，b. 上鞭毛期，c. 錐鞭毛期，d. サシガメの糞，e. サシガメ，f. 発育終末トリパノソーマ型

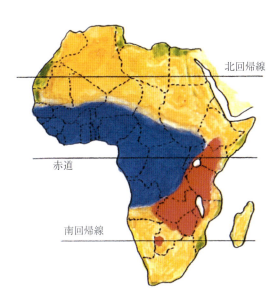

図61. ガンビアトリパノソーマ症（青）とローデシア
トリパノソーマ症（赤）の分布域（Faust より）

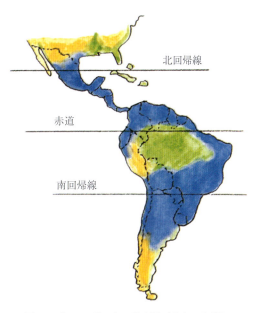

図62. シャーガス病の分布域（青色の部分）
獣類の感染の範囲はもっと広い．

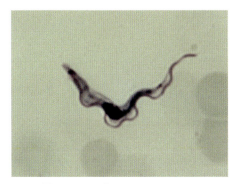

図63. ローデシアトリパノソーマ
血中の錐鞭毛期の虫体（形態上，ガンビア
トリパノソーマと区別できない）．

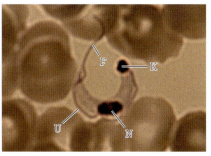

図64. クルーズトリパノソーマの錐鞭毛期の
虫体
小形でC字形に曲がるのが特徴．F. 鞭毛,
K. キネトプラスト, N. 核, U. 波動膜

図65. ツェツェバエ

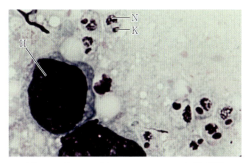

図66. クルーズトリパノソーマの無鞭毛期
脾臓塗抹標本．H. 宿主細胞の核, N. 核,
K. キネトプラスト

図67. サシガメ

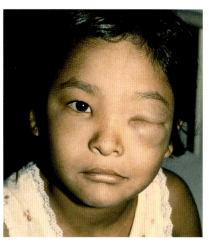

図68. **Romaña** 徴候（左眼瞼浮腫）
（青木　孝博士の厚意による）

32 原虫類

トリパノソーマ科原虫 各論 [B] リーシュマニア

リーシュマニア症はサシチョウバエという昆虫が媒介する世界的に重要な寄生虫疾患で患者数は88か国で約1,200万人に達する。わが国には分布しない。しかし戦中戦後を含め今までに約400例の輸入症例が報告されている。多くの脊椎動物が保虫宿主になっているが、中でもイヌが最も重要である。本症は内臓リーシュマニア症と皮膚および粘膜リーシュマニア症とに大別される。医学的に重要な種は下記の4種であるが最近はDNA解析などで細かく分類されている。最近、欧州諸国で内臓リーシュマニア症とAIDSの同時感染が発生し世界各地に拡大している。これは昆虫の媒介によらず静注薬物回し打ちによる感染で、本症の非流行地で感染が起こっている。

和名	ドノバンリーシュマニア	熱帯リーシュマニア	ブラジルリーシュマニア	メキシコリーシュマニア
種名	*Leishmania donovani*	*Leishmania tropica*	*Leishmania braziliensis*	*Leishmania mexicana*
疾病名	カラ・アザール kala-azar（内臓リーシュマニア症ともいう）	旧世界皮膚リーシュマニア症（東洋瘤腫ともいう）	アメリカ粘膜皮膚リーシュマニア症	メキシコリーシュマニア症
分布（図70）	中国、ロシア、インド、中近東、地中海沿岸、アフリカ、中南米など	中近東、インド、アフリカなど	主に南米各地（チリを除く）	メキシコ、グアテマラ、アマゾン流域など中南米
形態と生活史	媒介者体内では前鞭毛期、人体内では無鞭毛期で増殖する（図69）。直径2〜4μm（図71）	左に同じ（形態的に4種を区別するのは困難、DNA解析で分類）	左に同じ	左に同じ
媒介者	サシチョウバエ（*Phlebotomus papatasi, Ph. argentipes* など）（図72）	左に同じく、旧大陸では *Phlebotomus* 属のサシチョウバエによる	新大陸では *Lutzomyia* 属のサシチョウバエが媒介する（143頁の写真）	左に同じく *Lutzomyia* 属のサシチョウバエによる
寄生部位	主に肝・脾の細胞内	皮膚の細胞内	皮膚および粘膜の細胞内	皮膚の細胞内
症状	発熱、肝・脾の腫大（図74）、貧血	皮膚の結節、潰瘍、組織欠損（図73, 75）	皮膚および粘膜の潰瘍、組織欠損（図77）	顔、耳などの皮膚の損傷、比較的軽症（図76）
臨床検査	骨髄、リンパ節、脾臓などの穿刺液の塗抹ギムザ染色で虫体検出（図71）、その他、NNN培地で培養および免疫反応	瘤の組織またはリンパ節吸引材料の塗抹ギムザ染色、NNN培地で培養、および免疫反応	病巣組織材料の塗抹ギムザ染色、NNN培地で培養、皮内反応その他の免疫反応	左に同じ
治療	5価アンチモン製剤（Pentostamなど）、20mg/kg（最大850mg）を28日間、静注または筋注　ミルテフォシン、100mg/kg、分2内服、28日間	左と同じ薬物療法の他、赤外線照射、ドライアイス接触、塗布剤など皮膚の局所療法	左に同じ	左に同じ

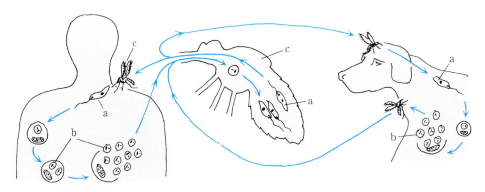

図69. *Leishmania donovani* の発育史
a. 前鞭毛期, b. 無鞭毛期, c. サシチョウバエ

トリパノソーマ科原虫 33

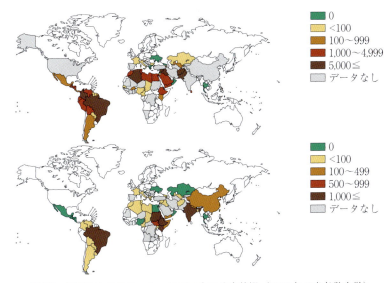

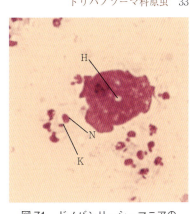

図71. ドノバンリーシュマニアの無鞭毛期
N. 核, K. キネトプラスト, H. 宿主細胞の核

図70. 世界におけるリーシュマニア症の分布状況（2020年の患者発生数）
上：皮膚リーシュマニア症, 下：内臓リーシュマニア症
（出典：Weekly Epidemiological Record, 96, 401-420, 2021）

図72. サシチョウバエ
(*Phlebotomus papatasi*, 筆者がイランで入手したもの)

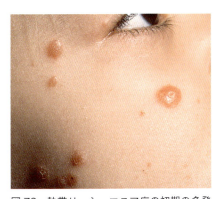

図73. 熱帯リーシュマニア症の初期の多発性潰瘍. 北アフリカの小児患者
（Dr. Seitz の厚意による）

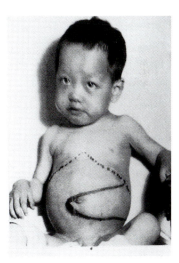

図74. カラ・アザール患者の肝脾腫
（故 Dr. Beaver の厚意による）

図75. 熱帯リーシュマニア症の患者の顔に生じた結節
（Dr. Zaman の厚意による）

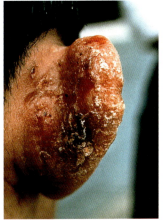

図76. メキシコリーシュマニア症の皮膚病変. 特に耳に多い
（故 Dr. Stahl の厚意による）

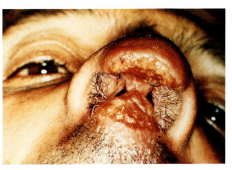

図77. ブラジルリーシュマニア症の粘膜・皮膚病変
鼻中隔欠損が見られる
（Dr. Morera の厚意による）

クリプトスポリジウム

クリプトスポリジウム属の原虫は胞子虫類に属し多数の種があるが、その中で主にヒトに寄生するのはヒトクリプトスポリジウムである。本種は小腸の粘膜上皮細胞の微絨毛に寄生し、無性生殖と有性生殖とを繰り返し、糞便中にオーシストを排出する。主症状は下痢で、免疫正常者に感染した場合症状は軽いが、免疫不全者に感染した場合は重症となり、AIDSの指標疾患ともなっている。わが国でも最近症例が増え、飲料水汚染による大規模の集団感染やプールでの感染、ウシとの接触による小形クリプトスポリジウムの感染なども報告され、感染症法では5類に指定され、新興感染症として注目されている。

【和名・種名】 ヒトクリプトスポリジウム
Cryptosporidium hominis

【疾病名】 クリプトスポリジウム症
cryptosporidiosis

【歴 史】
1907年Tyzzerはマウスの胃腺から一種の原虫を発見し、1910年に*Cryptosporidium muris*と命名した。さらに彼はマウスの腸粘膜から小形の原虫を見出し1912年に*Cryptosporidium parvum*と命名した。その後ヒトに感染するのはこの*C. parvum*とされ、**小型クリプトスポリジウム**という和名が与えられた。ところが2002年、本属の遺伝子解析の結果ヒトに感染しているのは新種記載された*C. hominis*が最も多く、次いでウシ由来の*C. parvum*もかなり多く、稀に鳥類由来の*C. meleagridis*の感染も見られる、ということになった[注1, 2]。

【疫 学】
1976年に米国で本虫のヒト感染例が初めて発見されてから、今や感染率は先進国で1〜4%、発展途上国で10〜30%と推定されている。

わが国では1979年、井関[注3]が本虫の研究を開始し、1986年鈴木ら[注4]がわが国での人体感染第1例を報告して以来、海外での感染、AIDS合併例など散発的に数十例の報告がなされてきたが、1994年、神奈川県平塚町の雑居ビルで地下の水道受水槽が廃水に汚染され、461名が本虫に感染し下痢を起こした。また1996年には埼玉県越生町で簡易水道が本虫に汚染され8,812名(全住民の71.4%)が感染した。その後2002年には北海道の各地の宿泊所で学生や従業員合わせて数百名が本虫に感染した。一方*C. parvum*の感染が北海道や青森県で牧場体験をした学生に発生した事例[注5]がかなりあるほか、大阪府堺市で2006年、ユッケと生レバーを食べた4例が*C. parvum*に感染した例が報告された[注6]。さらに2006年、愛媛県の高校生の寮で16名が発症、種名検索の結果*C. meleagridis*の感染と診断された[注7]。

欧米ではクリプトスポリジウムによる集団感染が多数報告されており、最大の事例は1993年、米国のミルウォーキーで水道水を介して約40万人が感染し、AIDS患者などを含め約400名が死亡した[注8]。水系感染症の典型的な例である。

【形態と生活史】(図78)
成熟オーシスト(図78-①)は類円形で、直径が4.5〜5.0μmと小さく、壁は薄く、中に4個のスポロゾイトと1個の残体を有する(図79)。これがヒトに経口摂取されると小腸内でスポロゾイトは脱嚢し②、粘膜上皮細胞の**微絨毛**に侵入し③、微絨毛内で発育し(図81)、栄養体④を経て分裂体⑤となり、8個のメロゾイトを有する成熟分裂体⑥となる。次いでこれが壊れ、メロゾイトが放出される⑦。このメロゾイトは再び微絨毛に侵入して③〜⑦の多数分裂schizogony(無性生殖)を繰り返すものと、雄・雌に分かれて⑧〜⑪、⑫〜⑯の生殖体形成gametogony(有性生殖)に入るものとに分かれる。

生殖体形成に入ると雄では侵入したメロゾイト⑧は発育して雄性生殖母体⑨となり、鞭毛を有しない16個の有性生殖体⑩〜⑪を生ずる。一方、雌では侵入したメロゾイト⑫は雌性生殖母体→雌性生殖体となり、雄性生殖体⑪と合体受精する⑬。受精した融合体⑭は発育して4個のスポロゾイトを有する成熟オーシスト⑮となり、糞便と共に外界に出る⑯〜⑰。しかし一部のスポロゾイトは再び微絨毛に侵入して多数分裂を行う③。

【症 状】
本虫が免疫正常者に感染した場合、腹痛、下痢、嘔吐などを起こすが比較的軽症で10日前後で治癒する。ところがAIDSなど免疫不全者に感染した場合は頑固な水様性下痢が続き、腹痛、体重減少、栄養不良などをきたし死亡する例もある。

【診 断】
検便でオーシストを検出する。その方法は患者の糞便をスライドグラスに塗抹し、**Kinyoun染色**を行う(図79)(染色法は第7項参照)。この際、赤く染まったのはすべてクリプトスポリジウムとは限らないので内部の形態に注意する。一方、蔗糖遠心沈殿浮遊法を用い糞便からオーシストを集め、位相差顕微鏡または微分干渉顕微鏡で鏡検する(図80、検査法は第7項参照)。その他、虫種の鑑別には遺伝子解析を行う。

【治 療】
最近、次の駆虫薬が使用されている。

1. **ニタゾキサニド**(商品名**Alinia**):免疫正常者には0.5g/日、3日間、免疫不全者には1〜2g/日、分2、14

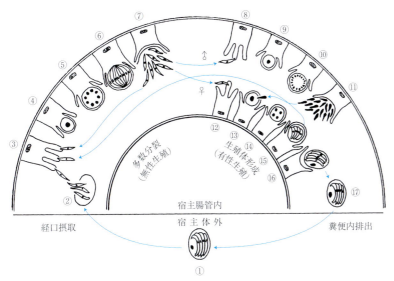

図 78. クリプトスポリジウムの生活史（説明は本文参照）

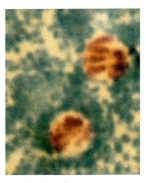

図 79. クリプトスポリジウムのオーシスト
上は Kinyoun 染色により赤染.
（陳錫慰医師の厚意による）

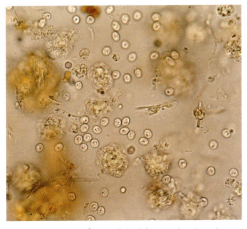

図 80. クリプトスポリジウムのオーシスト
（蔗糖遠心沈殿浮遊法で糞便より集め無染色）

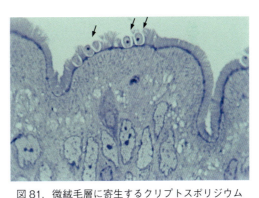

図 81. 微絨毛層に寄生するクリプトスポリジウム
（矢印，ギムザ染色）

（図 80, 81 は井関基弘博士の厚意による）

日間投与する[註9]．重症の下痢患者に対しては水分・栄養補給など対症療法を充分行う．

2．**パロモマイシン**（商品名アメパロモ）：1.5 ～ 2.25g/日，分 3，14 日間服用．アジスロマイシン 600mg/日を併用．

【予　防】

本虫のオーシストは抵抗力が強く，通常の塩素消毒や消毒液では死滅しない．ところが最近，紫外線 30 ～ 40mJ 照射が有効との報告がある．また給水管を銅管にすると本虫が障害を受け，感染力が不活化するという報告もある[註10].

註 1. Morgan-Ryan et al.（2002）：J. Eukaryotic Microbiol. 49：433-440.
註 2. 所　正治，井関基弘（2004）：治療．86：2704-2708.
註 3. Iseki M（1979）：Jpn. J. Parasit. 28：285-307.
註 4. 鈴木了司ら（1986）：日熱医会誌．14：13-21.
註 5. IASR（2014）：35：185-186.
註 6. IASR（2007）：27：88-89.
註 7. 浅野由紀子ら（2006）：愛媛衛環研年報．9：21-26.
註 8. Smith HV et al.（1998）：Parasit. Today, 14：14-22.
註 9. 菅沼明彦ら（2008）：Clin. Parasit. 19：59-61.
註 10. 笹原武志ら（2006）：感染症誌．80：377-381.

戦争シストイソスポーラ，サイクロスポーラ

シストイソスポーラ属の中でヒトに寄生するのは戦争シストイソスポーラで，この原虫は小腸粘膜上皮細胞内に寄生し下痢を起こす．一方，サイクロスポーラは1993年に発見された新しい原虫で，やはり小腸粘膜上皮細胞内に寄生し下痢の原因となる．共に最近わが国で症例の増加が見られる．

【和名・種名】　戦争シストイソスポーラ
　　　　　　　　Cystoisospora belli
　　　　　　　（旧名 戦争イソスポーラ *Isospora belli*）

【疾病名】　シストイソスポーラ症 cystoisosporiasis

【疫　学】　本虫は1923年に新種の記載が行われた原虫であるが，belliというのは戦争という意味で，第一次世界大戦の時に多くの兵士が本虫に感染したので名付けられたという．世界に広く分布し，わが国でも散発的に見い出されていたが殆ど無害と考えられていた．ところが1972年，筆者ら[註1]が典型的な重症例を報告してから現在までに約30例報告されている．また最近，本虫が免疫不全者に感染すると激しい症状を呈することが判明し，AIDSの合併症として注目されるようになった．ブラジルで131名のAIDS患者の糞便を調べたところ13名に本虫のオーシスト oocyst を認めたという[註2]．

【形態と生活史】　シストイソスポーラの生活史は図82, 84に示す如く，前項に記載したクリプトスポリジウムによく似ているが異なる点を述べると，まずヒトの糞便内に排出されたオーシストは未熟で単細胞（図82, 85）で，これが外界で発育して2個のスポロブラストを生じ，これはスポロシストとなり，次いで中に4個ずつのスポロゾイトを持つようになる．これを**胞子形成**という．オーシストの大きさは長径20〜33μm，短径10〜19μmと比較的大きい．

この成熟オーシストがヒトに経口摂取されると図84に示すようにスポロゾイトが遊離して小腸上部の粘膜上皮細胞に侵入して栄養体となり（図83），次いで分裂体となり細胞を破壊して多数のバナナ形のメロゾイトを放出し，これがまた新しい細胞に侵入する．この**多数分裂**の過程は同じであるが，次の**生殖体形成**で生じた雄性生殖体はクリプトスポリジウムと異なり鞭毛を持っている．シストイソスポーラではこのようにして形成された未熟オーシストが糞便と共に体外に排出される．

【症　状】　主症状は頑固な下痢で，潜伏期間は約1週間である．免疫正常者では比較的軽症に経過するが，AIDSなど免疫不全者では難治性の水様下痢が繰り返し持続し，軽度の発熱，消化吸収不良，体重減少，全身衰弱をきたし死亡する例もある．

【診断と検査】　①下痢便を採取して鏡検し特有のオーシストを検出する（図85）．②蔗糖遠心沈殿浮遊法（23頁参照）やホルマリン・エーテル遠沈法（23頁参照）を用いてオーシストを集める．③サイクロスポーラと同様，自家蛍光を発するので蛍光顕微鏡UV励起下で観察する．④染色法として Kinyoun 染色が利用できる．⑤小腸粘膜生検で虫体を検出する（図83）．⑥培養で成熟オーシストを形成させる．

【治　療】　ニューモシスチス肺炎の特効薬のスルファメトキサゾール・トリメトプリム合剤（ST合剤，第26項参照）が有効．成人量1日8〜10錠を4回に分けて服用，1〜2週間続ける．

【和名・種名】　サイクロスポーラ
　　　　　　　　Cyclospora cayetanensis

【疾病名】　サイクロスポーラ症 cyclosporiasis

【疫　学】　本虫は熱帯地域の発展途上国で感染率が高い．しかし欧米諸国においても流行地旅行者や流行地から輸入した野菜などから感染する例が増加している[註3,4]．わが国では1996〜2014年の間に22例報告されたが，その殆どは外国での感染である[註5]．米国，カナダ，ドイツなどでは輸入苺や野菜による1,000例を超す集団感染が報告されている．

【形態と生活史】　本虫の生活史はシストイソスポーラに似ているが形態は大いに異なる．すなわちオーシストは円形で直径は8〜10μmと小さく，未熟オーシストは桑実状の顆粒が充満し（図86），成熟すると中に2個のスポロシストを生じ，さらに各々のスポロシストの中に2個ずつのスポロゾイトを生ずる（図87）．ヒトはこの成熟オーシストを飲料水や生野菜・果物などと共に摂取して感染する．未熟オーシストは感染力はない．

【症　状】　下痢，腹痛，食欲不振，体重減少などでAIDS患者などでは難治性の下痢が続き衰弱する．

【診　断】　検便で特有のオーシストを検出する．蔗糖遠心沈殿浮遊法で集める．未熟オーシストが検出される場合が多い（図86）．オーシストは自家蛍光を発するので蛍光顕微鏡で検査するのもよい（図88）．

【治　療】　戦争シストイソスポーラと同様に行う．

註1．増田正典ら（1972）：Medicina, 9：674-678.
註2．Sauda FC et al.（1993）：J. Parasit. 79：454-456.
註3．井関基弘ら（1999）：最新医学，54：1564-1572.
註4．増田剛太ら（2002）：感染症誌，76：416-424.
註5．小林泰一郎ら（2009）：Clin. Parasit. 20：90-92.

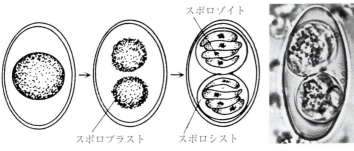

図82. 戦争シストイソスポーラのオーシストの発育
（写真は患者の糞便中のオーシストを培養し成熟させたもの）

スポロゾイト
スポロブラスト
スポロシスト

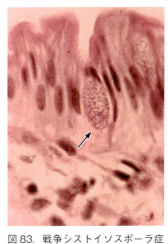

図83. 戦争シストイソスポーラ症患者の小腸生検標本中に見い出されたオーシスト（矢印）（筆者経験例）

図84. 戦争シストイソスポーラの生活史

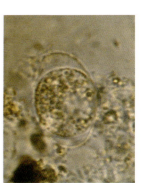

図85. 上記図83の患者の糞便中に見い出された未熟オーシスト

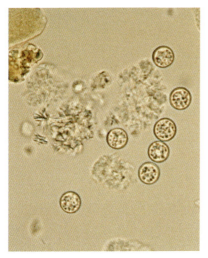

図86. サイクロスポーラの未熟オーシスト．蔗糖遠心沈殿浮遊法で集めた無染色標本

図87. サイクロスポーラの成熟オーシストの拡大像（微分干渉顕微鏡像）

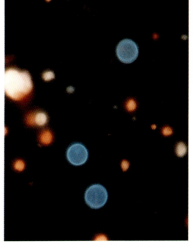

図88. サイクロスポーラの自家蛍光像（青色）

（図86，87，88は井関基弘教授の厚意による）

肉胞子虫

肉胞子虫には多数の種があり，ヒトを終宿主として糞便内にオーシストを排出するもの，あるいはヒトが偶発的に中間宿主となり，筋肉内に肉胞嚢を形成するものなどが知られていたが，最近，馬肉の生食によりウマを中間宿主，イヌを終宿主とする肉胞子虫に感染する症例がわが国で連続して発生し，新興感染症として注目されている．

【歴 史】

1843年Miescherはマウスの筋肉内に初めて肉胞嚢sarcocystを発見し，Kühn（1865）もブタから同様の肉胞嚢を見い出しSynchytrium miescherianumと命名したが後にSarcocystis属に配属された．その後このような肉胞嚢はヒトを始め多くの動物の筋肉内に見い出され，多くの種名が付された．このような肉胞嚢は筋肉内で管状をしているのでMiescher管，中の小体はRainey小体と名付けられた．

一方この肉胞子虫類の生活史は，主に草食動物を中間宿主としてその体内で無性生殖を行い，その肉を食べる肉食動物を終宿主としてその体内で有性生殖を営む．今までに多くの種が記載されたが主要な種とその特徴を表7に示す．以下にヒトに感染する種について解説する．

I．ヒト肉胞子虫　*Sarcocystis hominis*

本種は以前*Isospora hominis*と呼ばれ，前項の*Cystoisospora belli*と同じような生活史を営んでいると考えられていたが，実は中間宿主（ウシ）を必要とする原虫であることが判明した．中間宿主を有するのであるからIsospora属でなくSarcocystis属に配し，*Sarcocystis hominis*と呼ぶこととなった．

【形態と生活史】

図89に示す如くヒトの糞便内に排出されたオーシスト（このオーシストの壁は容易に壊れスポロシストが遊離する）をウシが食べるとスポロゾイトが現れ腸管壁に侵入し，次いで血管内皮細胞に入って増殖し，約1か月たつと筋肉細胞に移行し，ここで肉胞嚢を形成する．約3か月後には感染可能なメロゾイトmerozoite（bradyzoiteあるいは単にzoiteともいう）を多数内蔵する**肉胞嚢sarcocyst**が完成する．これは長さ数mmの管状で，壁は5.9μmと厚く線状を有する．その内部は隔壁によって小部屋に分かれ，多数のメロゾイトを内蔵している（図90，91）．スポロシスト，メロゾイトの計測値は表7に示す通りである．

この肉胞嚢を有する牛肉をヒトが生で摂取すると遊離したメロゾイトは腸管上皮細胞に侵入し，直ちに有性生殖を行い，受精して上皮細胞内で胞子形成を完了し，オーシストを糞便内に排出する．

【症 状】

本虫が感染したとき食欲不振，下痢，腹痛などを示すことがあるが，感染牛肉をヒトに与えたところ，オーシストは9～179日にわたって排出したが症状は示さなかったという実験もある．

【疫 学】

わが国での本虫感染の報告は少ないが，関川らによると新潟県産乳牛の半数以上に肉胞嚢が見つかるという[注1]．またOnoらが行った牛肉の調査によると日本牛の6.3％，米国産牛の36.8％，豪州産牛の29.5％に肉胞嚢が検出され，その殆どが*S. cruzi*であったという[注2]．わが国で感染が見逃されている可能性がある．

II．フェイヤー肉胞子虫　*Sarcocystis fayeri*

本種は表7に示す如く本来イヌを終宿主，ウマを中間宿主とする肉胞子虫である．ウマは体温が40℃と高いので寄生虫の感染が少なく安全な食品と考えられてきた．ところが2011年9月に熊本県の肉屋で購入した**馬刺し**を食べた13人のうち7人が嘔吐，下痢を起こし，また同時期に同じ肉屋の馬刺しを食べた別の男女7人のうち4人が同様の症状を訴えた．残った馬肉を調べた結果***Sarcocystis fayeri***の肉胞嚢が検出された．厚生労働省によると2006～2011年の間，原因不明の食中毒198件のうち33件は馬刺しを食べており，本虫による疑いがある．また馬刺し用の肉の約6割は豪州・米国などからの輸入肉で，その約7割が本虫に感染しているという．感染予防法としては馬肉の−20℃，48時間の冷凍が有効であるが味や色合いが阻害されるという．

III．*Sarcocystis suihominis*

ブタが中間宿主で，その筋肉内の肉胞嚢をヒトが摂取すると上記ヒト肉胞子虫のオーシストと区別できないオーシストを排出する．病害については感染豚肉をヒトに与えたところ血性下痢を起こしたという実験もある．

IV．リンデマン肉胞子虫　*Sarcocystis lindemanni*

これはヒトの筋肉内に見い出された肉胞嚢に対して名付けられた種名である．Beaverらはこの種が本当に独立して存在するならば常にヒトがある肉食獣に食われていなければならないと考え，世界の全症例40例を検討した結果，リンデマン肉胞子虫を独立種とすべき根拠は一つもなく，各種の動物の肉胞子虫がたまたまヒトに感

表 7. 生活史が解明された主な肉胞子虫

種名		中間宿主	終宿主	スポロシストの大きさ (μm)	メロゾイトの大きさ (μm)	病原性	シスト壁の厚さ (μm)	Heydorn らの命名
古い名称	新しい名称							
Sarcocystis fusiformis	S. cruzi	ウシ	イヌ	10.8×16.3	10〜14	+	0.5	S. bovicanis
	S. hirsuta	ウシ	ネコ	7.8×12.5	13〜15	−	6.0	S. bovifelis
	S. hominis	ウシ	ヒト	9.3×14.7	7〜9	−	5.9	S. bovihominis
S. tenella	S. ovicanis	ヒツジ	イヌ	9.9×14.8	14〜17	+	厚い	S. ovicanis
	S. tenella	ヒツジ	ネコ	8.1×12.4	12〜15	−	薄い	S. ovifelis
S. miescheriana	S. miescheriana	ブタ	イヌ	9.6×12.6	14	?	?	S. suicanis
	S. porcifelis	ブタ	ネコ	8×13	?	+	?	——
	S. suihominis	ブタ	ヒト	9.3×12.6	15	−	?	S. suihominis
S. bertrami	S. bertrami	ウマ	イヌ	10×15.2	3.2〜6.5	?	薄い	S. equicanis
	S. fayeri	ウマ	イヌ, ヒト	8×12	?	?	薄い	——

Dubey (1977)[註5] および Mehlhorn ら (1978)[註6] に追加

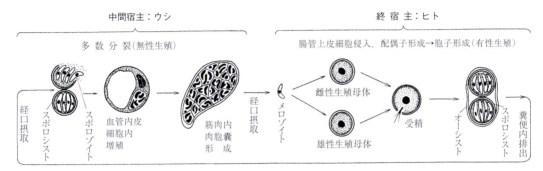

図 89. ヒト肉胞子虫 *Sarcocystis hominis* の生活史

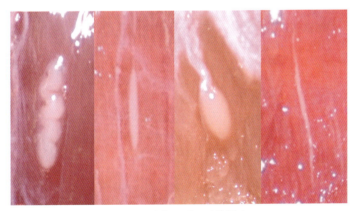

図 90. ジビエからの肉胞子虫
(地方独立行政法人大阪健康安全基盤研究所ウェブサイトより転載)

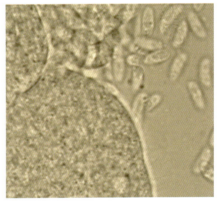

図 91. ジビエからのサルコシスト
(地方独立行政法人大阪健康安全基盤研究所ウェブサイトより転載)

染し，肉胞嚢を形成したものであると結論した[註3]．最近マレーシアで100例のヒト解剖体の舌を調べたところ21例に肉胞嚢を見い出したという[註4]．

註1. 関川真嘉ら (1991)：寄生虫誌 40(1, 補)：122-123.
註2. Ono and Ohsumi (1999)：Parasit Interntl. 48：91-94.
註3. Beaver et al. (1979)：Amer. Jour. Trop. Med. Hyg. 28：819-844.
註4. Wong et al. (1992)：Trans. Royal. Soc. Trop. Med. Hyg. 86：631-632.
註5. Dubey (1977)：Parasitic Protozoa III：176-191, Academic Press.
註6. Mehlhorn & Heydorn (1978)：Advances in Parasitology 16：43-91, Academic Press.

17 トキソプラズマ [A] 歴史・形態・生活史・感染経路

トキソプラズマは世界に広く分布し，日本においても重要な寄生虫の一つで，成人の5〜10％が感染していると思われるが，殆どが不顕性感染の形を取り症状を示さない．しかし重要なことは本虫が妊婦に初感染したとき虫体が胎児に移行し重篤な症状を示すこと，および免疫不全の際に本症が顕在化することで，AIDSの重要な指標疾患の一つとなっている．本虫の終宿主はネコであり，人獣共通感染症としても重要である．

【和名・種名】 トキソプラズマ
Toxoplasma gondii
【疾病名】 トキソプラズマ症 toxoplasmosis

【歴　史】 1908年，NicolleとManceauxはチュニスでヤマアラシから本虫を発見し*Leishmania gondii*と名付けたが，翌年，新属Toxoplasmaを設け，これに配した．ヒトからの最初の発見はJanku（1922）あるいはWolf（1937）とされる．日本では1911年に峰が福岡のモグラから見出し，1954年には宮川らが小児から報告したが，確実な人体例は松林（1956）の報告とされる．

本虫は永らく栄養型と嚢子しか知られていなかったため分類学上の位置が不明であったが，1965年にHutchisonはトキソプラズマを感染させたネコの糞便をマウスに食べさせたところ感染が起こったので，ネコの糞便の中に本虫の感染型が出現するとした．その後，Hutchisonら（1970）およびFrenkelら（1970）の研究によりトキソプラズマの終宿主はネコであり，その小腸粘膜細胞の中で有性生殖を行い，糞便の中にオーシストを排出し，それが次の感染源になることが明らかとなった（図92）．すなわち本虫はコクシジウムの1種であり，従来ネコの糞便中に見られ，*Isospora bigemina*の小型種とされていたものは，実はトキソプラズマのオーシスト（図95）であったのである．

【宿　主】 ネコ科の動物が終宿主となり，ヒトをはじめ200種以上の哺乳類や鳥類が中間宿主となる．

【疫　学】 本虫のヒトにおける不顕性感染率は川島ら[注1]の群馬での調査によると1994年では19％，それが2003年には13.1％と減少している．また宮崎県で行われた2004年までの7年間の調査では妊婦10.3％，若年者9.6％を示した．

【形態と生活史】
1. **急増虫体 tachyzoite**　急増虫体とは終宿主の小腸粘膜以外の細胞内および中間宿主の細胞内で盛んに分裂増殖している時期の虫体をいう（tachyはspeedyの意）．形態は図93に示すごとく半月形（taxonは弧状の意）で，後方は鈍円，前方はやや尖る．長径4〜7μm，短径2〜3μm，光学顕微鏡では中央の大きな核と細胞内の顆粒くらいしか判別できないが，電子顕微鏡で見ると図96に示すような胞子虫特有の構造が認められる．

この虫体は**内生出芽 endodyogeny**（母虫体の中に新しい2個の娘虫体が生じ，これが母虫体を破壊して出てくる）という特殊な方式で増殖する．

2. **緩増虫体 bradyzoite**　宿主に抗体が生ずると急増虫体は減少し筋肉や脳の中で**嚢子 cyst**を形成する（図94）．嚢子は球形で大きなものは直径100μmに達し，被膜につつまれ免疫系の影響を回避する．中に多数の緩増虫体を蔵し，この虫体は形態的には急増虫体と同じであるが内生出芽でゆっくり増殖しているのでbradyzoite（bradyはslowの意）と名付けられた．

3. **オーシスト oocyst**　終宿主のネコが図92に示すいずれかの方法で本虫の**初感染**を受けると，腸の粘膜上皮細胞の中で戦争シストイソスポーラ（第15項，図84）と同様の有性生殖を行い，1〜3週間の間だけオーシストを糞便内に排出する．これは外界で発育し，中に合計8個のスポロゾイトを生ずる（図95）．オーシストの大きさは長径12μm，短径10μmである．

【感染経路】 ヒトが本虫に感染するのは以下に述べる如く上述の3つの型がすべて感染可能である．

1. **急増虫体による感染**　経口感染した場合，急増虫体は消化液に弱いので殆ど感染しない．しかし実験中の事故などで大量の虫体が眼，鼻，有傷皮膚などに接触すると侵入し急性感染を起こす．

2. **嚢子による感染**　ブタやヒツジの肉を生で食べ，その中に存在する嚢子を摂取すると，中の緩増虫体が遊離し，消化管壁に侵入して感染する．緩増虫体は急増虫体より消化液に対する抵抗力が強い．

3. **オーシストによる感染**　ネコの糞便中の成熟オーシストをヒトが経口摂取するとスポロゾイトが遊離し，消化管壁に侵入し急増虫体となって増殖する．

4. **胎盤感染**　上述のいずれかの方法によって妊婦がトキソプラズマの**初感染**を受けると急増虫体となって増殖し，**虫血症 parasitemia**を起こし，虫体が胎盤を通って胎児に移行し，先天性トキソプラズマ児を分娩することがある．しかし再感染の場合は既に免疫を獲得しているので，このようなことはないとされている．

註1．川島悟美ら（2005）：74回日寄会抄録，74．

トキソプラズマ 41

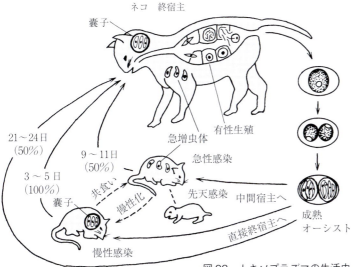

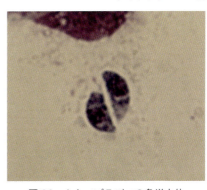

図93. トキソプラズマの急増虫体
(感染マウスの腹水を塗抹．ギムザ染色)

図92. トキソプラズマの生活史
図中の日数はネコがそれぞれの型を摂取してからオーシストを排出するまでの期間．(%) はそれぞれの場合の感染率を示す．(Frenkelら，1970にその後の知見を追加)

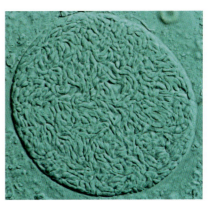

図95. トキソプラズマのオーシスト
感染ネコの糞便中に検出（無染色）．中に2個のスポロシストを有し，その各々の中に4個ずつ，計8個のスポロゾイトを有する．

図94. トキソプラズマの嚢子
多数の緩増虫体を含む．(感染マウスの脳より圧平無染色標本)
(Dr. Seitzの厚意による)

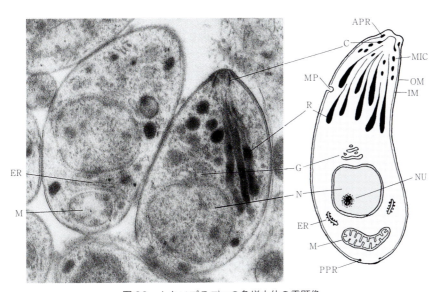

図96. トキソプラズマの急増虫体の電顕像
APR．前極輪 anterior polar ring, C．円錐体 conoid, ER．小胞体 endoplasmic reticulum, G．ゴルジ装置 Golgi body, IM．内膜 inner membrane, M．mitochondrion, MIC．microneme, MP, micropore, OM．外膜 outer membrane, N．核 nucleus, NU．仁 nucleolus, PPR．後極輪 posterior polar ring, R．rhoptry, APRとPPRの間に20数本の subpellicular microtubules が走っている
(赤尾信吉博士の厚意による)

トキソプラズマ [B] 症状・診断・治療・予防

18 protozoa ★★★

先天性トキソプラズマ症がわが国で時々発見され，産婦人科および小児科領域で問題となる．症状は無症状から死に至るまで区々である．診断には種々の免疫学的方法およびDNA診断が考案されている．

【症状】

1. 先天性トキソプラズマ症

妊娠中の母体が本虫の**初感染**を受けると，母体は無症状に経過するが，急増虫体が胎盤を通って胎児に移行し先天性トキソプラズマ症を起こすことがある．

先天性トキソプラズマ症の特徴的な症状としては，(1) **網脈絡膜炎** retinochoroiditis（図97），(2) **水頭症** hydrocephalus（図98, 99, 100, 101），(3) **脳内石灰化像**（図102, 103），(4) **精神・運動障害**が挙げられ，**4大徴候**といわれているが，この症候がすべて揃うとは限らない．その他，発熱，リンパ節腫脹，黄疸，貧血，脳炎，心筋炎などがみられる．これらの患児の約12%は4年以内に死亡するといわれるが，生存者でも知的障害，小頭症，運動障害など後遺症を残す場合が多い．

2. 後天性トキソプラズマ症

生後ヒトが本虫に感染して抗体陽性となってもほとんどの場合無症状（不顕性感染）に経過する．しかし免疫能が低下すると顕性化し，リンパ節炎，発熱，網脈絡膜炎などの症状を発する．AIDS患者に**トキソプラズマ脳炎**（図105）が併発（発症率：米国6〜10%，日本約7%）することが注目されている．

【診断】
虫体が検出されれば確実であるが虫体検出は困難な場合が多い．先天性トキソプラズマ感染児では早期薬剤投与がその後の発症を予防するので早期診断が重要である．診断には次のような方法が用いられる．

1. 虫体検出
患者の脳脊髄液の沈渣やリンパ節の割面の塗抹標本を位相差顕微鏡でみるか（図104），ギムザ染色をして虫体を検出する（前項図93），またこれら材料をマウスの腹腔内に注射し原虫を増殖させるか，マウスの抗体価の上昇をみて判断する．

2. 免疫学的診断法
種々の方法があるが，AIDS患者に本症が合併した場合は下記の診断基準がしばしば適用できないことが判明したので注意を要する．

1) **色素試験**（Sabin-Feldman dye test, DT）：本法の原理は，生きた急増虫体はアルカリ性メチレン青によく染まるのであるが，accessory factor（特定のヒトの血清）と称する補体様因子と共に抗体を作用させると染色性を失う，という現象を利用したものである．一応50%以上の虫体が染まらないときの血清希釈が16倍以上を陽性とする．本法は最も信頼性の高い方法であるが，生きた虫体の常時保有，accessory factor の検定などの点から特定の施設でのみ実施可能である．

2) **間接赤血球凝集反応**（IHA）：ヒツジその他の動物の赤血球にトキソプラズマ抗原を吸着させておき，被検血清と合わせる．もし抗体が存在すれば血球を凝集させる．抗体価256倍以下陰性，512倍疑陽性，1,024倍以上陽性とされているが，本症と診断するには4,000倍以上を示すか，検査毎に抗体価が上昇している必要がある．

3) **間接ラテックス凝集反応**（ILA）：上記IHAの赤血球の代わりにラテックス粒子を用いるもので非特異反応が少なくDTとの一致率が高い．ヒトの場合32倍以上，ネコやブタの場合64倍以上を陽性としている．トキソプラズマ抗体価測定（トキソテスト-MT '栄研'）．

4) **酵素抗体法**（ELISA）：検査用プレートの各穴にトキソプラズマ抗原を付着させ倍数希釈被検血清を加える．血清中に抗体があれば抗原と結合する．洗浄後，酵素をラベルした抗ヒトIgGあるいはIgMを加え，次いで発色させる．上記のDTおよびILAの検出率によく一致する．

抗トキソプラズマ抗体測定：①液状試薬ストリップと抗原/抗体固相化チップ（商品名バイダス アッセイキット TOXO IgG, TOXO IgM）．②トキソプラズマ プラテリアIgM抗体ELISA検査キット．③トキソプラズマ エノザイグノストIgG抗体ELISA検査キット．

5) **IgM**：抗トキソプラズマIgM抗体は，感染後5〜7日で産生され，その後短期間で低下する．したがってこれの高値は最近の感染を意味する．一方IgG抗体は少し遅れて産生され長期間持続する．

6) **PCR法**：最近PCRを用い羊水，臍帯血，その他の材料から本虫を検出する方法が用いられている．

【治療】
①ピリメタミンとスルファジアジンの併用：前者1〜2mg/kg/日，後者100mg/kg/日，分2, 3日間，引き続き半量を2〜4週間投与する．妊婦には禁忌．②**スピラマイシン**：30mg/kg/日，分4, 4週間．効果は①より低いが，妊婦やサルファ剤過敏症には本剤を用いる．③骨髄抑制を予防するため葉酸製剤（ロイコボリン）6〜12mg/日，筋注，週2回，治療期間中用いる．

【予防】
わが国各地のブタ，ヒツジ，イヌ，ネコ，ヤギなどの筋肉から10〜30%に本虫の嚢子が検出される．また子猫の約1%から本虫のオーシストが見出されるので感染源はかなり多いと思われる．したがって適齢期の女性は妊娠の前に検査を受け，抗体陽性であれば一応安心してよいが，陰性であれば妊娠期間中はヒツジやブタの生肉，ネコの糞便などに注意を払う必要がある．もし妊娠期間中に反応が陽転し，検査毎に抗体価が上昇するようなら先天性トキソプラズマ症児を出産する可能性があるので，上記②の治療を行うのがよい．

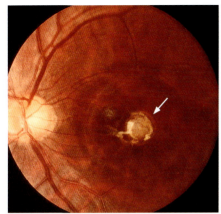
図97. 先天性トキソプラズマ症患者の眼底.
網脈絡膜炎による黄斑部の限局性瘢痕像（矢印）
（京都府立医科大学眼科提供）

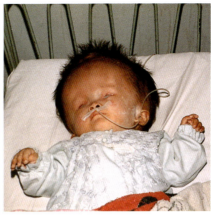
図98. 水頭症の患児
（台湾高雄医学院，陳 添亨教授の厚意による）

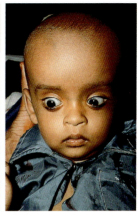
図99. 水頭症の患児
（シンガポール大学，Dr. Zamanの厚意による）

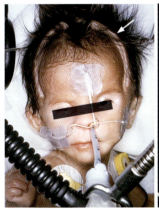
図100. 内水頭症による頭蓋の陥没
（矢印，生後4カ月，女児）
（1987年 筆者経験例，早野尚志博士の厚意による）

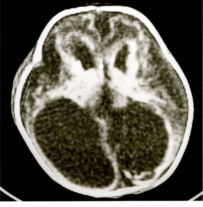
図101. 左の患児の頭部CT像
頭蓋陥没，脳の空洞化がみられる．

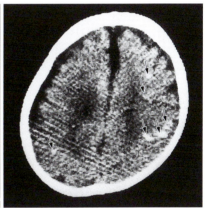
図102. 先天性トキソプラズマ症例の頭部CT像
生後2カ月半の女児．大脳皮質の多発性散在性石灰沈着（矢印）と脳の萎縮．
（国立舞鶴病院，小西清三郎副院長の厚意による）

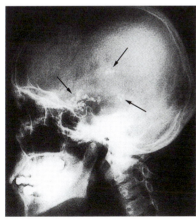
図103. 先天性トキソプラズマ症児の脳の石灰化像（矢印）
（故中山一郎博士の厚意による）

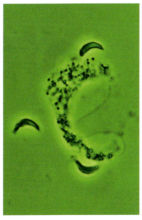
図104. 図100患児リコール中に検出した急増虫体
（位相差顕微鏡像）

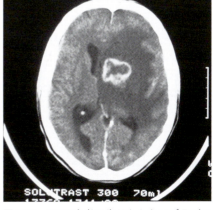
図105. AIDS患者に生じたトキソプラズマ脳炎のCT像
（Dr. Seitzの厚意による）

マラリア［A］歴史・疫学，サルマラリア

マラリアは地球上における第1級の感染症であり，近年まで人類の約半数がマラリアの汚染地帯に住み，年間の感染者は5～8億人，死者は150～270万人と推定されていたが，最近，発展途上国の経済発展と撲滅作業の効果により減少している．一方，わが国の土着マラリアは撲滅されたが海外との交流が盛んになるに伴い輸入マラリアが後を絶たず問題となっている．

Ⅰ．マラリアの歴史

マラリアは紀元前からその存在が知られていたが，1753年にTortiはこの病気を**Malaria**と名付けた．malは悪い，ariaは空気を意味し，悪い空気（瘴気miasma）が原因と考えた．しかし1880年にLaveranが病原体を発見し，1897年にはRossがヒトのマラリアはアノフェレス属の蚊によって媒介されることを発見し，原因がはっきりした．LaveranとRossはこの功績により夫々別個にノーベル賞を受賞した．

Ⅱ．ヒトに寄生するマラリア

マラリアには猿類，鳥類，爬虫類などに寄生する種もあるが，ヒトを固有の中間宿主（マラリアは蚊の体内で有性生殖，ヒトの体内で無性生殖をするので厳密にいうと蚊が終宿主，ヒトは中間宿主となる）とするマラリアは次の4種である．ところが最近，サルのマラリアがヒトに感染する例が多数報告され問題となっている．

1. *Plasmodium vivax*　三日熱マラリア原虫
2. *Plasmodium falciparum*　熱帯熱マラリア原虫
3. *Plasmodium malariae*　四日熱マラリア原虫
4. *Plasmodium ovale*　卵形マラリア原虫

Ⅲ．世界のマラリア

マラリアは有史以来，世界に広く蔓延してきたが第二次世界大戦の混乱で猖獗を極めた．ようやく1955年になってWHOは**マラリア根絶計画**を策定し，DDTの残留噴霧により吸血後の蚊を殺す方法を世界の流行地で実施した．この計画は一時大いに奏功したがDDT抵抗性の蚊の出現，DDTの使用禁止，経済的理由などにより縮小し，1990年頃から流行が再び盛り返し，最盛期には感染者5～8億人，年間死亡者150～270万人と言われたが，その後1998年からWHOによる**マラリア巻き返し計画**の実施，途上国に対する援助，感染予防対策などにより徐々に減少し，WHOの報告によると2015年の感染者は2億1400万人，死亡者は438,000人，その殆どはアフリカのサハラ以南の小児であったという（図106）．またこの地図に記載はないが韓国北部，北朝鮮との国境付近では，なお毎年500～1,000人のマラリア患者が発生しているという[注1]．

Ⅳ．日本のマラリア

日本にも古くからマラリアが流行していたことは古文書や古文学書などから明らかで，**おこり**（瘧）とか**わらわやみ**と称されていた．日本本土の**土着マラリアは三日熱マラリア**で，沖縄の八重山諸島には，三日熱マラリアの他に**熱帯熱マラリア**も流行していた．とくに太平洋戦争の末期，住民のマラリア流行地域への避難や疎開によって集団的に発症する，いわゆる**戦争マラリア**により約3万人の住民のうち半数以上が罹患し，3,647名が死亡したと記録されている．

日本における土着マラリアの患者数について詳しい統計はないが，1900年初頭頃までは大体20万人位常在していたようで，主な流行地は富山，石川，福井，滋賀，京都，愛知など本州中部であった．その後，次第に減少し，1935年頃には年間2万人位の発生になっていた．ところが中国との戦争，続いて太平洋戦争に突入するに及んで，戦地で感染し帰国してくる，いわゆる**輸入マラリア**が増加し，1945年の終戦後には約43万人のマラリア感染者が帰国し，この人々を感染源として，疲弊した日本でマラリアの大流行が起こるのではないかと心配されたが，小流行が散発したのみで，その後の急速な経済発展により減少し，現在，土着マラリアは消滅した．

ところが日本の経済発展に伴い外国，とくに発展途上国との交流が盛んになる1970年頃から外地で感染し帰国する者，感染外国人の入国など，輸入マラリア症例が増加し，**表8**に示すように年間150例を超える年もあったが最近は70例前後と減少傾向を示している．

一方，**輸血**マラリアの問題が戦前からあり，1994年時点での統計で75症例（内，戦前35例）を数える．また最近，注射針誤刺（2例），覚醒剤注射（9例），血小板輸血（2例）などによる感染が報告されている[注2]．

Ⅴ．ヒトに寄生するサルマラリア

Plasmodium knowlesi[注3]

（新名　二日熱マラリア）

本種は数種のサルに自然感染しているが，1965年ヒトの自然感染が見つかり，その後，2004年ボルネオ島で患者血液の遺伝子検査を行ったところ，多数の本種の感染者が見出され，今や**第5のヒトマラリア**とも称される．現在，本種の感染者はボルネオ島，マレー半島，

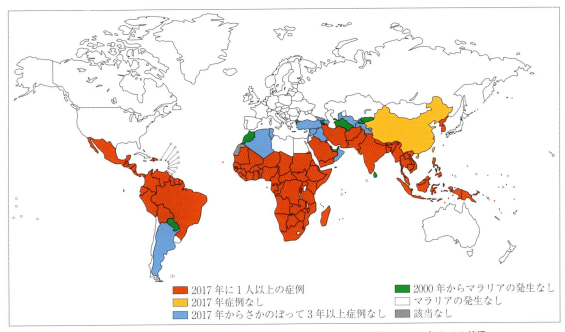

図106. 2000年にマラリアの症例が発生していた国とそれらの国の2017年までの状況
出典：World malaria report 2018（WHO）

表8. 日本における近年の輸入マラリア症例の例数と分類（1985〜2019）[註5, 6]

年＼種別	'85	'86	'87	'88	'89	'90	'91	'92	'93	'94	'95	'96	'97	'98	'99	'00	'01	'02	'03	'04	'05	'06	'07	'08	'09	'10	'11	'12	'13	'14	'15	'16	'17	'18	'19	合計
熱帯熱マラリア	21	27(1)	19	30	37	40(1)	43(2)	26(1)	40	46(2)	56(1)	42	46	52(4)	40(3)	64	54	38	30	32	38	30(1)	23	36(1)	36(1)	42	44(2)	40	30	41	26	36	39	34	42	1,320(20)
三日熱マラリア	44	51	45	51	63	62	63	70	60	39	58	50	54	45	66	57	39	35	40	34	25	21	25	18	14	22	29	19	7	11	8	4	7	4	7	1,247
四日熱マラリア	2	0	1	1	4	0	3	0	2	3	1	1	1	1	1	2	1	2	2	1	2	2	0	1	0	1	3	2	2	0	2	1	1	1	2	49
卵形マラリア	0	3	4	3	0	3	0	3	5	4	6	9	2	2	4	6	4	3	6	7	2	4	2	1	1	5	1	4	2	4	1	3	2	2	2	110
混合感染	0	2	2	1	3	5	3	4	3	5	4	0	3	2	4	0	-	-	-	-	-	-	-	-	-	-	-	-	-	-	-	-	-	-	-	41
種不明	4	5	9	1	5	6	2	9	2	7	0	3	7	3	4	25	11	5	0	1	0	4	2	1	4	4	1	7	7	3	3	7	12	8	3	175
合計	71	88	80	87	112	116	114	112	112	104	125	105	113	105	119	154	109	83	78	75	67	61	52	57	55	74	78	72	48	59	40	51	61	49	56	2,942

（括弧内数字は死亡例数）

タイ，ミャンマー，フィリピン，シンガポール，ベトナムから報告されており，2012年にはわが国最初の輸入感染例が報告された．患者は35歳の日本人男性で，マレーシアで野外研究を行って帰国後発病した[註4]．

症状は39〜40℃の発熱が24時間ごとに起こるのが特徴で，最近，**二日熱マラリア**という新和名が学会で提唱された．頭痛，関節痛，腹痛，血小板減少などを認めるが大体，軽症〜中等症に推移する．しかし稀に重症化し，今までに6例の死亡例が報告されている．この日本人症例は比較的軽症に推移した．本症の診断は，その形態が四日熱マラリアに似ているので血液塗抹標本のみでは困難で，遺伝子診断に頼らざるをえない．

本症の治療は，本虫にヒプノゾイトの時期がないのでプリマキンを投与する必要はなく，クロロキンあるいはメフロキンの単味投与を行う．

なお，サルに感染している **Plasmodium cynomolgi** という種がヒトに感染する例も報告されている．

註1．KBS WORLD Radio（2012）：京畿道でマラリアの増加.
註2．狩野繁之ら（1994）：日熱医会誌，22：193-198.
註3．川合　覚（2010）：モダンメヂア，56：139-145.
註4．狩野繁之ら（2013）：第82回日寄会抄録，102.
註5．大友弘士（2000）：Modern Physician, 20：1375-1377.
註6．感染症発生動向調査週報（2000〜2019）.

マラリア [B] 生活史

ヒトに寄生する主なマラリア原虫は前項で述べた4種類であるが，それぞれ形態と生活史を異にし，感染した時の症状や治療法も種によって異なる．マラリアは蚊によって媒介され，複雑な生活環を示す．

I. マラリアの生活史

マラリアはアノフェレス属の蚊によって媒介され，蚊の体内で有性生殖，ヒトの体内で無性生殖を営む．したがって厳密にいえば蚊が終宿主でヒトは中間宿主であるが，一般には蚊を**媒介者 vector** と呼んでいる．マラリアの生活史は1980年，**肝内休眠型原虫（ヒプノゾイト hypnozoite という）**の発見によって大幅に書き改められた．三日熱マラリア原虫と卵形マラリア原虫は生活史上このヒプノゾイトのサイクルを持っているが，熱帯熱マラリアと四日熱マラリアは持っていない．以下に**三日熱マラリア原虫**を例にとって生活史を説明する．

1. 人体内における発育（図107，108）

マラリアに感染している蚊の中腸には**オーシスト oocyst**（図107-⑰）が形成され，そこから蚊の体腔内に出てきた**スポロゾイト sporozoite**①は唾液腺に集まり，蚊がヒトを刺したとき侵入してくる．これはすぐに赤血球に入るのではなく，まず肝細胞に侵入し，一部のものは**分裂体 schizont**②へと発育するが，他のものは**ヒプノゾイト**③となって休眠期に入る．分裂体へと進んだものは数千個の**メロゾイト merozoite**④を生じ，これが肝細胞を破壊して現れ，赤血球に侵入する．一方ヒプノゾイトへと進んだものは数か月後になって分裂を開始し，生じたメロゾイトが肝細胞を出て赤血球に侵入する．これが**再発 relaps**の原因である．このような肝臓内での発育を**赤血球外発育（赤外発育）**といい，次の**赤血球内発育（赤内発育）**と区別する．赤外発育中の虫体を**組織型 tissue form**ともいう．

赤血球に侵入したメロゾイトはまず**早期栄養体（輪状体 ring form）**⑤となり，次いで**後期栄養体（アメーバ体 ameboid form）**⑥となる．次いで分裂が起こり**幼若分裂体 young schizont**⑦，**成熟分裂体 mature schizont**⑧へと発育し，中に12～18個のメロゾイトを形成する．この**メロゾイト**⑨は赤血球を破壊して脱出し，他の赤血球に侵入して同様の発育を繰り返す．この赤血球内発育一サイクルに要する時間は**48時間**である．このような赤内発育を繰り返すうちに一部の原虫は**雄性生殖母体 microgametocyte**⑩と**雌性生殖母体 macrogametocyte**⑪となる．これらは蚊に摂取されると有性生殖を営むが摂取されないと早晩死滅する．

以上が人体内における**無性生殖**，すなわち**多数分裂 schizogony**である．赤内発育ではヘモグロビンに由来する特殊な褐色の色素が形成され，脾臓や骨髄に沈着する．これを**マラリア色素 malaria pigment**という．

2. 蚊体内における発育（図107，108）

蚊に吸い込まれた雄性生殖母体は中腸内で成熟し，6～8個の**雄性生殖体 microgamete**⑬となる．その形態が鞭毛に似ているので**鞭毛放出 exflagellation**⑫という．一方，雌性生殖母体は1個の**雌性生殖体 macrogamete**⑭となる．ここまでの過程を**生殖体形成 gametogony**といい，以後スポロゾイト形成までの過程を**胞子形成 sporogony**という．

さて雄性生殖体と雌性生殖体とは合体受精して**融合体 zygote**⑮となり，次いで運動性のある細長い**虫様体 ookinete**⑯となって中腸壁に侵入し，その外側に**オーシスト**⑰を形成する．これは次第に大きくなって中に多数の**スポロゾイト**①を形成し，壁が破れてこれが体腔内に放出される．スポロゾイトは次第に唾液腺に集まり吸血時に人体内に注入される．以上が蚊の体内における**有性生殖**である．

3. 三日熱以外のマラリアの生活史

卵形マラリアの生活史は上述の三日熱とほとんど同じであるが，熱帯熱および四日熱マラリアではヒプノゾイトの時期がないので，蚊から注入されたスポロゾイトは肝細胞内での赤外発育の後すべての虫体が血流中に放出される．赤内発育一サイクルに要する時間は熱帯熱マラリアでは不規則な48時間，四日熱マラリアで72時間である．

II. マラリアを媒介する蚊

マラリアはアノフェレス Anopheles 属の蚊によって媒介される．世界で約60種が媒介蚊として知られており，各流行地によって主媒介蚊が異なる．わが国に古くから存在した土着のマラリアは三日熱マラリアであり，媒介蚊は**シナハマダラカ Anopheles sinensis**と**オオツルハマダラカ A. lesteri**であった．また宮古・八重山諸島には上記の他に**コガタハマダラカ A. minimus**によって媒介される熱帯熱マラリアが戦中・戦後の一時期流行した（第90項参照）．

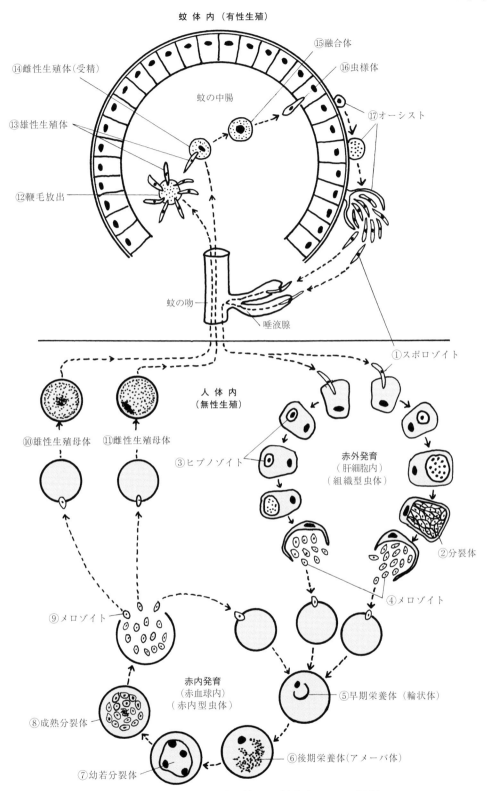

図107. 三日熱マラリア原虫の蚊および人体内における生活史

21 マラリア[C] ヒト寄生4種マラリア原虫の形態

マラリアの診断を行うためには，その形態をよく知り，ただ単にマラリアと診断するだけでなく，どの種のマラリアであるかを診断しなければならない．下の図表と右の写真（図108）を対比して診断に役立ててほしい．

	三日熱マラリア原虫	熱帯熱マラリア原虫	四日熱マラリア原虫	卵形マラリア原虫
末梢血中に出現する原虫の型	輪状体，アメーバ体，分裂体，生殖母体などが普通にみられる	輪状体と生殖母体のみがみられ，アメーバ体，分裂体は普通みられない	三日熱と同じ	三日熱と同じ
赤血球内の原虫数	大ていは1個，時に2個の感染がみられる	2個以上の感染がしばしばみられる	2個以上の感染はまれである	四日熱と同じ
被感染赤血球の形	円形で大きくなる	円形で大きくならない	円形で大きくならない	卵形でやや大きくなる
輪状体の性状	輪状体は大きく，核はほとんど1個，末期にはシュフナー斑点が現れる（**D**）	輪状体は小さく，核は2個のことがよくある（**I**），時に大形輪状体が現れる	輪状体は大きく三日熱に似る（**N**）	輪状体は大きく，核は2個のことがある（**Q**）
アメーバ体の性状	赤血球は大きくなり，シュフナー斑点著明（**E**）	末梢血中には出現し難い，モーラー斑点あり（**J**）	帯状体の現れるのが特徴（**O**），稀にチーマン斑点が現れる	全体に卵形で，一端が鋸歯状，シュフナー斑点あり（**R**）
分裂体の性状	メロゾイトは12〜18個で2列輪状に並び，色素顆粒は中央に集まる（**F**）	末梢血中には出現し難い，メロゾイトは8〜18個，色素顆粒は多い（**K**）	メロゾイトは1列に並び8〜10個，色素顆粒は中央に集まる（**P**）	メロゾイトは6〜12個，色素顆粒は中央に集まる（**S**）
生殖母体の性状　雌性生殖母体　雄性生殖母体	円形で雌の方は核が辺縁にあり強く染まる（**G**），雄は核が中央で輪郭が不明瞭，やや淡染する（**H**）	半月形を示すのが特徴，雌は細長く核が強く染まる（**L**），雄は鈍円で核，細胞質ともやや淡染（**M**）	三日熱に似る	三日熱に似る
病原性	良性	悪性	良性	良性
感染者数と分布地域	感染者数が最も多い，熱帯・亜熱帯・温帯に広く分布する	三日熱に次いで感染者数が多い，熱帯とくにアフリカや東南アジアに多い	感染者数は少ない，熱帯・亜熱帯に分布する	感染者数は少ない，熱帯アフリカが主な分布地，フィリピン，タイ，ベトナムにも分布する

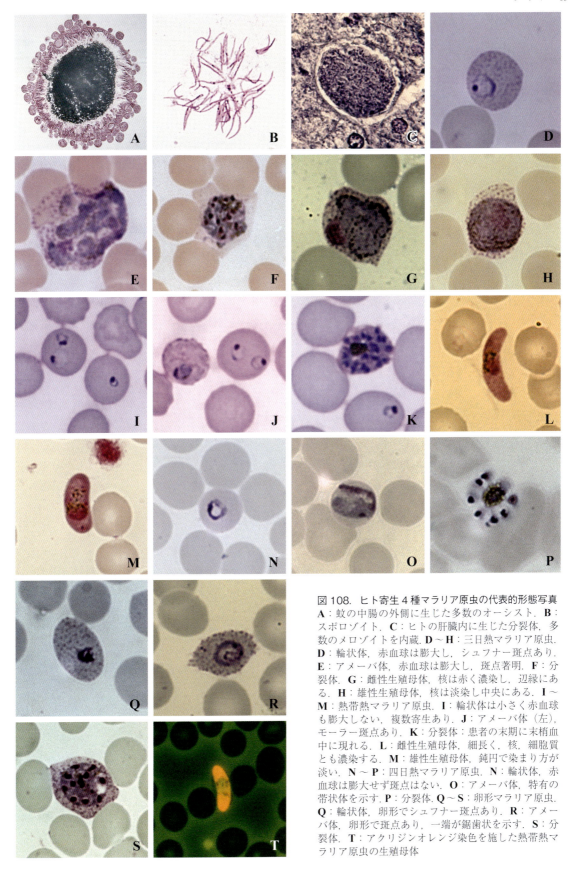

図108. ヒト寄生4種マラリア原虫の代表的形態写真
A：蚊の中腸の外側に生じた多数のオーシスト．**B**：スポロゾイト．**C**：ヒトの肝臓内に生じた分裂体，多数のメロゾイトを内蔵．**D〜H**：三日熱マラリア原虫．**D**：輪状体，赤血球は膨大し，シュフナー斑点あり．**E**：アメーバ体，赤血球は膨大し，斑点著明．**F**：分裂体．**G**：雌性生殖母体，核は赤く濃染し，辺縁にある．**H**：雄性生殖母体，核は淡染し中央にある．**I〜M**：熱帯熱マラリア原虫．**I**：輪状体は小さく赤血球も膨大しない，複数寄生あり．**J**：アメーバ体（左），モーラー斑点あり．**K**：分裂体：患者の末期に末梢血中に現れる．**L**：雌性生殖母体，細長く，核，細胞質とも濃染する．**M**：雄性生殖母体，鈍円で染まり方が淡い．**N〜P**：四日熱マラリア原虫．**N**：輪状体，赤血球は膨大せず斑点はない．**O**：アメーバ体，特有の帯状体を示す．**P**：分裂体．**Q〜S**：卵形マラリア原虫．**Q**：輪状体，卵形でシュフナー斑点あり．**R**：アメーバ体，卵形で斑点あり，一端が鋸歯状を示す．**S**：分裂体．**T**：アクリジンオレンジ染色を施した熱帯熱マラリア原虫の生殖母体

マラリア [D] 症状・診断・治療・予防

4種マラリアに共通した三大徴候は発熱，脾腫，貧血であるが，初発症状はいずれも発熱である．海外渡航の経験者が発熱を生じた場合はまずマラリアを疑う必要がある．熱帯熱マラリアの場合は診断，治療が遅れると死亡する場合がある．マラリアは感染症法で4類感染症に指定されており，患者を診断した時は直ちに保健所に届け出なければならない．

【疾病名】

1. 三日熱マラリア　vivax malaria または tertian malaria
2. 熱帯熱マラリア　falciparum malaria または malignant tertian malaria
3. 四日熱マラリア　quartan malaria
4. 卵形マラリア　　ovale malaria

上記のうち熱帯熱マラリアは症状が重く死亡率も高いので**悪性マラリア malignant malaria** と称し，他は比較的軽症なので**良性マラリア benign malaria** と呼んでいる．

【症　状】

1. **潜伏期**　蚊に刺され，スポロゾイトが注入されてから発病するまでの最短期間は次の如くである．
   (1) 三日熱マラリア　10～14日
   (2) 熱帯熱マラリア　5～10日
   (3) 四日熱マラリア　13～21日
   (4) 卵形マラリア　　11～16日

しかし実際の潜伏期間はもっと長く不規則で，本邦の統計によると熱帯熱マラリアは殆ど感染後1カ月以内に発病しているが，三日熱マラリアでは45％が1カ月以内，22％が2カ月～1年以内，6％が1年以上経過してから発病している．四日熱マラリアではさらに長い例がある．

2. **発熱 fever**　発熱の数日前から全身倦怠，頭痛，筋肉痛，背痛，食欲不振などの前駆症状があり，次いで急に発熱が起こる．この際まず悪寒を生じ，三日熱および四日熱マラリアの場合は戦慄を伴うことが多い（寒期），次いで急に体温が上り39～41℃に達する（暑期），2～4時間後には多量の発汗を以て解熱する（発汗期）．

このような熱発作は下記の如く，それぞれのマラリア原虫の赤内発育に要する時間に一致して起こる．
   (1) 三日熱マラリア　48時間毎（足かけ3日目）
   (2) 熱帯熱マラリア　48時間毎（不規則）
   (3) 四日熱マラリア　72時間毎（足かけ4日目）
   (4) 卵形マラリア　　48時間毎
   （二日熱マラリア（サルマラリア）は24時間毎）

しかし実際には発病初期にはどのマラリアも毎日発熱する．特に熱帯熱マラリアの場合は不規則である．さらに混合感染，抗生剤使用などにより乱れる場合があるので，あまり熱型に頼ってはならない．

3. **脾腫 splenomegaly**　初期には見られないが発熱を繰り返しているうちに脾臓が次第に大きくなってくる．これは破壊された赤血球の処理とマラリア毒素の影響と考えられている．

4. **貧血 anemia**　造血能を超えて赤血球の破壊が繰り返されると貧血が起こってくる．

5. **熱帯熱マラリアの特異な症状**　熱帯熱マラリアの場合，急性の経過をとり発症後1～2週間で脳症，腎不全，出血傾向，肺水腫/ARDS，アシドーシスなどを起こして死亡することがある．脳性マラリアでは感染した赤血球が脳の毛細血管壁に付着して血管を閉塞するため意識障害，痙攣，錯乱，昏睡などの症状を発する．

またキニーネを投与中の患者が急に黒色の尿を出し重症化する合併症が稀にあり**黒水熱 black water fever** と呼ばれている．

【診　断】

1. **臨床診断**　海外旅行後の高熱患者を診たときはまずマラリアを疑い血液検査を行うことが大切である．しかし帰国後1年以上たって発病する例もあるので注意を要する．とくに熱帯熱マラリアの場合は適切な診断・治療が遅れると死亡する場合がある．

また最近，超音波エコーによる脾腫の検出が診断に利用されている．

2. **血液検査**　検査法は次項に詳しく述べてあるが，まず患者の血液塗抹ギムザ染色標本を作製し，前項に記載した図や写真を参考にしてマラリアの種類を決定する．わが国で，その患者がマラリアで発熱しているのであれば原虫数はかなり多く，**血液薄層塗抹標本 thin blood smear** 中に必ず見つかるはずである．一方，流行地などで原虫数の少ない慢性感染者を検出するような場合は**血液厚層塗抹標本 thick blood smear** を作って検査する．

最近，川本[注1]は血液塗抹標本をアクリジンオレンジ液で染色し，簡易蛍光顕微鏡観察によりマラリアの迅速診断に好結果を得た（図108-T，染色法は次項参照）．

3. **感染濃度 parasite density（PD）または parasite count（PC）**　血液検査に際し結果を単に＋，＋＋などと示すのではなく感染した赤血球数をカウントし感染の濃度を示すのがよい．その術式は次項に示す．

4. **免疫学的診断**　従来，間接蛍光抗体法やELISA法が用いられてきたが，最近は血中のマラリア抗原

(histidine-rich protein 2：HRP-2 や lactate dehydrogenase：p-LDH）を免疫クロマト法で短時間に検出する簡易 dipstick 法が開発され，ICT Malaria Pf/Pv や OptiMal などの商品名で売り出されている．緊急診断や流行地で患者自身による自己診断に活用可能といわれているが，今のところ補助診断の役割に止まっている．

5．**ポリメラーゼ連鎖反応（polymerase chain reaction：PCR）による DNA 診断**　この方法は目的とする特定領域の DNA 片を *in vitro* で増幅させて検出する方法である．最近急速に研究が進み，マラリアの診断にも利用されている[註2, 3]．非常に鋭敏であり，マラリアの種の鑑別にも威力を発揮する．

感染症法に基づくマラリアの届出の基準の変更として 2021 年 6 月に，従来マラリアで遺伝子診断の項目に「PCR 法」とあったものを「核酸増幅法による病原体の遺伝子の検出（PCR 法・LAMP 法・その他）」と修正し，「フローサイトメトリー法によるマラリア原虫感染赤血球の検出」が追加された．これは，PCR 法以外の核酸増幅検査も複数開発されていることと，フローサイトメトリー法を応用したマラリア診断機器が医薬品医療機器総合機構に承認されたのを受けた措置である[註4]．

【鑑別診断】

インフルエンザ，肝炎，腸チフス，デング熱，再帰熱など高熱を発する疾患と鑑別を要する．また熱帯熱マラリアで脳症を起こした場合はウイルス性脳炎や癲癇と誤診されやすい．

【治　療】

第二次世界大戦以前の唯一のマラリア治療薬は**キニーネ quinine** であったが，戦後は**クロロキン**が中心となった．しかしクロロキンに耐性の熱帯熱マラリアが出現し，世界に拡大したため新しい抗マラリア剤が次々に開発されている．したがって常に最新の情報を入手して治療に当たることが大切である．熱帯病治療薬研究班発行の**寄生虫症薬物治療の手引き**がよい指針となる．また，10 頁表 4 に示した機関に相談するのもよい．

1．**三日熱・卵形・四日熱マラリアの治療法**

この 3 種のマラリアは死に至るような合併症を起こすことは稀であり，薬剤耐性も目下のところあまり問題はないので以下①，②に示すような赤内型原虫を殺す薬剤を用いて治療する．ただ三日熱と卵形マラリアは肝臓にヒプノゾイトが残存し，再発の恐れがあるので③のプリマキンを追加する必要がある．括弧内は商品名を示す．

①**リン酸クロロキン（Avloclor 錠）**：クロロキン製剤は諸外国では現在も広く使用されているが，わが国では 1975 年に販売禁止となったので外国から本剤を輸入して用いている．初回 10mg/kg，2 日目 10mg/kg，3 日目 5mg/kg を投与する．

②**メフロキン（メファキン錠）**：成人量，初回 750mg（3 錠），6〜24 時間後に 500mg（2 錠），経口投与する．

③**リン酸プリマキン（プリマキン錠）**：上記薬剤投与終了後，プリマキンリン酸塩 30mg を 1 日 1 回，食後に 14 日間投与する．本剤の投与によりグルコース-6-リン酸脱水素酵素（G-6PD）欠損者に溶血性貧血を生じることがあるので，投与前に酵素測定をすることが望ましい．

2．**熱帯熱マラリアの治療法**

重症化しておらず合併症のない熱帯熱マラリアの場合は次の④〜⑦のいずれかの薬剤を用いて治療を行う．

④**アルテメテル 20mg/ルメファントリン 120mg 合剤（リアメット配合錠）**：成人量，1 回 4 錠を初回，初回投与後 8 時間，その後は朝夕 1 日 2 回 2 日間（計 6 回），食直後経口投与する．

⑤**アトバコン 250mg/プログアニール塩酸塩 100mg 合剤（マラロン）**：成人量，1 日 4 錠頓用，3 日間，食事または乳製品と共に服用．多剤耐性熱帯熱マラリアに有効．

⑥**メフロキン（メファキン錠）**：メフロキン塩酸塩 15mg/kg を頓用，耐性が予想される地域では 25mg/kg を 6〜8 時間間隔で 2 回に分けて服用する．精神病や癲癇の既往を有する患者への投与は禁忌．

⑦**塩酸キニーネ**：成人量，1 回 500mg を 1 日 3 回，7 日間投与．ドキシサイクリン 100mg を 1 日 3 回，7 日間併用．

3．**重症熱帯熱マラリアの治療法**

脳症状など既述のような重い症状を発している熱帯熱マラリア患者に対しては次のような治療を行う．

⑧**グルコン酸キニーネ注射（キニマックス）**：キニーネ塩基 8mg/kg を 5% ブドウ糖液 500m*l* に溶解し，約 4 時間かけて点滴静注する．必要に応じ，これを 8〜12 時間ごとに繰り返す．原虫の減少が見られたら最終投与の 12 時間後にメフロキン塩酸塩 15mg/kg の内服を追加する．

【予　防】

1．**一般的予防**：有毒蚊に刺されないように注意する．流行地においては長袖，長ズボンを着用し，昆虫忌避剤も利用する．住居は網戸を完備し，就寝時は蚊帳を使用する．蚊取り線香，防虫スプレーも有効である．

2．**予防内服**：流行地で行動する場合には下記の予防内服を行うのがよい．

(1)**リン酸クロロキン**：塩基として 300mg を週 1 回服用．クロロキン耐性マラリア流行地などでは，本剤に加えてドキシサイクリン 100mg を毎日服用する．

(2)**メフロキン**：塩基として 250mg を週 1 回服用する．

註 1．Kawamoto et al.（1992）：Parasitol. Today，8：69-71．
註 2．狩野繁之ら（1992）：日本臨牀，42：458-463．
註 3．綿矢有佑ら（1999）：医学の歩み，191：67-73．
註 4．丸山治彦（2021）：臨床と微生物，48，630-637．

23 マラリア [E] 血液検査

マラリアの診断は血液塗抹ギムザ染色標本中にマラリア原虫を検出するのがもっとも迅速で，かつ虫種の鑑別もできるので有用である．

1. 採血時期
発熱を繰り返している患者はいつ採血しても原虫は見出されるが，発熱時が最もよい．また4～5時間毎に採血し種々の発育段階の原虫を観察するのがよい．

2. 採血法
耳朶，指頭，静脈血いずれでもよい．

3. 血液厚層塗抹標本作成法
スライドグラス上に血液を1滴とり，他のスライドグラスの角で伸ばし，直径1cm くらいとする（図109）．乾燥後，固定せずにそのまま下記のギムザ液に30～45分浸漬し，溶血と染色を同時に行う．この方法は原虫が少ないとき，集団検診のときなどは有利であるが標本が厚いので原虫を確認するには熟練を要する．

4. 血液薄層塗抹標本作成法
スライドグラスの一端近くに少量の血液を置き，これにカバーグラスを接し，鈍角の方向にすべらせる（図109）．素早く乾燥させた後，新鮮なメタノールで2～3分固定し，乾燥後30～45分ギムザ染色をする．

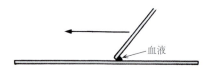

図109．血液薄層塗抹標本の作り方（上図）とその標本（下図の左）
下図の右は厚層塗抹標本

5. ギムザ染色液 （海老沢，1978による）
まずマラリア原虫染色のためのギムザ染色液はpHを7.2～7.4に調整した方がよい．そうすると赤血球は青味を帯びるが原虫の原形質，シュフナー斑点などが鮮やかに染まり虫種の鑑別に役立つ．

pH7.4の燐酸緩衝液のつくり方
a 液 $Na_2HPO_4 \cdot 12H_2O$：8.639g を蒸留水200mlに溶かす．

b 液 KH_2PO_4：0.8g を蒸留水100mlに溶かす．

a，b 両液を別々の容器に入れ高圧減菌しておく．a 液2容とb 液1容を混ずると 1/10M のバッファーができる．これを5倍にうすめ 1/50M として用いる．

ギムザ染色
上記 1/50M バッファー 1ml に対しギムザ原液1滴の割に希釈して使用．染色液はその都度新調する．

6. 集原虫法
血中の原虫が少ない場合に用いる．その方法は1～3ml の静脈血をとり，1,500rpm 5分遠沈して血球部分を採取し，これを凍結融解して溶血させる．次いでほぼ等量の生理食塩水を加え，3,000rpm 15分遠沈し，上清を捨て，沈渣をスライドグラスに塗抹し，メタノール固定後ギムザ染色を施して検査する．

7. 誘発法
塩化アドレナリン 0.5ml を皮下注射し，30分後に2～3ml 採血し，6と同様の方法で標本を作成する．

8. 感染濃度 parasite count（PC）の表示法
単に＋，＋＋など漠然と示すのでなく，次の方法によって血液 1μl 中の被感染赤血球数を示すのがよい．すなわち塗抹標本で白血球200個を数える間に被感染赤血球がいくつあったかを数え（X），その時の血液 1μl 中の白血球数（W）から PC を求める．

$$PC = W \times \frac{X}{200}$$

9. アクリジンオレンジ染色法（第22項参照）
【処方】 アクリジンオレンジ（Sigma 製 A4921, 100μg/ml）を減菌済みの5～10mM トリス塩酸緩衝液あるいは燐酸緩衝液（pH7.0～7.5）に溶かし，冷暗所に保存する．必要に応じて乾燥防止剤のグリセリン（5%）や退色防止剤を加える．

【観察法】 カバーグラスに上記染色液を数滴のせ，カバーグラスを逆さにして，メタノール固定した血液薄層塗抹標本に素早く押しつけ，塗抹面に均一に行きわたるようにして染色し，直ちに蛍光顕微鏡で観察する．原虫の核は緑色に，細胞質は赤色に染まる（図108-T）．本法は干渉フィルターを用い直接太陽光を光源として観察することもできるので電源のない熱帯地でも利用できるという．

24 バベシア，大腸バランチジウム

バベシアは野生動物の赤血球に寄生する原虫であるが欧米では多数の人体寄生例が報告されている．最近わが国最初の人体寄生例が発見された．大腸バランチジウムはわが国の動物に感染しており時に人体寄生例が見られる．

I．ネズミバベシア　*Babesia microti*

バベシアはピロプラズマ目に属する原虫で，マダニによって媒介され，広く家畜や野生動物に感染している．1957年にユーゴスラビアで人体寄生が見い出されて以来，欧米で輸血による感染を含め多数の症例が報告された．

バベシアには多くの種があるが今までヒトに寄生した主な種は ***B. microti***（米国）と ***B. divergens***（欧州）とである．最近，斉藤ら（1999）によりわが国最初の人体感染例が報告された[註1]．症例は40歳男性で溶血性貧血治療のためステロイドを数か月間投与され，全赤血球の約50％がバベシアに感染していた（**図111**）．形態ならびにDNA診断の結果，虫種は ***B. microti*** と同定され，感染は貧血発病の約1か月前に受けた輸血によるものと考えられた．その理由はドナーから本虫の遺伝子断片が発見されたからである．患者もドナーも海外渡航の前歴はないのでわが国土着のバベシアの感染と思われる．

わが国には数種のバベシアが分布しており，***B. microti*** は塩田らが1983年に既に野鼠から見い出していた（**図110**）[註2]が，上記ヒト寄生種とは遺伝子型が異なるという．赤血球内における形態は熱帯熱マラリアによく似ており鑑別を要する．ヒトにおける症状は無症状から致死的まで種々である．一般住民の抗体検査を行ってみると陽性者がかなりあり不顕性感染の存在を疑わせる．

II．大腸バランチジウム　*Balantidium coli*

本虫は有毛虫門に属し，世界に広く分布する．栄養型（**図112-左**）は多数の**繊毛 cilia** で被われ，これを動かして運動する．長径は50〜80μm，短径は40〜60μm とかなり大きい．大核は栄養核で代謝に関与し，小核は生殖核で遺伝情報を伝える．虫体の活力が衰えると2個体が**接合 conjugation**を行い，小核の一部を交換し賦活する．嚢子は**図112-右**に示すような直径45〜65μm の球形で腎臓型の大核を有する．

本虫はブタやヒトの大腸に寄生すると**図113**に示す如く腸管壁に侵入し，組織を破壊するので下痢，血便を生ずる．下痢便の中には栄養型，有形便の中には嚢子が排出されるので，これを検出して診断する．感染は嚢子を摂取することによる．中内（1990）は茨城県で88頭のブタ全例に本虫の感染を認めた．人体寄生例は最近，岐阜で16歳男子の症例が報告された[註3]．

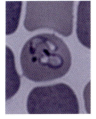

図110．アカネズミに自然感染している *Babesia microti*（塩田恒三博士採集）

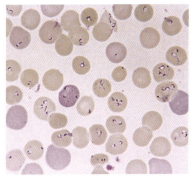

図111．わが国ではじめて人体から見い出された *Babesia microti*（斉藤あつ子教授の厚意による）

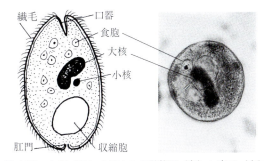

図112．大腸バランチジウムの栄養型（左）と嚢子（右）

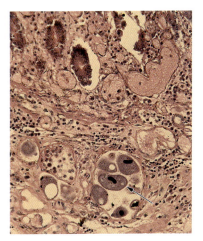

図113．ブタ大腸壁内に侵入寄生している大腸バランチジウム（矢印）

註1．斉藤あつ子ら（1999）：感染症誌，73：1163-1164．
註2．塩田恒三ら（1983）：寄生虫誌，32：165-175．
註3．加納正嗣ら（1993）：感染症誌，67：899．

25 ニューモシスチス [A] 分類・疫学・形態・生活史

ニューモシスチスは典型的な日和見病原体の性格を持ち，ヒトの肺に感染しても免疫能が正常であれば発病しない．ところが免疫能が低下すると増殖して重篤な肺炎を起こす．先天性免疫不全児，免疫抑制剤投与中の患者，AIDS 患者などに発症し直接の死因となることがある．最近，種名変更の問題が生じている．

【和名・種名】　ニューモシスチス・イロベチイ
　　　　　　　Pneumocystis jirovecii
【疾病名】　ニューモシスチス肺炎
　　　　　pneumocystis pneumonia
【分類学上の変化】

1912 年 Delanoë はネズミの肺から本種を発見し ***Pneumocystis carinii*** と命名した．その後これがヒトにも感染すると考えられ，和名も**ニューモシスチス・カリニ**，疾病名も**カリニ肺炎**などと称されてきたが，ごく最近，DNA 解析により，ヒトに寄生するのは ***P. jirovecii*** であるという意見が有力になってきた．また本種は分類学上真菌の 1 種とされるようになった．本書では和名を**ニューモシスチス・イロベチイ**，疾病名を**ニューモシスチス肺炎**と称し，全身感染の場合は**ニューモシスチス症 pneumocystosis** と称することを提唱する．

【基礎疾患】

本肺炎は下記のような免疫不全を起こす基礎疾患に随伴して発症する．

1. **未熟児，栄養不良児など虚弱児**　この原因による本肺炎は，現在，先進国ではほとんど見られない．
2. **先天性免疫不全児**　主に 10 歳以下の小児．
3. **免疫抑制剤の投与**　白血病，悪性リンパ腫，骨髄腫，各種臓器癌などの化学療法の経過中あるいは臓器移植や自己免疫疾患に対する抗免疫療法中などに発症．
4. **AIDS**　米国の約 6 万人の AIDS 患者の統計によるとその約 50％に本肺炎が発症し，わが国の調査でも 46％に発症し，AIDS の指標疾患とされている．

ニューモシスチスは上記の如く免疫能が正常の宿主体内では増殖せず，免疫不全に乗じて増殖し，病原性を発揮する．このような疾患を**日和見感染 opportunistic infection** と称し，このような病原体を**日和見病原体 opportunistic pathogen** という．本種以外にもウイルスではサイトメガロ，ヘルペス，細菌では緑膿菌，真菌ではカンジダ，原虫ではトキソプラズマ，クリプトスポリジウムなどもこのような性質を持っている．

わが国におけるニューモシスチス肺炎の発症状況を見ると，1961 年に最初の症例が報告されて以来，上記のような免疫不全症を基礎疾患として数千例が報告され，現在，治療法，発症予防法が進歩したにもかかわらずなお発症が続いている．

【形　態】

ニューモシスチスはその生活史上，**栄養型 trophozoite** と**嚢子 cyst** の時期がある．

栄養型　外形はアメーバ状，不定形で，大きさは 2～8μm と変異に富み，**ギムザ染色**をすると淡青色に染まる細胞質と，赤染する 1 個の核を認める（図 114）．

嚢　子　直径 4～8μm の球形で，ギムザ染色では図 114，115 に示す如く嚢子壁は染まらず，中に**嚢子内小体**を認める．これは成熟嚢子では 8 個存在するが未熟嚢子ではそれ以下である．嚢子内小体は青色に染まる点状のこともあるし，バナナ形をして青い細胞質と赤い核を識別できることもある．

ギムザ染色の代わりに**トルイジンブルー O 染色**（図 117）または**メテナミン銀染色**（図 116）を行うと嚢子壁は紫～黒に強く染まるが嚢子内小体は染まらない．またメテナミン銀染色では嚢子内に**括弧状構造物**が見えるのが特徴で，この所見は通常の真菌との鑑別に役立つ．

【生活史】

ニューモシスチスは主として宿主の肺，それも肺胞内に寄生し，肺の組織中に見い出されることは少ない．しかし全身播種を起こす例があることから，ある条件下では組織内に侵入するらしい．

1984 年，筆者らは詳細な電子顕微鏡的研究を行った結果，前嚢子期に**シナプトネマ構造 synaptonemal complex**（図 118，119）を見い出し，ニューモシスチスは減数分裂を行う生物であることを明らかにし，図 119 に示すような新しい生活史を提唱した[1]．すなわち嚢子から脱出した 8 個の嚢子内小体はハプロイドの栄養型となり，これは合体してディプロイドの栄養型となる．そしてこれが前嚢子期に入ると減数分裂を行い，最終的に 8 個のハプロイドの核を形成し，これらが細胞質で囲まれて嚢子内小体となる．以上が嚢子形成による有性生殖過程であるが，この他に栄養型は 2 分裂で増殖したり，栄養型の中に娘栄養型を形成して増殖する方法（内部出芽）も行う．

註 1. Matsumoto, Y. and Yoshida, Y.（1984）：J. Protozool. 31：420-428.

ニューモシスチス 55

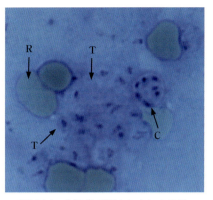

図114. 本肺炎で死亡したヒトの肺の塗抹ギムザ染色標本
T. 栄養型, C. 囊子, R. 赤血球

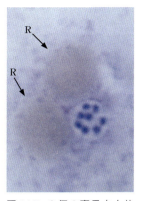

図115. 8個の囊子内小体を有する成熟囊子
ギムザ染色（略号左に同じ）

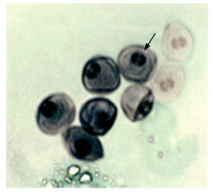

図116. メテナミン銀染色の囊子
囊子内小体は染まらないが囊子壁と括弧状構造物（矢印）が黒褐色に染まるのが特徴.

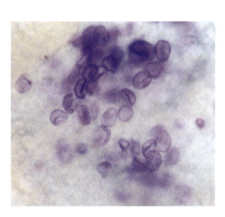

図117. トルイジンブルーO染色の囊子
囊子壁が青紫色に染まるが囊子内小体は染まらない.

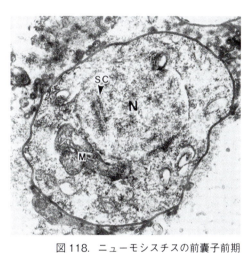

図118. ニューモシスチスの前囊子前期の電子顕微鏡像
全体に円く，核（N）は大きくなり，中にシナプトネマ構造（SC）を認める. ミトコンドリア（M）が凝集しはじめる.
（松本・吉田, 1984による）[註1]

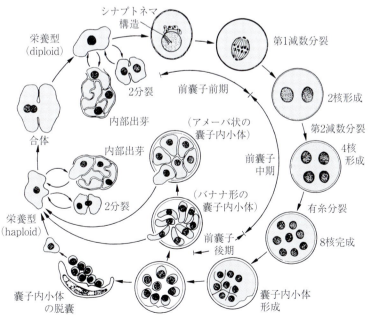

図119. 筆者らが明らかにしたニューモシスチスの生活史の模式図　　（説明は本文参照）[註1]

ニューモシスチス ［B］ 症状・診断・治療・予防

ニューモシスチス肺炎の症状の特徴は咳、発熱、頻脈、呼吸困難、胸部X線像の両側びまん性陰影、動脈血酸素分圧の低下などで、放置すると死亡率は極めて高い。しかし適切な治療を行えば救命することが出来るので的確な早期診断、早期治療が重要である。またハイリスクの患者には発症予防薬の投与が行われている。

【症　状】

先進国で見られるニューモシスチス肺炎は先天性免疫不全、種々の基礎疾患に対する抗癌剤や免疫抑制剤の投与、AIDSなどに起因するものが殆どで、全年齢層に見られ、その主な症状は以下の如くである。

(1) **臨床症状**　はじめ息苦しさや空咳が続き、痰はあまり出ないが急に熱発（39～40℃）し、咳の増強、多呼吸、頻脈、呼吸困難、チアノーゼと進展し、酸素を与えても改善しにくい。これは**図120, 121**に示す如く、本肺炎が進行してくると、ニューモシスチスの栄養型、嚢子および滲出物（これを**蜂窩状泡沫物質**という）が肺胞内に充満し、ガス交換を阻害し、肺胞毛細管ブロックに陥るためと考えられる。

(2) **胸部X線像**　はじめ両側びまん性に霞がかかったような陰影が生じ、急速にスリ硝子状に進展する（**図122**）。またCT像（**図123**）も特異な所見を示し参考になる。

(3) **動脈血酸素分圧（PaO_2）**　正常値は90～100mmHgであるがこの値が1/2～1/3に低下する。

(4) **全身感染**　ニューモシスチスが肺から全身の臓器に転移して増殖し、組織の壊死を起こすことが知られ、とくにAIDS患者でペンタミジン吸入療法中に起こる場合が多い。その機序はよく分かっていないが、吸入で肺胞内の病原体は殺されても、この薬剤は肺胞で吸収され難く、血中濃度が上がらないため転移した病原体が殺されず増殖したのではないかと考えられる。

【診　断】

A．臨床診断　本肺炎の診断はその特有の基礎疾患と臨床症状からニューモシスチス肺炎を疑うところから始まる。そして病原体の検出に努め、一刻も早く治療に踏み切り、患者の救命に努めることが大切である。

B．病原体検出による診断　病原体を検出するのが最も確実な診断である。開胸的肺生検、閉鎖的肺生検、気管支鏡的肺生検などは検出率は高いが患者に対する侵襲が大きいので重症の患者には用い難く、最近は侵襲の少ない次のような方法がよく用いられている。

1) **経皮的肺吸引**　20～23ゲージの細い注射針を用い、右側第4・第5肋間で肺を穿刺し、少量の肺胞滲出液を採取し、塗抹・染色して鏡検する。気胸や出血などの合併症も少ない。

2) **喀痰集シスト法**　1～2日間の全喀痰を採取し、筆者らの考案した集シスト法で嚢子を集める（次項参照）。

3) **気管支洗浄法（BAL）**　気管支洗浄液から嚢子を集めて検査する。

C．免疫学的診断法　抗体検索の目的で間接蛍光抗体法、ELISAなど種々の方法が試みられたが本肺炎の患者は免疫抑制下にあるため抗体の検出が難しい。そこで患者血清中の循環抗原の検索がゲル内沈降反応などで行われている。

D．Polymerase chain reaction（PCR）による診断

最近PCR法によって喀痰などの中の微量のニューモシスチスでも検出出来るようになった。しかし余りに鋭敏なため潜在感染の場合でも陽性に出る可能性がある。早期診断や治療効果の判定などには有用である。

【治　療】

1．**スルファメトキサゾール・トリメトプリム合剤**（**ST合剤**と略、商品名バクタ、バクトラミン）

本肺炎治療の第1選択薬である。用量は1日量トリメトプリム20mg/kg、スルファメトキサゾール100mg/kgで、4分服とし、14日間続ける。本剤の注射薬もある。

2．**ペンタミジン**（商品名ベナンバックス）

毎日1回、4mg/kg筋注、14日間投与が基本であるが、最近は点滴静注、または吸入法が推奨されている。後者の方法は本剤0.6gを6mlの蒸留水に溶かし、エアゾール状にして毎日20分間吸入、3週間連用する。

3．**ピリメサミン・スルファドキシン合剤**（商品名ファンシダール）

成人初日3錠、翌日から2錠、14日間連用

上記3薬剤の治療効果の1例が**表9**に示してある。

【感染経路】

恐らく感染者の肺の中の栄養型または嚢子が気道を上り、咳などにより他人に飛沫感染するか、あるいは嚢子が一旦地上に落ち、塵埃と共に吸入されるかである。院内感染を思わせる事例の報告もある。

【予　防】

本肺炎の発症を予防するため化学療法中の癌患者やAIDSなど種々の免疫不全状態の患者に対し、ST合剤の少量毎日投与（治療量の1/5）、ペンタミジンの吸入（週1回）などが行われている（**表10**）。

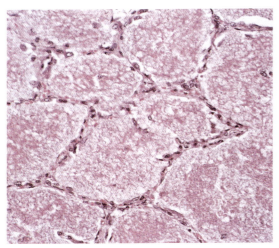

図120. 全身性エリテマトーデス（SLE）に対する抗免疫療法中にニューモシスチス肺炎を併発して死亡した28歳女性の肺の切片のヘマトキシリンエオジン（HE）染色像

肺胞は拡張し，蜂窩状泡沫物質が充満し無気的になっている． （筆者経験例）

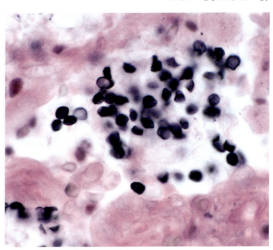

図121. 左の症例の肺切片をHE染色とメテナミン銀染色と二重染色した標本

HE染色のみではニューモシスチスは検出困難であるがメテナミン銀染色を追加するとシストが黒く染まり検出が容易となる．

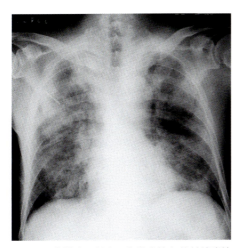

図122. 食道癌に対する化学療法と放射線療法が終了した時点でニューモシスチス肺炎を発症した64歳男性の胸部X線像

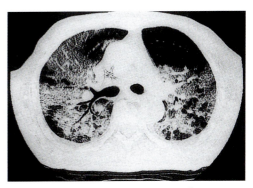

図123. 左の患者の肺のCT像
（京都府立医大第一内科，内藤裕二博士の厚意による）

表9. 小児白血病治療中に発症したニューモシスチス肺炎に対する種々の薬剤の治療効果

薬　剤	治療例数	治癒例数	治癒率
1　ST合剤	146	112	76.7%
2　ペンタミジン	21	9	42.8%
3　ピリメサミン・スルファモノメトキシン	11	8	72.7%
4　2と3併用	36	20	55.6%
5　無治療	24	0	0%

（今宿晋作博士，1984年の集計による）

表10. ニューモシスチス肺炎に対するST合剤予防投与の効果

予防投与を行っていなかった4年間の発症率に対し，実施後の発症率は著明に減少している．

	化学療法実施小児白血病患者	ニューモシスチス肺炎発生数（％）
予防投与開始前 1974〜1977	49	15（30.6%）
予防投与開始後 1978〜1981	65	3（4.6%）
1982〜1986	116	0　（0%）

（京都府立医科大学小児科の成績）

原虫類

ニューモシスチス ［C］ 臨床検査

ニューモシスチスを検出するには種々の特殊な染色法や検査法が考案されている．ここでは最も基本的な染色法について述べ，なお精細な点は下記の専門書を参照されたい[注1]．

Ⅰ．生鮮標本観察法

スライドグラスに生理食塩水を1～2滴とり，患者肺（生検または剖検肺）の小片を圧迫して洗い出し，カバーグラスをかけ，普通顕微鏡の絞りをしぼって，あるいは位相差顕微鏡で観察する．アメーバ状をした栄養型，球形をした嚢子が見い出される．成熟した嚢子内には8個の球形またはバナナ形をした嚢子内小体が見える．

Ⅱ．塗抹染色標本作成法

材料は剖検直後の患者肺，感染動物の肺，生検材料，喀痰の単純塗抹あるいは喀痰集シスト法を行ったものなどである．染色法は次の2通りある．

a）ギムザ染色 栄養型と嚢子，とくに嚢子内小体を染め出す．嚢子壁は染まらない（図114，115）．

b）メテナミン銀染色またはトルイジンブルーO染色 嚢子とくに嚢子壁を強く染め出す．栄養型および嚢子内小体は染まらない（図116，117）．

Ⅲ．組織切片標本作成法

材料は患者あるいは感染動物肺のホルマリン固定，パラフィン包埋切片で，主な染色法は次のとおり．

a）ヘマトキシリンエオジン（HE）染色 宿主の病理変化や蜂窩状泡沫物質を観察するのに必須の染色法であるが，ニューモシスチスを見い出すのは困難である（図120）．

b）メテナミン銀染色，メテナミン銀染色とHE染色との二重染色およびトルイジンブルーO染色 栄養型は染まりにくいが嚢子壁を強く染め，診断に役立つ（図121）．

Ⅳ．ギムザ染色　Giemsa stain

未固定の肺の小片をスライドグラスに押しつけ塗抹する．風乾後メタノールで2～3分覆い固定する．メタノール除去後，風乾しギムザ染色を行う．ギムザ液は52頁で述べた処方，あるいは単に蒸留水で希釈したものでもよいが染色時間は1時間またはそれ以上がよい．染色後，水洗，風乾しバルサムで封じる．

Ⅴ．メテナミン銀染色
Gomori's methenamine silver nitrate stain

【試　薬】

(1) 5% chromic acid（CrO_3）水溶液
(2) 5% borax（$Na_2B_4O_7 \cdot 10H_2O$）水溶液
(3) methenamine silver nitrate 貯蔵液
　　3% methenamine（hexamethylenetetramine （$(CH_2)_6N_4$） 溶液100mlに5% $AgNO_3$ 5mlを加える．白色沈殿を生ずるが振れば透明となる．冷蔵庫保存で数か月使用可能．
(4) methenamine silver nitrate 使用液
　　5% borax 水溶液　　　　　　　　　　2ml
　　蒸留水　　　　　　　　　　　　　　25ml
　　methenamine silver nitrate 貯蔵液　　25ml
(5) 1% sodium bisulfite（$NaHSO_3$）水溶液
(6) 0.1% gold chloride（塩化金酸 $AuCl_3 \cdot HCl \cdot 3H_2O$）水溶液，この液は繰り返し使用できる．
(7) 2% sodium thiosulfate（$Na_2S_2O_3 \cdot 5H_2O$）水溶液（ハイポ）
(8) light green 染色液（貯蔵液）
　　light green　　　　　　　　　　　　0.2g
　　蒸留水　　　　　　　　　　　　　　100ml
　　氷酢酸　　　　　　　　　　　　　　0.2ml
(9) light green 染色液（使用液）
　　貯蔵液　　　　　　　　　　　　　　10ml
　　蒸留水　　　　　　　　　　　　　　50ml

【染色法】　塗抹標本の場合はメタノールで3分固定した後，下記の(4)以下を行う．切片標本の場合は下記の順で行う．

(1) キシレンで脱パラフィン
(2) 下降アルコール系列で脱キシレン
(3) 水洗，流水中で数回，次いで蒸留水で数回
(4) 5% CrO_3 で酸化　1時間
(5) 水洗（流水）　数秒
(6) 1% sodium bisulfite　1分
(7) 水洗（流水）　5～10分
(8) 水洗（蒸留水）　3～4回
(9) methenamine silver nitrate 染色
　　使用液中に標本を入れ，58～60℃のオーブン中で30～90分染色する．切片が黄褐色になる．一度取り出して鍍銀状態をチェックすること．
(10) 水洗（蒸留水でゆすぐ）　5分間に6回替える．
(11) 0.1% gold chloride　2～5分
(12) 水洗（蒸留水）　数回
(13) 2%ハイポ溶液　5分
(14) 水洗（流水）　少なくとも10分
(15) counterstain
　　light green（使用液）30～45秒

⑯　脱水，透過，封入

【結　果】　図 116，121 に示すごとく，嚢子壁は黒染し検出が容易である．

Ⅵ．トルイジンブルー O 染色
Chalvardjian's toluidine blue-O stain

【試　薬】

i) sulfation 用溶液

約 100m*l* の一級エーテルを分溜フラスコに入れ，これに約 30m*l* の蒸留水を入れ両手で持って強振する．両層が透明になるまで待ち，下層の水を捨て，少量のエーテルも捨て通路を洗う．水で飽和されたこのエーテルを氷水中にひたしたフラスコの中へ 80m*l* 取る．次いでこの中へ 80m*l* の濃硫酸をゆっくり，コンスタントによくまぜながら入れる．この際，容器はすべて乾いていることが必要で，エーテルを飽和した水以外の水があってはならない．この混液は深型染色バットに入れ，上縁はグリースを塗りガラス板で封じる．使用前にはガラス棒などでよくかきまぜることが大切である．

ii) toluidine blue-O 染色液の処方

	塗抹標本用	切片標本用
toluidine blue-O 色素	300mg	32mg
蒸留水	60m*l*	60m*l*
濃塩酸	2m*l*	2m*l*
無水エタノール	140m*l*	140m*l*

まず色素を蒸留水に溶かし，次いで塩酸，無水エタノールを加える．この処方で大体 1 つの染色バット用として十分な 200m*l* の染色液ができる．塗抹用と切片用とには色素の濃度が異なるだけである．すなわち塗抹標本用では 0.15%，切片標本用では 0.016% の色素液である．

iii) 0.25% metanil yellow 水溶液

【塗抹標本の染色法】

(1) 塗抹標本を風乾し，すぐ染色するときはメタノール固定は不要である．
(2) sulfation，硫酸エーテル　5 分
(3) 水洗，約 10 回ゆすぐ
(4) 染色，0.15% toluidine blue-O　3 分
(5) 脱水，isopropyl alcohol　3 回
(6) 透過，封入
    （塗抹標本の場合は metanil yellow による counterstain は行わない）

【結　果】　図 117 に示すごとく嚢子壁は紫色に美しく染まる．メテナミン銀染色は染色を終わるまでに 4〜5 時間を要するが，本法は約 20〜30 分で終わる．時に染まりが不安定なことがあるが，それは sulfation に問題があるようで，この液を 5〜10℃ の低温に保って実施するとよいことがわかった．

【切片標本の染色法】　切片標本の染色法の手順は塗抹標本の場合とやや異なる（材料は 10% ホルマリン固定，パラフィン包埋切片の場合とする）．

(1) キシレンで脱パラフィン
(2) エーテルで脱キシレン
(3) sulfation，硫酸エーテル　5 分
(4) 水洗，約 10 回すすぐ
(5) 染色，0.016% toluidine blue-O　3 分
(6) 水洗，流水ですすぐ
(7) counterstain，0.25% metanil yellow　2 分
(8) 脱水，isopropyl alcohol　3 回
(9) 透過，封入

【結　果】　嚢子壁，ムチン，時に軟骨などは紫ないし紫紅色，他の組織は黄ないし緑色，真菌は嚢子と同様に染まる．

Ⅶ．セルフルオール（Cellufluor）蛍光染色法

(1) スライドグラスに標本を塗抹し，風乾後メタノールで数分間固定する．
(2) セルフルオール染色液（商品名 **Fungi-Fluor**^R **Kit**．A，B 液があるが A 液のみ使用，B 液はカウンターステイン用で使わなくても良い）の A 液 6 滴を滴下し，1 分間染色する．
(3) 蒸留水で緩やかに洗浄し，余分な水分を除く．
(4) ウエットの状態のままカバーグラスで覆い，蛍光顕微鏡（励起フィルター 250〜400nm），対物レンズ 40 倍使用で観察する．

セルフルオールはカビの胞子を強く染めるが，ニューモシスチスの嚢子もよく染まる．とくに括弧状構造物が強く染まり，明瞭に見えるため同定しやすい．迅速性に優れている．

Ⅷ．遺伝子検査法

遺伝子検査には PCR 法，real-time PCR 法，LAMP 法などが実施されている．

Ⅸ．喀痰集シスト法[註 1, 2]

患者の喀痰や気道内粘液をできるだけ多量集める．

(1) 喀痰溶解液：0.2N の NaOH 液に，2% になるように N-acetyl-*l*-cystein を溶解する．
(2) 喀痰に，その 10 倍量の上記液を加え充分攪拌する．
(3) ガーゼ 1 枚で濾過し 3,000rpm，5 分間遠沈する．
(4) ③の沈査に生理食塩水を適量加え攪拌洗浄し，3,000rpm，5 分間遠沈，この洗浄をもう 1 回繰り返す．
(5) ④の沈査をスライドグラスにとり，風乾後，上記の染色を施して鏡検する．

註 1．吉田幸雄：ニューモシスチス・カリニ肺炎，p.1〜269，南山堂，東京，1981．
註 2．吉田幸雄ら（1978）：寄生虫誌，27：473-481．

28 ナナホシクドア

protozoa ★★★

2008年頃からヒラメの刺身を摂取して起こる食中毒が知られ始め，2009年には愛媛県で100名以上の集団感染事例が発生した．その後も全国から報告が相次ぎ，2011年にその原因が粘液胞子虫のナナホシクドアであることが判明し，クドア食中毒と名付けられた．

【和名・種名】 ナナホシクドア

Kudoa septempunctata

【疾病名】 クドア食中毒[註1, 2, 4]

【疫　学】 本種は2010年にMatsukaneが韓国から輸入した養殖ヒラメ中に発見し，新種の記載を行った新しい寄生虫である[註3]．その後2011年6〜12月の間に33件，473名の感染の報告があり，厚生労働省は2013年から本症を全国食中毒統計に加え，2013〜2014年の2年間に673症例発生したと報告した．今までの総数は恐らく千数百例に達するものと思われる．患者は北海道から九州まで全国的に見られ，季節的には8〜10月に多発している．原因は韓国産養殖ヒラメの生食によるとした事例が多い．またヒラメ以外の魚による感染についても追及が行われている．

【形態と生活史】 Kudoa属の寄生虫は魚の筋肉内に寄生する粘液胞子虫で，その生活史はよくわかっていないが，ゴカイのような環形動物と魚類との間で感染が行き来しているとされている．その中で *K. septempunctata* は主にヒラメの筋肉内に寄生しているがシストを形成しないので肉眼で見ることはできない．

魚肉内に存在する粘液胞子は**図124**に示す如く粘液胞子内に5〜7個の極嚢が花弁状に並んでいる．粘液胞子の大きさは直径約10μmである．

【症　状】 ヒラメの刺身摂取2〜7時間後から激しい嘔気，嘔吐，腹痛が生じ，続いて下痢，発熱などが起こることがあるが一過性に経過し重症化することはない．またヒトの消化管に定着寄生することもない．

【診　断】 魚肉の塗抹標本を作製し，生で鏡検（**図124**）するか，メチレンブルー染色を行って鏡検（**図125**）する．またPCRによる遺伝子検査も行われている．

【治　療】 特効的な治療薬はないが一両日以内に自然治癒することが多いので対症療法を行って経過を待つのがよい．

【感染源と予防】 感染源のヒラメについて農林水産省の資料によると，わが国の市場に出回っている養殖ヒラメの約半数は輸入であるという．摂取した胞子が少ない場合は発症しないが数千，数万個に達すると発症するという．

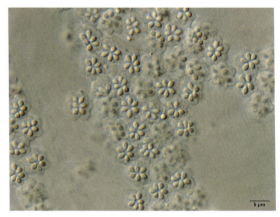

図124. ナナホシクドアの粘液胞子（生鮮標本）

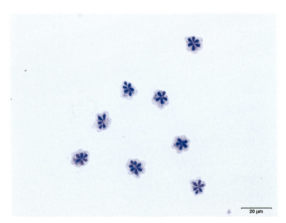

図125. ナナホシクドアの粘液胞子のメチレンブルー染色像

（図124，125は国立感染症研究所，八木田賢司主任研究員の厚意による）

感染予防法としては魚肉の−20℃，4時間の冷凍，あるいは75℃，5分の加熱で感染力は失活するが刺身としての価値は失われる．清潔な環境で養殖されたヒラメの輸入と，出荷前の検査が重要である．マグロによるクドア食中毒も報告されている．

註1. 小西良子（2012）：クドア食中毒総論 IASR, 33：149-150.
註2. 大西貴弘（2012）：モダンメディア, 58：205-209.
註3. Matsukane et al.（2010）：Parasitol. Res. 107：865-872.
註4. Kawai et al.（2012）：Clin. Infect. Dis. 54：1046-1052.

後天性免疫不全症候群（AIDS）

ここに AIDS（acquired immunodeficiency syndrome）について述べる理由は，この疾患の際にニューモシスチス肺炎やトキソプラズマ脳炎，クリプトスポリジウム症など数種の寄生虫症が指標疾患となっており，これらの総合的な知識を必要とするからである．

【AIDS とその病原体の発見】

米国の疫病予防管理センター（CDC）から発行されている MMWR という週報の 1981 年 6 月号に，5 人の同性愛男性がニューモシスチス肺炎を発症し，うち 2 人が死亡したという記事が出た．これが AIDS の世界最初の報告である．その後，1983 年にフランスの Montagnier は初めて原因ウイルスをリンパ節腫症の患者から分離し，lymphadenopathy-associated virus（LAV）と命名した．翌 1984 年には米国の Gallo らが AIDS 患者からウイルスを分離し，human T-lymphotrophic virus type Ⅲ（HTLV-Ⅲ）と命名した．この両者は同じウイルスであり，名称などに関して争いがあったが，その後 **human immunodeficiency virus（HIV）** と呼ぶことになった．さらに 1986 年には従来の HIV と性質を異にするウイルスがアフリカで発見され，HIV-2 と命名され，従来のものは HIV-1 と呼ぶこととなった．最近の研究によると HIV-1 は塩基配列の違いにより，さらに 12 のサブタイプ（A～J＆N，O）に分類され，地域あるいは感染方法などによってタイプが違い，わが国はサブタイプ B，E が主流であるという．

【AIDS の感染経路】

人体内で HIV は主として血液，精液，腟分泌液中に存在し，まれに唾液，乳汁などからも見い出される．主な感染経路（risk factor）は次の如くである．

① **男性同性愛者**：直腸内に射精された精液中の HIV が直腸の傷から侵入する．あるいは逆に直腸からの血液中の HIV が陰茎の傷に侵入する．

② **異性間性交**：精液・腟分泌液中の HIV の相互感染．当初は同性愛者間の感染が注目されたが，最近は異性間性交による感染が世界的に増大している．

③ **静脈用麻薬常習者**：他人の血液が混じた注射器を用いて麻薬の回し打ちによる感染．

④ **輸血**：汚染血液の輸血による感染．

⑤ **凝固因子製剤投与**：HIV に汚染された血液製剤を投与された血友病あるいは他の疾患の患者．

⑥ **母子感染**：子宮内または周産期における感染．

⑦ **その他**：臓器移植，人工授精，注射針針刺事故．

【AIDS と日和見感染症】

HIV に感染しているが無症状の者を HIV 感染者と称し，それが何らかの疾患を生じたとき AIDS と認定される．その**指標疾患**（次頁表）として最も多いのがニューモシスチス肺炎でわが国でも 46％を占め，次いでカンジダ症 23％，HIV 消耗性症候群 13％となっている．また，トキソプラズマ脳炎，クリプトスポリジウム症，赤痢アメーバ症などの寄生虫疾患もかなり報告されている．

【AIDS の疫学 ― 世界】

1981 年の発見以来 AIDS は世界中に蔓延し WHO によると 2006 年の時点で世界の累積感染者数は 7,000 万人以上，そのうち 3,000 万人はすでに死亡と報告し，その後 2012 年の報告では現在の感染者数 3,530 万人，そのうち，サハラ以南アフリカ 2,500 万人，北アフリカ・中東 26 万人，南・東南アジア 390 万人，北米 130 万人，カリブ海沿岸 25 万人，南米 150 万人，東欧・中央アジア 130 万人，西欧 86 万人，東アジア 88 万人，オセアニア 5.1 万人と報告している．

【AIDS の疫学 ― 日本】

わが国では 1985 年 3 月に最初の患者が認定されて以来，2016 年 6 月までの累積患者・感染者数は，厚生労働省の発表によると，AIDS 患者 8,270 人，HIV 感染者 18,337 人で，合計 26,607 人となっている．この他に凝固因子製剤による感染者が 1,439 人（内，累積死亡者 706 人）発生したが上記製剤投与中止以後は発生していない．

わが国における本症の特徴を挙げてみると，全体数としては先進国の中では少ない方であるが，先進諸国では既に減少に転じているのに対し，わが国ではなお増加の傾向がみられる．

次に本症を感染経路別にみると，まず AIDS 患者では，異性間の性的接触によるもの 2,874 人，同性間の性的接触 3,315 人，静注薬物乱用 60 人，母子感染 18 人，その他 233 人，不明 1,770 人となっている．一方，HIV 感染者では，上記の順に，4,880 人，10,687 人，73 人，40 人，409 人，2,248 人となっている．

次に最近のわが国での献血検体中の HIV 抗体陽性状況を見ると，2014 年度・2015 年度，各 499 万・491 万の検体の中に，各 62 例・53 例の抗体陽性者（10 万件当たり各 1.24 件・1.08 件）を検出した．これは先進諸国の陽性率と比べて極めて高い数字であり対策を講じる必要がある．

AIDS 指標疾患

A. 真菌症
　1. カンジダ症（食道，気管，気管支，肺）
　2. クリプトコッカス症（肺以外）
　3. コクシジオイデス症　1) 全身に播種したもの　2) 肺，頸部，肺門リンパ節以外の部位に起こったもの
　4. ヒストプラズマ症　1) 全身に播種したもの　2) 肺，頸部，肺門リンパ節以外の部位に起こったもの
　5. ニューモシスチス肺炎
B. 原虫症
　6. トキソプラズマ脳症（生後1ヵ月以後）
　7. クリプトスポリジウム症（1ヵ月以上続く下痢を伴ったもの）
　8. イソスポラ症（1ヵ月以上続く下痢を伴ったもの）
C. 細菌感染症
　9. 化膿性細菌感染症（13歳未満で，ヘモフィルス，連鎖球菌等の化膿性細菌により以下のいずれかが2年以内に，2つ以上多発あるいは繰り返して起こったもの）
　　　1) 敗血症　2) 肺炎　3) 髄膜炎　4) 骨関節炎　5) 中耳・皮膚粘膜以外の部位や深在臓器の膿瘍
　10. サルモネラ菌血症（再発を繰り返すもので，チフス菌によるものを除く）
　11. 活動性結核（肺結核または肺外結核）*
　12. 非結核性抗酸菌症　1) 全身に播種したもの　2) 肺，皮膚，頸部，肺門リンパ節以外の部位に起こったもの
D. ウイルス感染症
　13. サイトメガロウイルス感染症（生後1ヵ月以後で，肝，脾，リンパ節以外）
　14. 単純ヘルペスウイルス感染症　1) 1ヵ月以上持続する粘膜，皮膚の潰瘍を呈するもの　2) 生後1ヵ月以後で気管支炎，肺炎，食道炎を併発するもの
　15. 進行性多巣性白質脳症
E. 腫瘍
　16. カポジ肉腫
　17. 原発性脳リンパ腫
　18. 非ホジキンリンパ腫
　19. 浸潤性子宮頸癌*
F. その他
　20. 反復性肺炎
　21. リンパ性間質性肺炎／肺リンパ過形成：LIP/PLH complex（13歳未満）
　22. HIV脳症（認知症または亜急性脳炎）
　23. HIV消耗性症候群（全身衰弱またはスリム病）

*C.11. 活動性結核のうち肺結核および E.19. 浸潤性子宮頸癌については，HIVによる免疫不全を示唆する所見がみられる者に限る．

（厚生労働省：https://www.mhlw.go.jp/bunya/kenkou/kekkaku-kansenshou11/01-05-07.html）

各 論

II. 蠕虫類
A. 線形動物

フィラリア（バンクロフト糸状虫）による
両下肢の象皮病を患っている女性の図
東京国立博物館所蔵の国宝「病草紙」中の絵．常磐光長原作，
狩野晴川の模写，時は平安末期頃とされる．（第46項参照）
（尾辻義人博士の厚意による）

葛飾北斎の描いた陰嚢象皮病患者の戯画
わが国には近年までバンクロフト糸状虫寄生によるこのよう
な巨大陰嚢象皮病の患者が存在した．（第46項参照）

30 蠕虫類および線形動物　総論

Ⅰ．蠕虫類　総論

　蠕虫 helminth という語は単細胞の**原虫 protozoa** に対し多細胞の寄生虫を示す名称として用いられている．

　寄生蠕虫類の特徴としては，まず形態・生態が寄生生活に適するように進化している．例えば虫体を宿主に固着するため，吸盤や鉤を有するものがある．また栄養は宿主から与えられるため消化管の発達は一般に低く，条虫類では全く消化管を欠如し，栄養は専ら体表から吸収する．一方，生殖器官は種属保存のため著しく発達している．

　蠕虫類の中には線虫類のように**雌雄異体**のものもあれば，吸虫類や条虫類のように**雌雄同体**のものもある．しかし例外もあり，吸虫類の中の住血吸虫類は雌雄異体である．

　蠕虫類の中には，その生活史を全うするために**中間宿主**を必要とするものが多い．中間宿主を１つ必要とするもの，２つ必要とするものなど種によって決まっている．したがってある蠕虫はその中間宿主が分布していない地域では生活環を全うできない．

　原虫は感染した終宿主体内で分裂増殖するが，蠕虫は原則として虫の数が増加してゆくことはなく，１個の虫卵，または１匹の幼虫が感染すると１匹の成虫となる．しかし例外もあり，糞線虫や小形条虫などは**自家感染 autoinfection** という特殊な方法により終宿主体内で成虫の数が増加する．

Ⅱ．蠕虫類の分類

　医学上重要な寄生蠕虫類は大まかに次のように分類される．

線形動物門
　回虫，アニサキス，鉤虫，蟯虫，顎口虫，糞線虫，糸状虫，鞭虫，旋毛虫など
類線形動物門　鉄線虫など
扁形動物門
　吸虫綱　肝吸虫，横川吸虫，肺吸虫，棘口吸虫，肝蛭，日本住血吸虫など
　条虫綱　広節裂頭条虫，日本海裂頭条虫，クジラ複殖門条虫，無鉤条虫，多包条虫など
鉤頭虫門
環形動物門

Ⅲ．線形動物（線虫類）　総論

　線虫類の一般的特徴は下記の如くである（図126）．
1. 外形は細長く断面は円形をしている．
2. 雌雄異体で一般に雌の方が大きい．
3. 内部構造

　a．体壁：角皮，角皮下層，筋肉層からなる．体表には横紋理がある．体壁の内部には腹部正中索（腹索），背部正中索（背索），左右の側索が縦に走っている．

　b．筋肉の構造：線虫はその筋肉の構造から，①**多筋細胞型**（回虫など），②**部分筋細胞型**（蟯虫，鉤虫など），③**全筋細胞型**（鞭虫など）にわけられる．

　c．体腔：線虫は擬体腔と呼ばれる体腔を持ち，その中にリンパ液状の体腔液を満たしている．

　d．消化系：口→食道→腸管→直腸→肛門と続く．

　e．分泌系：食道腺，アンフィッド腺，排泄腺などがあり，消化や排泄にあずかる．

　f．排泄系：一般に体腔液中の老廃物は側索中の細管に集まり，体前方の排泄橋で合流し排泄孔から出る．

　g．神経系：食道の中央付近にある神経輪が中枢の役をし，前後に神経が出ている．

　h．生殖系：雄は，精巣→輸精管→貯精嚢→射精管と続く．種によって交接刺，副刺，交接嚢など特殊な交接器官を持つ．雌は，卵巣→輸卵管→受精嚢→子宮→陰門と続き，虫卵は陰門から産出される．

4. 寄生場所と生活史

　a．成虫がヒトの腸管内に寄生する場合：虫卵→外界で幼虫形成成熟→経口感染（回虫，蟯虫，鞭虫など），虫卵→外界で孵化→感染幼虫→経口または経皮感染（鉤虫など），幼虫排出→外界で感染幼虫→経皮感染（糞線虫）など感染経路は種によって様々である．

　b．成虫がヒトの組織内に寄生する場合：バンクロフト糸状虫，回旋糸状虫，東洋眼虫などの幼虫が血中，皮下，眼などに存在し，これが昆虫によって媒介される．また腸管壁内の旋毛虫成虫から生まれた幼虫は横紋筋に集まり，これを捕食した動物に感染する．

　c．動物に成虫が寄生しており，その幼虫がヒトに寄生するもの：イヌ回虫，ブタ回虫，アニサキス，ブラジル鉤虫，広東住血線虫，顎口虫類，イヌ糸状虫など．

　d．中間宿主を必要とするもの：各種糸状虫，東洋眼虫，アニサキス，広東住血線虫，顎口虫など．

31 人体寄生線虫の分類

線形動物門　Phylum Nematoda
双腺綱　Class Secernentea（Phasmidia）
　回虫目　Order Ascaridida
　　回虫科　Family Ascarididae
　　　○回虫　*Ascaris lumbricoides*
　　　○ブタ回虫　*Ascaris lumbricoides suum*
　　　○イヌ回虫　*Toxocara canis*
　　　ネコ回虫　*Toxocara cati*
　　　アライグマ回虫　*Baylisascaris procyonis*
　　ヘテロケイルス科　Family Heterocheilidae
　　　○アニサキス　*Anisakis simplex*
　　　○テラノバ　*Pseudoterranova decipiens*
　蟯虫目　Order Oxyurida
　　蟯虫科　Family Oxyuridae
　　　○蟯虫　*Enterobius vermicularis*
　円形線虫目　Order Strongylida
　　鉤虫科　Family Ancylostomatidae
　　　○ズビニ鉤虫　*Ancylostoma duodenale*
　　　○アメリカ鉤虫　*Necator americanus*
　　　セイロン鉤虫　*Ancylostoma ceylanicum*
　　　ブラジル鉤虫　*Ancylostoma braziliense*
　　　イヌ鉤虫　*Ancylostoma caninum*
　　毛様線虫科　Family Trichostrongylidae
　　　東洋毛様線虫　*Trichostrongylus orientalis*
　　擬円形線虫科　Family Metastrongylidae
　　　広東住血線虫　*Angiostrongylus cantonensis*
　桿線虫目　Order Rhabditida
　　糞線虫科　Family Strongyloididae
　　　○糞線虫　*Strongyloides stercoralis*
　旋尾線虫目　Order Spirurida
　　顎口虫科　Family Gnathostomatidae
　　　○有棘顎口虫　*Gnathostoma spinigerum*
　　　○剛棘顎口虫　*Gnathostoma hispidum*
　　　○ドロレス顎口虫　*Gnathostoma dorolesi*
　　　○日本顎口虫　*Gnathostoma nipponicum*
　　旋尾線虫科　Family Spiruloididae
　　　○*Crassicauda giliakiana*（type X）
　　テラジア科　Family Thelaziidae
　　　○東洋眼虫　*Thelazia callipaeda*
　　糸状虫科　Family Filariidae
　　　バンクロフト糸状虫　*Wucherelia bancrofti*
　　　マレー糸状虫　*Brugia malayi*
　　　○イヌ糸状虫　*Dirofilaria immitis*
　　　回旋糸状虫　*Onchocerca volvulus*
　　　常在糸状虫　*Mansonella perstans*
　　　ロア糸状虫　*Loa loa*
　　　メジナ虫　*Dracunculus medinensis*
双器綱　Class Adenophorea（Aphasmidia）
　毛頭虫上科　Superfamily Trichuroidea
　　鞭虫科　Family Trichuridae
　　　○鞭虫　*Trichuris trichiura*
　　　肝毛細虫　*Calodium hepaticum*
　　　フィリピン毛細虫　*Paracapillaria philippinensis*
　　旋毛虫科　Family Trichinellidae
　　　○旋毛虫　*Trichinella spiralis*

○印は現在わが国で医学上重要な種類.

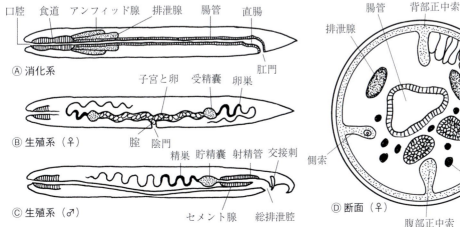

図126．線虫の構造略図
Ⓐ消化系，Ⓑ生殖系（♀），Ⓒ生殖系（♂），Ⓓ中部断面（♀）

32 回虫

nematoda ★★

回虫は全世界に分布し，現在約14億人が感染している．わが国でも昔から知られ，とくに第二次世界大戦後の生活困窮期には国民の80％以上が感染し，結核と共に国民病といわれた．最近は著明に減少したが，なお時々感染者をみる．また海外旅行などで感染する機会もある．

【和名・種名】 回虫 *Ascaris lumbricoides*
【疾病名】 回虫症 ascariasis
【成虫の形態】（図127，128，129）

大形の線虫でミミズかうどんのようである．雌の体長は約30cm，雄の体長は約20cmに達し，体幅はそれぞれ0.5cm，0.4cmくらいである．肉眼で雌雄の区別ができる．すなわち雄はやや小さく細く，尾端は腹側に弧状に巻いており，その先端近くに針状の交接刺を覗かせている．雌は前1/3の所がややくびれており（**交接輪**），ここに針で突いたような陰門がみえる．ここに雄の尾端が巻きついて交尾を行う．

頭端を切って前方から見ると3個の隆起した口唇がみえる．雌成虫を側線（側索）に沿って切り開いてみると図129のごとく，口腔はなく，短い食道に続いて灰白色単管の腸管があり，尾端近くの肛門に開いている．生殖器は白色糸状の卵巣に続いて，やや太い子宮が2本あり，合して腟を形成し陰門に開いている．

【虫卵の形態】（図130，第107項の図468-A，B）

1）**受精卵** 長径50〜70μm，短径40〜50μm．楕円形で，最外層には金平糖のように凸凹した**蛋白膜**があり，糞便中では胆汁色素に染まって**黄褐色**である．しかしカバーグラスなどで圧迫して蛋白膜がはがれると虫卵は白く見え，鉤虫卵と間違いやすい．蛋白膜の内側にはキチン質の厚い卵殻がある．産卵直後の虫卵は単細胞であるが，適温，適湿下では図130のごとく発育し約1週間で**幼虫形成卵 embryonated egg** となる．

2）**不受精卵** 受精卵よりやや大きく（長径63〜98，短径40〜60μm），不定形で，左右非相称，卵殻と蛋白膜は共に受精卵より薄い．中に大小の顆粒あり．不受精卵はその後発育することはない．

【生活史】（図130）

幼虫形成卵のみ感染可能である．この虫卵がヒトに飲みこまれ胃や腸に達すると幼虫が孵化し，そのまま発育するのではなく，消化管の粘膜に侵入し門脈に入って肝，心，肺へと移行し，肺胞，気管，食道，胃を経て小腸に達し，はじめて成虫に発育しうる．この間合計4回の脱皮を行う．虫卵嚥下後約2か月で成虫となる．回虫の寿命は大体1〜2年と考えられている．

【成虫の寄生部位】 小腸
【感染方法】 幼虫形成卵の経口摂取による．

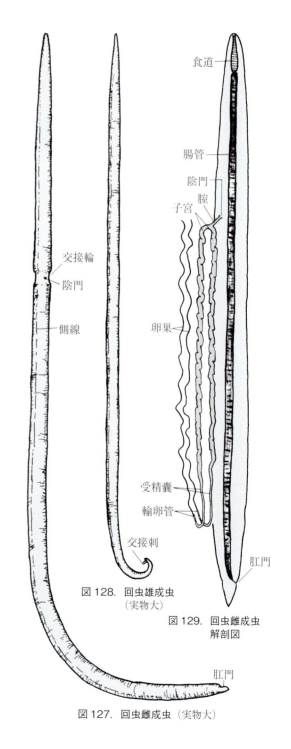

図128．回虫雄成虫（実物大）
図129．回虫雌成虫解剖図
図127．回虫雌成虫（実物大）

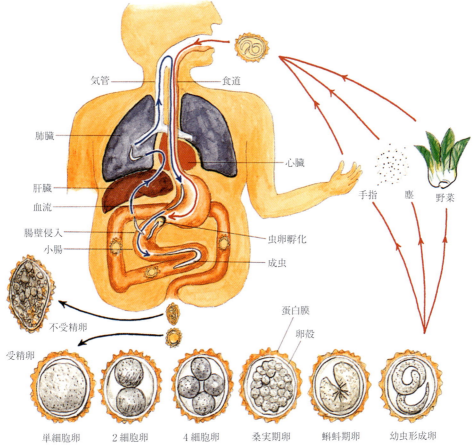

図 130. 回虫の虫卵の形態，発育，感染経路および体内移行経路など生活史を示す
理解に便利なため，人体各臓器の位置および走行はやや変化させてある．

【症　状】

1）感染の初期に幼虫は肺に移行するので，一時に多数の虫卵を飲み込んだ場合には喘息様ないし肺炎様症状を呈する．すなわち咳，発熱，X線上一過性の肺浸潤像，末梢血好酸球増加などが見られ，いわゆる**レフラー症候群 Löffler syndrome** または **PIE 症候群 pulmonary infiltration with eosinophilia** に一致する症状を示す．

2）成虫が小腸内で大人しく寄生している場合は時々，腹痛，下痢が起こる程度で大したことはない．

3）多数の成虫が塊状になって腸閉塞を起こした場合，また回虫は小孔に頭を突っ込む性質があるので胆管，膵管，虫垂などに侵入し塞栓したような場合は突然激しい腹痛を発し，**急性腹症 acute abdomen** として開腹手術の適応になることがある．また回虫が胃内に迷入すると胃痙攣様発作を起こし回虫を吐出することがある．この他，腸穿孔による腹膜炎や肝侵入による肝膿瘍なども報告されている．

【診　断】

1）**糞便中の虫卵検査**：腸管内に寄生している回虫を診断するには検便が最もよい．回虫の雌は1日に約20万個もの卵を産むので，集卵法を用いなくても直接塗抹法2〜3枚を見れば充分である．受精卵があれば雌雄の寄生，不受精卵であれば雌のみの寄生が想定され，雄のみの寄生，未熟雌寄生の場合は虫卵陰性である．

2）**X線胃腸透視**で発見される場合や**小腸内視鏡**で発見・摘出される場合もある．

【治　療】

(1) **ピランテル パモエイト pyrantel pamoate**（商品名**コンバントリン**）5〜10mg/kg を食間または就寝前に頓用する．幼児には本剤のシロップ 2m*l* を与える．妊婦には投与しない．

(2) **メベンダゾール**（商品名**メベンダゾール**）200mg/日，朝夕分2，3日間投与，体重20kg以下の小児は半量とする．催奇性があるため妊婦には投与しない．

ブタ回虫，イヌ回虫，ネコ回虫，アライグマ回虫

33 nematoda ★★★

ヒトに寄生する回虫の他に，地球上には多くの種類の回虫が存在し，それぞれの固有宿主動物に寄生している．その中には時に幼虫が，また稀に成虫がヒトに寄生することがある．そのような回虫について本項で述べる．

I．ブタ回虫　*Ascaris lumbricoides suum*

ブタ回虫は広く世界のブタに寄生している．本種は前項で述べたヒトに寄生する回虫と形態的に全く区別できないが，成虫はヒトには感染し難いという生態的な違いから**亜種**として取り扱っている．しかしブタ回虫の幼虫形成卵をヒトが誤って摂取した場合，幼虫がヒトの体内を移行し，病害を与えることが明らかになってきた．すなわち最近，九州南部の養豚の盛んな地域において1994年以降ブタ回虫の感染と思われる患者が17例見い出され，それらは高度の好酸球増加，血中 IgE の高値，咳，発熱，肺および肝の多発性病変などを示し，ブタ回虫抗原に特異的に反応した（**図 136**）．糞便中に虫卵は認められず，ブタ回虫の**幼虫移行症**と考えられた[註1]．研究を行っている宮崎大学の名和らによるとこのような症例はその後も増加しているという．

II．イヌ回虫　*Toxocara canis*

世界に広く分布し，イヌ科の動物を固有宿主としている．わが国のイヌにもかなりの頻度に感染が見られる．成虫（**図 131**）の体長は，雄約 10 cm，雌約 18 cm，雄の尾端は彎曲している．頭部の形態は回虫に類似し，また各口唇の内縁には鋸歯状の歯（**図 132**）が数百個並んでいるが，この形態は回虫や次のネコ回虫のそれと殆ど同じである．イヌ回虫の頭部の左右には**頸翼 cervical alae**（**図 135**）と称する翼状の隆起があり，これは体の割には小さく，かつ頸翼の最大幅はほぼ中央にある．これに対し，ネコ回虫の頸翼は体の割には大きく，かつ最大幅は後ろ 1/4 の所にあるのが鑑別点である．イヌ回虫の虫卵（**図 134**）は楕円形で，長径 80〜85 μm，短径 70〜75 μm，その形態は回虫やブタ回虫とは大いに異なっている．

イヌ回虫は特異な生活史を有し，それが医学的にも重要となる．すなわちイヌ回虫の成虫は主に生後 6 か月未満の仔犬の小腸内に寄生しており，成犬には殆ど見られない．仔犬が幼虫形成卵を飲み込むと，前項で述べた回虫と同様の体内移行を行って小腸で成虫となるが，成犬が飲み込んだ場合は成虫にまで発育せず，第 3 期幼虫のまま体内諸臓器，とくに筋肉内に蓄えられる．そして雌犬の場合，出産前になると，それら幼虫は一斉に胎盤を通って仔犬の肝臓に移行する．これを**胎盤感染 placental infection** という．そして出産後，仔犬の体内で幼虫は速やかに肺，気管を経由して小腸に達し，成虫となる．

このようにイヌ回虫は仔犬以外の動物に感染すると成虫にならず，幼虫のまま体内諸臓器に移行し，そこにかなり長期間滞在する．ヒトが感染した場合も同様で，これを**幼虫移行症**といい，次項で詳しく解説する．

III．ネコ回虫　*Toxocara cati*

主としてネコに寄生し，世界に広く分布している．成虫の大きさは雄約 6 cm，雌約 12 cm とイヌ回虫より小さい（**図 133**）．虫卵の大きさは長径約 75 μm，短径約 65 μm である．イヌ回虫と異なり，幼猫にも成猫にも感染している．及川（1989）が関西地区の成猫 802 頭の糞便を調べたところ 19% にネコ回虫の虫卵を認めた．また上野ら（1999）[註2]はネコ回虫の若成虫 3 隻を吐出した 5 歳男子例を報告した．これはわが国では初めてであるが世界では 27 例目に当たる．ネコ回虫もイヌ回虫と同様，幼虫移行症の原因になると考えられているが，この両種をマウスに感染させてみると体内移行状態が異なるので，人体内でも異なった行動をするのではないかと考えられている．すなわちイヌ回虫はマウス体内で感染 1 週間以後は幼虫は殆ど体筋と脳に集まるが，ネコ回虫では殆どが体筋に集まり，脳には少ない．またネコ回虫は乳汁によって母猫から感染を受けるが胎盤感染は起こさない，などの点もイヌ回虫と異なる．

IV．アライグマ回虫　*Baylisascaris procyonis*

本虫は北米のアライグマに広く寄生しており，本虫によるヒトの幼虫移行症が北米で 12 例報告され，その内 10 例は 6 歳以下の小児で，いずれも神経系に寄生し，4 例は死亡，残りも重症の神経系後遺症を残している[註3]．アライグマはわが国へペットとして輸入され，それが今や野生化している．最近，本虫に感染しているアライグマと同施設内の兎に本虫の集団感染が起こり，脳神経症状を発したので，今後ヒトへの感染が危惧される[註4]．

註1．Maruyama H et al.（1996）：Lancet, 347：1766-1767.
註2．上野良樹ら（1999）：Clin. Parasit. 10：54-56.
註3．Sorvillo F et al.（2002）：Emerg. Infec. Dis. 8：355-359.
註4．Sato H et al.（2002）：Parasit. Int. 51：105-108.

ブタ回虫，イヌ回虫，ネコ回虫，アライグマ回虫　69

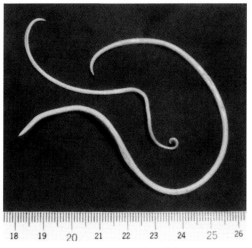

図131．イヌ回虫の成虫
雄虫（尾端の巻いている方）と雌虫

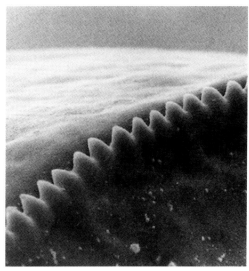

図132．ネコ回虫の歯列の走査電顕像
回虫，ブタ回虫，イヌ回虫にも同様の歯がある．

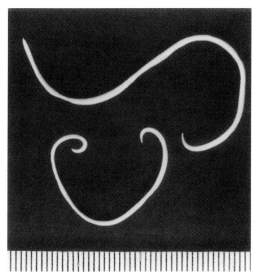

図133．ネコ回虫の成虫
雌虫（上）と雄虫（下）

図134．イヌ回虫の虫卵

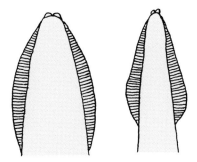

図135．頸翼の形態
左：イヌ回虫，右：ネコ回虫

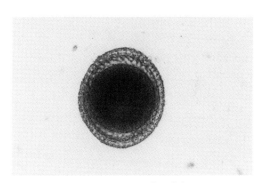

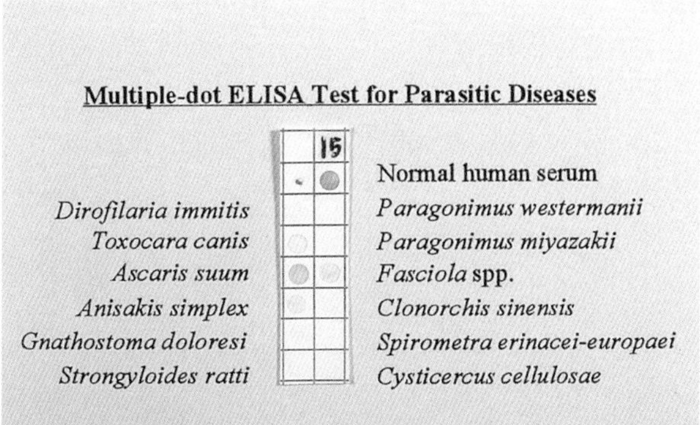

図136．ブタ回虫幼虫感染と診断された42歳男性患者の
dot-ELISA像
（宮崎大学，名和行文教授の厚意による）

34 幼虫移行症

nematoda ★★★

ヒト以外の動物を固有宿主とする寄生虫の感染型がヒトに侵入した場合，成虫には発育できず幼虫のままヒトの体内を移行して種々の症状を引き起こす．このような症候群を幼虫移行症という．本症の原因となる寄生虫の種類は多く，人獣共通寄生虫症の大部分を占めているが，中でも典型的なのはイヌ回虫幼虫移行症である．

Ⅰ．歴 史

幼虫移行症 larva migrans の概念を確立したのは米国の Beaver[注1]で，そのきっかけとなったのは Wilder[注2]の研究である．すなわち彼女は米国で 1950 年，網膜芽細胞腫の診断の下に摘出された 46 例の小児の眼球を調べたところ 24 例に線虫の幼虫を発見し鉤虫の幼虫と同定したが，Nichols（1956）はイヌ回虫の幼虫と訂正した．

Ⅱ．幼虫移行症を起こす寄生虫

1. **線虫類** イヌ回虫，ネコ回虫，ブタ回虫，アライグマ回虫，アニサキス，テラノバ，ブラジル鉤虫，イヌ鉤虫，広東住血線虫，有棘顎口虫，ドロレス顎口虫，日本顎口虫，旋尾線虫，イヌ糸状虫など．
2. **吸虫類** 宮崎肺吸虫，肝蛭など．
3. **条虫類** マンソン孤虫，有鉤条虫，包虫など．

Ⅲ．幼虫移行症の型

1. **皮膚幼虫移行症 cutaneous larva migrans**

幼虫が主としてヒトの皮内あるいは皮下を移行する場合で，ブラジル鉤虫，イヌ鉤虫，顎口虫，旋尾線虫，イヌ糸状虫，マンソン孤虫などが主なものである．この中で線状の皮膚炎を起こす場合を**皮膚爬行症 creeping eruption** という（図 140）．

2. **内臓幼虫移行症 visceral larva migrans**

幼虫が肝，肺，脳，脊髄，眼，筋肉，消化管，腎など深部の臓器や組織に移行する場合をいう．ブタ回虫，イヌ回虫，ネコ回虫，アライグマ回虫，アニサキス，テラノバ，広東住血線虫，イヌ糸状虫，宮崎肺吸虫，肝蛭，包虫などがあるが，鉤虫類，顎口虫類，マンソン孤虫などが深部に移行することもある．

Ⅳ．イヌ回虫幼虫感染症 toxocariasis

イヌ回虫の幼虫形成卵をヒトが摂取した場合，第 3 期幼虫が身体各所とくに肝臓や眼球に移行することがある．本症は小児に好発するが成人例も報告されている．

【症 状】 肝臓・肺に寄生した場合の自覚症状は咳，喘鳴，顔色不良，発熱，発育不良，異食症などであり，他覚症状としては肝腫脹，白血球増加，高度好酸球増加，肺浸潤像，γグロブリンの高値などである．肝生検によると好酸球浸潤の強い炎症像や壊死巣がみられ，時に虫体の断面を見い出すことがある（図 139）．人体内を移行している幼虫は体長 400 μm，体幅 20 μm 前後の第 3 期幼虫（図 141）で，それ以上には発育しない．

イヌ回虫幼虫の眼寄生は世界中で多数報告され，2〜16 歳の小児に片眼性に見られ，網膜の腫瘍と間違われやすい．わが国で最初に報告された吉岡（1966）[注3]の症例は 8 歳の女児で，左眼がきらきら光るいわゆる猫眼を呈し失明した．網膜膠腫の診断の下に眼球が摘出されたが，その組織標本の中にイヌ回虫幼虫が認められた（図 137, 138）．その後，同様の眼寄生が 2 例追加された[注4,5]．

【診 断】 上記の自覚的ならびに他覚的症状に注意すると共に ELISA 法，Ouchterlony 法，免疫電気泳動法，間接蛍光抗体法などの免疫学的検査を行う．生検で幼虫を検出すれば診断は確定する．

【治 療】 アルベンダゾール albendazole（商品名エスカゾール） 1日 10〜15mg/kg，分 3，食事と共に服用，4 週間続ける．肝障害や骨髄抑制などの副作用に注意．

【疫 学】 本症は世界で多数の報告がある．わが国では眼から虫体を検出したのは上記の 3 例，皮膚から 1 例であるが，免疫学的に診断された例は数多く，1992 年末時点でイヌ回虫 75 例（うち眼移行 55 例，内臓移行 20 例），ネコ回虫 18 例で，さらにその後 1993 年から 2007 年までの間にイヌ回虫症が 122 例報告された．

ヒトがイヌ回虫に感染するのは，①**イヌ回虫の成熟卵の経口摂取**で，我々の周辺は至る所にイヌやネコの糞便が放置されている．児童公園や砂場の調査によると，金沢市 6.6％（近藤ら，1986），神戸市 41.9％（宇賀ら 1989），兵庫県中部 22％（高岡ら，1990）と，かなり高率にイヌ・ネコ回虫の虫卵が検出されている．②**鶏肉，牛肉，レバーなどの生食**による感染．ニワトリやウシがイヌ回虫の成熟卵を摂取すると，その幼虫は筋肉や肝臓に移行し，それをヒトが生で食べると感染する．吉田ら[注6]の報告によると，2003〜2014 年の間に免疫学的に本症と診断された 217 例の内 48％は牛肉やレバーの生食をしており，日本では生食用レバーの販売が禁止されているため，国外とくに韓国で感染した例が増えているという．

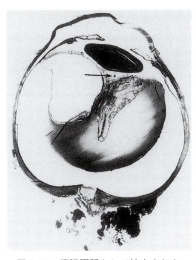

図137. 網膜膠腫として摘出された
8歳の少女の左眼
水晶体後方硝子体中に線虫を含む好酸球
性肉芽腫あり(矢印), 網膜剥離を認める.

図138. 左図の拡大図
矢印のところにイヌ回虫幼虫の断面を認める.
(図137, 138は吉岡久春教授の厚意による)

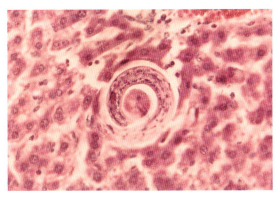

図139. イヌ回虫幼虫形成卵をマウスに経口投与し
48時間後, 肝臓に移行した第3期幼虫
(織田 清博士による)

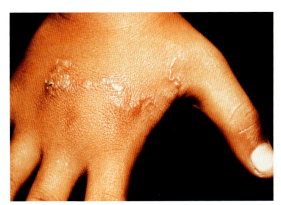

図140. 皮膚幼虫移行症
(Dr. Zamanの厚意による)

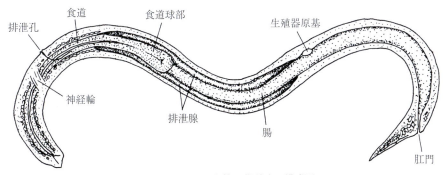

図141. イヌ回虫第3期幼虫の模式図

註1. Beaver PC (1956): Exper. Parasit. 5: 587-621.
註2. Wilder HC (1950): TR. AM. Acad. Oph. & Oto. 55-109.
註3. 吉岡久春 (1966): 臨床眼科, 20: 605-610.
註4. 伊集院信夫ら (1999): 臨床眼科, 53: 1305-1307.
註5. 赤尾信吉ら (2003): Clin. Parasit. 14: 71-73.
註6. 吉田彩子ら (2014): Clin. Parssit. 25: 34-37.

アニサキス ［A］ 歴史・分類・形態・疫学

アニサキスと呼ばれる一群の線虫はクジラやイルカなどを終宿主とし，成虫はそれらの胃内に寄生しており，幼虫はサバやイカなど多種の魚介類の体内に寄生している．ヒトがこれらを生食すると幼虫が胃壁や腸壁に穿入し激しい腹痛を起こす．魚を生食する習慣のあるわが国では特に症例が多く，現在わが国における最も重要な寄生虫症の一つとなっている．また2017年，日本寄生虫学会から主な種に新和名案が示されたので追記した．

【歴　史】 1955年，オランダのロッテルダムの病院で腹痛を訴える患者の手術が行われ，回腸末端部の粘膜に穿入している小線虫が摘出された．その後も同様の症例が12例続いたが種名が不明であった．1960年になってvan Thielらは，この線虫はニシンの筋肉内に寄生している *Eustoma rotundatum* の幼虫であると発表したが1962年にAnisakis属の幼虫であると訂正した．その後，欧米の漁業国で多数の患者が報告された．

一方，わが国では魚を生で食べる習慣があるので本症は以前からあったと思われるが，1960年頃までは医学界で全く知られておらず，サバなど青魚の食あたりなどとして片付けられていた．わが国で最初にアニサキス症として症例報告を行ったのは浅見ら（1965）註1で，それ以来本症の調査研究が急に活発になった．

【分　類】 患者から摘出される幼虫，および感染源となっている魚介類から採集される幼虫は，その成虫が最近まで判らなかったため，幼虫の形態で**表11**に示す如くAnisakis I型，Anisakis II型，Pseudoterranova A型などと呼んできた．ところが近年，研究が進みAnisakis I型は***Anisakis simplex***（**図145**）の，Anisakis II型は***Anisakis physeteris*** の，またPseudoterranova A型は***Pseudoterranova decipiens*** の幼虫であることが証明された．

ところが最近，さらに寄生虫の分子系統分類が進むにつれて *Anisakis simplex*（広義）は *A. simplex* sensu stricto（狭義），*A. pegreffii*，*A. simplex* Cの3種の姉妹種（sibling spesies）に分類されるようになり，一方 *Pseudoterranova decipiens*（広義）も *P. decipiens* sensu stricto（狭義），*P. azarasi*，*P. cattani*，*P. krabbei*，*P. bulbosa* の5種に分類されるようになった註2．

【形　態】 日本近海の魚介類には上記の他にContracaecum属やRaphidascaris属など多くの線虫類の幼虫が寄生しているがヒトに感染が認められたのは ***A. simplex***，***A. physeteris***，***P. decipiens*** の3種（群）である．この3種の成虫と幼虫の計測値を**表11**に示し，以下に形態の特徴について述べる．

このグループの幼虫は**図142**に示す如く，頭部に**穿歯 boring tooth** と称する突起を持ち，口腔はなく，細長い食道（厳密には食道筋質部）があり，次にやや太い胃（厳密には食道腺部）があり，種によっては胃盲嚢を有する．また尾端には**尾突起 mucron** を有する種と有しない種がある．

体前半部での横断面（**図143**）を見ると角皮の内側に筋細胞が並び，腹背左右に腹索，背索，側索がある．体腔の中には腸管と排泄腺（レネット細胞）の断面が見られる．体後半部の断面では排泄腺は見られない．断面の特徴は顕著な**双葉状の側索**の存在である（次項，**図148**）．

1. *Anisakis simplex*
（新和名：ミンククジラアニサキス）

本種の幼虫はサバなどの内臓の表面で，とぐろを巻いた状態（**図144**）で存在するが筋肉内にも存在する．形態の特徴は**図142**Ⓐに示す如く，胃がやや長く，腸との接合部が斜めになっている点と，肛門以下が短く鈍円で，かつ尾端に尾突起を有する点である．

2. *Anisakis physeteris*
（新和名：マッコウクジラアニサキス）

本種の特徴は**図142**Ⓑに示す如く，胃は短く，腸との接合部は斜めになっておらず，尾部はやや細長く尾突起を有しない点である．

3. *Pseudoterranova decipiens*
（新和名：トドシュードテラノバ）

本種の成虫は前2種に比し小形であるが幼虫は大きい（**表11**）．幼虫は魚の内臓の表面でとぐろを巻かないで遊離して存在しており，筋肉内にも存在する．形態の特徴は**図142**Ⓒに示すように腸盲嚢を有し，尾端は鈍円で尾突起を有する点である．

【疫　学】 わが国におけるアニサキス症の患者数は石倉（2003）註3の集計によると1996年6月の時点で28,123例となっている．さらに最近，杉山ら（2013）註4は医療機関から提出されるレセプトにアニサキス症の病名のあるデータを集計し，年間の感染者数を7,147人と推定している．*Anisakis simplex* が最も多いが *Pseudoterranova decipiens* もかなり多く769例報告されている註3．一方 *Anisakis physeteris* の感染例は今までに3例と少ない．Arizonoらは別種である *P. azarasi* による人体例を報告している註5．

註1．Asami K（1965）：Am. J. Trop. Med. Hyg, 14：119-123.
註2．有薗直樹（2011）：京都府保環研年報，56：1-5.
註3．Ishikura H（2003）：Progress Med. Parsitol. Japan, 8：451-473.
註4．杉山　広ら（2013）：Clin. Parasit. 24：44-46.
註5．Arizono N et al.（2011）：Emerg. Infect. Dis, 17：555-556.
註6．小山　力ら（1969）：寄生虫誌，18：466-487.
註7．Shiraki T（1974）：Acta Med. Biol. 22：57-98.
註8．八木欣平（2004）：Clin. Parasit. 15：53-56.

表11. わが国でヒトに感染する頻度の高い3種のアニサキス亜科線虫の形態と待機宿主の種類

種 名 (旧名称)	成 虫 体長×体幅	幼 虫 体長×体幅	主な幼虫保有魚類（待機宿主）
Anisakis simplex （Anisakis I 型）	♀ 95～140×2.3～3.5mm ♂ 60～120×1.2～2.5mm	18～34×0.4～0.6mm （平均 25.03×0.532mm）	マサバ，ニシン，スルメイカ，カツオ アカマンボウ，イカ，イワシ など
Anisakis physeteris （Anisakis II 型）	♀ 130～200×3.5～5.0mm ♂ 100～145×3.0～4.0mm	25～33×0.5～0.7mm	アカマンボウ，カツオ など
Pseudoterranova decipiens （Pseudoterranova A 型）	♀ 32～47×1.0～1.4mm	11～37×0.3～1.0mm （平均 29.77×0.848mm）	スケソウダラ，タラ，オヒョウ など

（小山ら，1969，Shiraki, 1974, Kagei, 2003，八木ら，2004による）註6, 7, 8

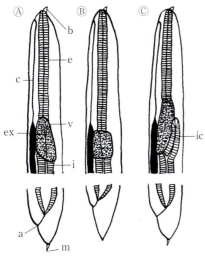

図142. *Anisakis simplex* Ⓐ, *A. physeteris* Ⓑ, *Pseudoterranova decipiens* Ⓒの第3期幼虫の形態的特徴（説明は本文参照，略号は図143の説明参照）

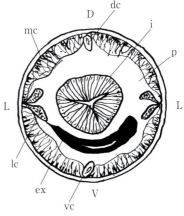

図143. *Anisakis simplex* 第3期幼虫の体前半部の横断像（**V**：腹面，**L**：側面，**D**：背面），双葉状の側索，排泄腺などが特徴

a：肛門，b：穿歯，c：排泄管，dc：背索，e：食道，i：腸，ic：腸盲嚢，lc：双葉状の側索，m：尾突起，mc：筋層，p：擬体腔，ex：排泄腺，v：胃，vc：腹索

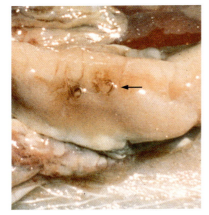

図144. サバの内臓の表面に寄生している *Anisakis simplex* 第3期幼虫（矢印）

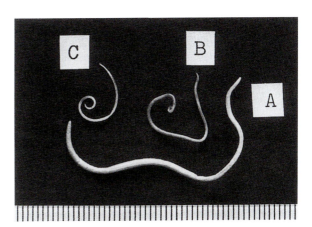

図145. *Anisakis simplex* の成虫と幼虫
A. 雌成虫，B. 雄成虫，C. 第3期幼虫
（A，Bはオットセイ，Cはサバより採取）

36 nematoda ★★★ アニサキス［B］生活史・感染源・病理

アニサキスの終宿主はクジラやイルカなどの海棲哺乳類，中間宿主はオキアミ，待機宿主はサバ，イカなどの魚介類で，ヒトがこれらの待機宿主を生食すると，第3期幼虫が胃壁や腸壁に穿入し，即時型過敏反応を起こし，激しい腹痛を起こす．数日経過すると好酸球性肉芽腫を形成する．時に幼虫が胃，腸以外に異所寄生することがある．

【生活史】（図146）

Anisakis simplex（広義）の成虫はスジイルカ，ネズミイルカ，イシイルカ，シワイルカ，ミンククジラ，コイワシクジラなど主に鯨類の，また *Pseudoterranova decipiens*（広義）の成虫は主としてアザラシ，トドなど鰭脚類の胃壁に頭部を穿入して寄生し，その虫卵は糞便と共に海中に放出される．海中で卵から孵化した第2期幼虫は中間宿主であるオキアミなどの甲殻類に摂取され第3期幼虫へと発育し，これが待機宿主となる魚やイカに食われるとその体内で第3期幼虫のまま寄生を続ける．そしてこれらが終宿主に食われるとその胃内で成虫となるが，ヒトがこの第3期幼虫を摂取すると胃壁や腸壁に穿入し腹痛を起こす．この際，ヒトの腸管内で1回脱皮して第4期幼虫になることはあるが成虫にまで発育することはない．

【感染源】（表12）

アニサキス症の原因の大半は *Anisakis simplex*（狭義）によるもので，感染源としてはサバ（しめ鯖を含む）が最も多い．しかし最近，姉妹種である *A. pegreffii* の感染症例が報告された．次いで *Pseudoterranova decipiens* の症例が多く，タラなどを待機宿主として1990年頃までに769例報告されたが，最近の分子同定によると日本近海を含む北西太平洋に分布するのは姉妹種の *P. azarasi* であるとし人体寄生例も報告されている．一方，*Anisakis physeteris* の感染症例は少なく，感染源はよくわからないがスルメイカに寄生率が高い．

中間宿主のオキアミにおけるアニサキス幼虫の寄生状況は影井[註1]の報告によると，オキアミ数百匹ないし数千匹に幼虫は1匹程度であるが，食物連鎖で魚類に蓄積され高い感染率になるのであろう．

【病理】

1. アニサキス症の好発部位 表13に示す如くAnisakis 属幼虫の寄生部位は胃が最も多いが，それ以外に腸寄生や異所寄生があり，腸の場合は回盲部が最も多い．一方 Pseudoterranova 属幼虫は殆ど胃寄生で，吐出例が30％に見られる．

2. 病理学的所見 肉眼的所見としては感染後短時日内であれば頭部を消化管壁に穿入している虫体が存在し（図147），内視鏡で見ることができる（図151，152）．

組織学的所見としては虫体を中心として限局性あるいはび漫性の好酸球の浸潤が著しく，その他，浮腫，充血，出血，結合織の増殖などが見られ，その状態によって，**好酸球性肉芽腫 eosinophilic granuloma**，膿瘍 abscess，蜂窩織炎 phlegmon などと診断される．

幼虫穿入後短時日内であれば幼虫の断面がほぼ完全に観察され（図148），診断に役立つが，時間がたっていると虫体は崩壊している．

表12. 各種の魚・イカ類における Anisakis 幼虫の寄生率

分布	種類	寄生率（％）	最高寄生数
A. 北日本海域を中心として分布するもの	スケソウダラ	100	360
	サクラマス	100	167
	マダラ	96	24
	ニシン	77	52
B. 日本沿岸(太平洋，日本海)に分布し，季節的に北上，南下するもの	マアジ	51	676
	ヒラサバ	81	109
	スルメイカ	42	19
	サンマ	5	1
	カタクチイワシ	3～11	2
C. 温暖水域に広く分布し，回遊性の大きなもの	アカマンボウ	100	100
	カツオ	90	20
	ゴマサバ	55	5
	ハガツオ	33	2
	マグロ	0	0
D. 日本近海で比較的定着性のもの	イシガキダイ	0	0
	マコガレイ	0	0
	ヒイカ	0	0
	モンゴウイカ	0	0
	コウイカ	0	0
	ヤリイカ	0	0

（小林ら，1996年にその後の成績を追加）

表13. Anisakis 幼虫と Pseudoterranova 幼虫の胃壁および腸壁侵入性の相違（日本の12,586例の統計）

			内訳：
Anisakis 症	胃寄生	11,629例	腹腔内遊離17例，大網・腸間膜各6例，腹壁・食道・卵巣・腹部皮下・肝・口腔粘膜各2例，膵・リンパ節・胸腔・咽頭粘膜各1例
	腸寄生	567例	
	異所寄生	45例	
Pseudo-terranova 症	胃寄生	335例	
	腸寄生	0例	
	不明	10例	

（石倉，1989の参考資料による）

註1. 影井 昇（1989）：最新医学，44：781-791.

アニサキス 75

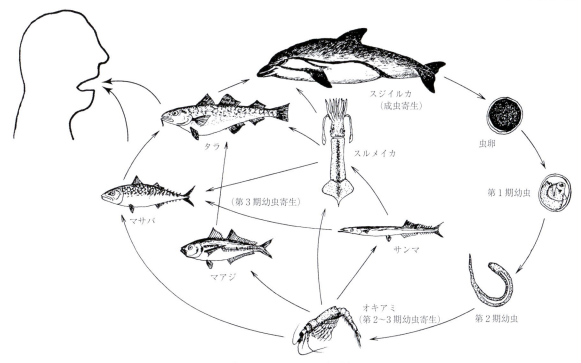

図146. **Anisakis** の生活史
（大島，1966；影井，1968（一部改変），および動物図鑑参考）

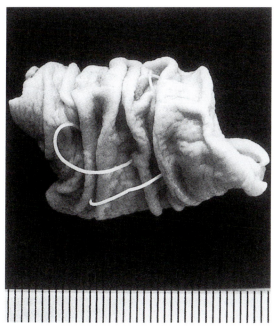

図147. サバより採取した *Anisakis simplex* 幼虫をイヌに
経口投与し，24時間後に剖検，胃壁に穿入して
いた幼虫

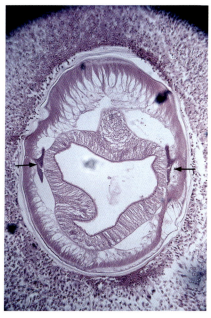

図148. 日本で最初に報告されたアニサキス
症例の虫体横断面
双葉状の側索（矢印）が特徴である．（浅見
敬三ら，1965による）

アニサキス［C］症状・診断・治療・予防

症状は，胃アニサキス症の場合は悪心，嘔吐，心窩部痛，腸アニサキス症の場合は下腹部痛で，時に急性腹症として開腹手術が行われたが，最近は問診によって本症が疑われれば直ちに内視鏡検査を行い虫体が摘出される．しかし腸アニサキス症の場合は内視鏡が届かず診断に困難が伴う．本症は 2013 年から食品衛生法により診断した医師は 24 時間以内に保健所に届け出を要する．

【症　状】

アニサキス幼虫の胃・腸壁穿入による症状には劇症型と緩和型とがある．この差異は，過去に一度感染して感作されているヒトは再感染によって強い**即時型過敏反応 immediate type hypersensitivity** を起こし，消化管の攣縮と滲出炎による浮腫，肥厚，狭窄などを起こし劇症型となる．一方，初感染の場合は異物反応に止まるため軽症に経過するとされる．しかし腹痛のメカニズムについてはなお不明の点が多い．

1. **胃アニサキス症**　劇症型の場合は生魚を食べて 2〜8 時間後に強い心窩部痛を訴え，しばしば悪心，嘔吐を伴う．胃潰瘍の穿孔あるいは胆石症などと誤診され，手術により胃を摘出されることも過去にしばしばあった．しかし最近は内視鏡や X 線透視によって診断され手術を免れるようになった．一方，緩和型の場合は軽症で気付かないこともある．血液像は多くの場合，中等度の白血球増加を見るが好酸球の増加は著明でなく，約 30% の例において軽度の上昇を認める程度である．

2. **腸アニサキス症**　劇症型の場合は，やはり生魚摂取後，数時間ないし十数時間後から強い下腹部痛を生じ，悪心，嘔吐，腹部膨満感などを伴う．発熱はないが虫垂炎，腸閉塞，腸穿孔などと誤診され，**急性腹症 acute abdomen** として開腹手術を受けることがある．緩和型の場合はしばしば自覚症状を欠く．血液像も胃アニサキス症の場合とほぼ同じである．

【診　断】

アニサキス症は激しい腹痛を起こすが診断さえつけば開腹して幼虫と共に胃や腸を摘出してしまう必要はない．鎮痛剤など投与しておれば，やがて虫は死亡し吸収され，ほぼ 1 週間で症状は消退する．問題は緊急を要する急性腹症と鑑別がつかず開腹されてしまう点である．診断の要諦はまずアニサキス症を念頭におき，発症前に摂取した食品について詳しく問診をすることである．そして本症が疑われれば直ちに内視鏡を用い胃壁に穿入している幼虫を直接観察し（図 151），次いで内視鏡の鉗子を用いて幼虫をつまみ出す（図 152, 153）．これによって虫種の同定に全体標本が提供され，かつ開腹手術を行うことなく治療が完結し，最も推奨すべき方法である．また X 線胃腸透視によってもかなりの頻度に幼虫を見い出すことができる（図 149）．

しかし腸アニサキス症の場合は内視鏡で腸の全域をくまなく観察するのは困難なので，X 線検査で虫体の検出，腸管の狭窄，造影剤の通過異常などの所見により診断する．また好酸球を含んだ腹水の貯留は本症の特徴とされるので腹腔鏡検査も有用である．

免疫学的診断法：間接赤血球凝集反応，Ouchterlony 法，免疫電気泳動法，ELISA 法など種々の方法が試みられているが，初感染の場合は抗体が生ずるのに 10〜20 日かかるので実用性に乏しい．しかし再感染の場合は 24 時間以内に抗体の急上昇が見られるので，とくに腸アニサキス症など内視鏡的診断の困難な例においては参考になる．

好発時期：年間を通じどの時期に患者の発生が多いかについて多くの調査結果を見ると，12〜3 月の寒期に多く，7〜9 月の暖期に少なかった．これは感染源となる魚，すなわち北方ではタラ，オヒョウ，その他ではサバ，イワシなどの漁獲期に密接に関係している．

年齢・性別罹患率：多くの調査結果を総合すると，アニサキス症例の最年少者は 3 歳，最年長者は 88 歳であったが，30 歳代が最も多く，次いで 40 歳代，50 歳代，20 歳代の順であった．性別では男性が女性の 1.3〜2.5 倍多くなっている．これは壮年層男性の生魚生食の機会が多いことによるのであろう．

【治　療】

前述の如く内視鏡による虫体摘出が最良であるが，複数寄生例がかなりあり，最高 56 隻寄生していた例もあるのでくまなく探す必要がある．一方，腸アニサキス症の場合は摘出が困難なので駆虫薬の開発が望まれる．しかし現在有効な薬は発見されていない．

【予　防】

表 12 に示した魚類のうち寄生率の高いものの生食は危険である．筆者の教室で時々市販のサバ寿司を買って調べてみるとかなりの頻度にアニサキスの幼虫を認め，これをイヌに与えると胃壁にしっかりと穿入した（図 150，154，155）．

幼虫は高温に弱く 60℃ 数分で死ぬ．低温の場合，2℃ では 50 日も生きているが，−20℃ にすると数時間で死亡する．オランダでは 1968 年以来，ニシンは −20℃，24 時間以上の冷凍を義務づけた結果，患者が激減したという．

アニサキス 77

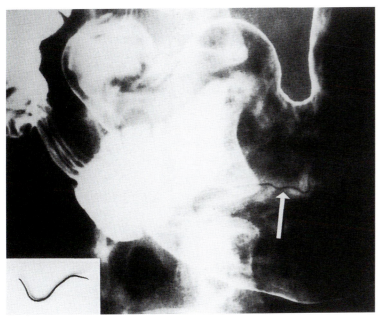

図149. X線でとらえた胃内アニサキス幼虫（矢印）
左の挿入写真はこの虫体を内視鏡鉗子で摘出したもの．同定の結果 *Anisakis simplex* の幼虫であった．（故高田　洋博士提供）

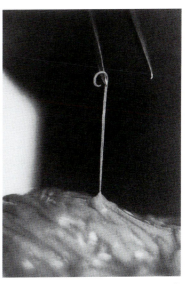

図150. 図154のサバ寿司から取り出した幼虫をイヌに与え，24時間後開腹．幼虫は胃壁に穿入しており感染力のあることを示す

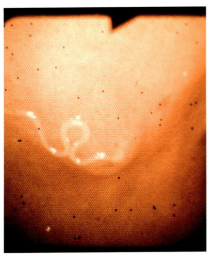

図151. 胃壁穿入中のアニサキス幼虫の内視鏡写真（赤坂祐三博士提供）

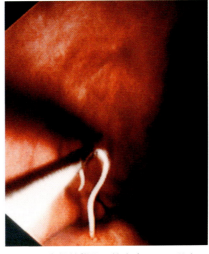

図152. 内視鏡鉗子で摘出中のアニサキス幼虫（池田　誠博士提供）

図153. 内視鏡鉗子で摘出した直後の *Anisakis simplex* 幼虫

図154.（左）市販のサバ寿司に見い出された *Anisakis simplex* 幼虫

図155.（右）別のサバ寿司から見い出された *Anisakis simplex* 幼虫（図154，155共，筆者の教室で撮影）

38 蟯虫

nematoda ★★★

蟯虫はヒトのみに感染する寄生虫で世界に広く分布し、わが国でも高い感染率を示し学校保健安全法で蟯虫検査を義務付けてきたが、最近10年間の感染率が1%を下回ったということで2015年を以て廃止し、検査用紙の製造販売も限定的となった。蟯虫は特に幼、小児に感染率が高く、検査の中止で感染の復活が懸念されている。

【和名・種名】 蟯虫
Enterobius vermicularis
【疾病名】 蟯虫症 enterobiasis；oxyuriasis
【分布】 全世界．熱帯・亜熱帯というよりむしろ温帯の衛生状態の悪い所や人口密集地に多い．

【形態と生活史】

1）**雌成虫** 体長8〜13mm，体幅0.3〜0.5mm，白色の小さな虫で肉眼で見ると体の前端と後端が鋭く尖っているので **pinworm** といわれる（図156）．顕微鏡で見ると図157に示すように頭部の角皮は膨大し，食道の下部は球状にふくらむ．腸管がこれにつづき肛門で開口する．陰門は体の前1/3の腹側にあり，陰門から1本のやや長い腟が入り込み，腟は上下2本の子宮に連なっている．次いで子宮は輸卵管，卵巣へつづく．

2）**雄成虫** 体長2〜5mm，体幅0.1〜0.2mmと小さく，図156，157に示すように尾部は腹側に巻いている．生殖器は精巣，輸精管，射精管がある．肛門と生殖門は合一して総排泄腔を形成し，ここに棘状の交接刺がある．

3）**寄生部位** 蟯虫の成虫はヒトの **盲腸** およびその周辺に寄生している．

4）**産卵** 蟯虫の雌は他の多くの腸管寄生虫と異なり，腸管内では産卵しない．子宮内に虫卵が充満してくると，主に夜間，ヒトが睡眠中，肛門括約筋がゆるんでいるときに腸管を下って肛門からはい出し，肛門周囲の皮膚上に子宮内の全虫卵を産下し（約10,000個），そこで死亡する．

5）**虫卵** 長径45〜50μm，短径25〜30μm，**無色**で，卵殻はやや厚く，その外側に粘稠な蛋白膜を有し，物に付着しやすい．図158，159，468-Cに示すごとく柿の種のような形をしている．産卵後速やかに発育し，2〜3時間で感染可能な幼虫形成卵となる．

【感染】

雌虫が肛門から出て産卵するとき搔痒感があり，そこを搔くと虫卵が手指に付着して，これが直接口に入る．また虫卵は下着やシーツに付着し散布され，塵と共にヒトの鼻腔や口に入る．また食品の上にふりかかる．このようなことから家族感染や保育園などでの感染が多い．

ヒトが幼虫形成卵をのみ込むと十二指腸で孵化し，幼虫は2回脱皮した後，盲腸に達し，虫卵摂取後2〜3週間で成虫となり，7〜8週後に雌虫は産卵する．

蟯虫の生活史を眺めてみると，蟯虫はヒトに最もよく適応した理想的な寄生虫ということができる．すなわち感染は，肛門皮膚上に産下された虫卵は迅速に幼虫形成卵となり，これをヒトの手指を利用して再び口に運ぶことによって行い，幼虫が外界に出て発育する必要も中間宿主を探す必要もなく，宿主体内移行を行って宿主と戦う危険もない．また種属保存のためヒト以外の宿主を探す必要もない．多数寄生しても大した病害を示さずヒトに駆虫の必要を感じさせない．このようなすぐれた性質を獲得したため先進国においても蟯虫は高い寄生率を保持し，繁栄を続けているのではないかと思う．

【症状】

少数寄生の場合はほとんど症状はないが，多数寄生するとその刺激によって腹痛・下痢を起こすことがある．また小児においては肛門周囲の搔痒感のため不機嫌，不眠などの神経症，さらに発育不良，会陰部のただれ，湿疹などを起こすことがある．

蟯虫はときに虫垂に入って虫垂炎を起こすことがある（図160）．また稀に腸管粘膜に侵入し潰瘍，膿瘍，肉芽腫を生ずることも知られている（図161）．

【診断と検査法】

蟯虫は腸管内で産卵しないので糞便の中に虫卵はまず出てこない．したがって検便は意味がなく，検査は **肛囲検査法 anal swab**（セロファンテープ法）による．すなわち図162に示すように舌圧子をセロファンテープで覆い，糊面を肛門に接し虫卵を付着させ，スライドグラスに貼りつけて鏡検する．また検査用紙が2016年以降販売中止となっていたが最近復活の兆しがみられる．検査は朝排便前に行うのがよい．また1回の検査では検出率が低いので3日間連続して行うのがよい．

また組織切片標本に現れた虫体断面での蟯虫の特徴は，両側角皮上の棘状の **側翼** の断面である（図160，161-a）．

【治療】

ピランテル パモエイト（商品名コンバントリン）

5〜10mg/kg 頓用．2週間後に同量を再投与．駆虫は家族，保育園などで全員一斉に行うのがよい．

蟯　虫　79

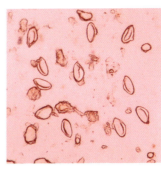

図158. 蟯虫卵
（セロファンテープ標本，弱拡大）

図159. 蟯虫卵
（強拡大）

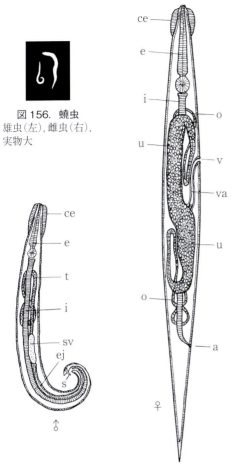

図156. 蟯虫
雄虫(左)，雌虫(右)，
実物大

図157. 蟯虫の成虫
a. 肛門, ce. 頭部膨大部, e. 食道, ej. 射精管, i. 腸管,
o. 卵巣, s. 交接刺, sv. 貯精囊, t. 精巣, u. 子宮, v.
陰門, va. 腟

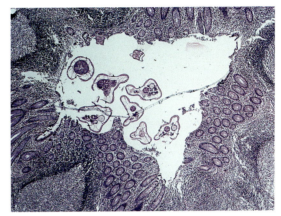

図160. 虫垂の切片中に見い出された蟯虫成虫の断面
（Tulane 大学標本）

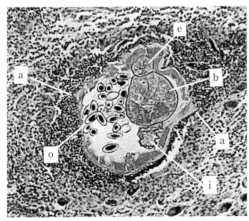

図161. 直腸上部腫瘤内に見い出された蟯虫の横断面
a. 側翼, b. 食道球, e. 食道, i. 腸管, o. 虫卵
（故大鶴正満教授提供）

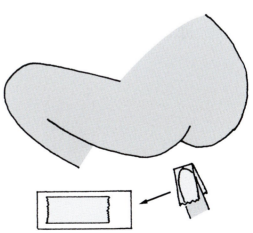

図162. 蟯虫卵検出のための肛囲検査法
舌圧子にセロファンテープをかぶせ肛門周囲の虫卵を
付着させスライドグラスに貼りつけて検査する．

鉤虫 [A] 形態・生活史

わが国における鉤虫の感染率は1970年頃までは高かったが，その後著しく減少した．一方，熱帯・亜熱帯の諸国では依然として高く，輸入感染例をときどき見る．ヒトに寄生する鉤虫は，ズビニ鉤虫とアメリカ鉤虫の2種が主なもので，熱帯ではセイロン鉤虫（主にイヌに感染）もヒトに感染しており，わが国でも輸入感染例が見られる．最近，イヌ鉤虫（イヌが終宿主）による人体寄生例が報告された．古くは十二指腸虫といわれた．英名はhookwormである．

和 名	ズビニ鉤虫	アメリカ鉤虫
種 名	*Ancylostoma duodenale*	*Necator americanus*
分 布	全世界とくにアジア，地中海沿岸，日本ではほぼ全域	全世界とくにアフリカ，アメリカ，アジア，日本では全域とくに南西温暖地域
成虫の形態（図164）		
体 長	雌10〜13mm，雄7〜10mm	雌10〜12mm，雄6〜8mm
体 幅	雌0.6〜0.7mm，雄0.4〜0.5mm	雌0.3〜0.5mm，雄0.2〜0.3mm
成虫の肉眼的所見（固定液内，死後強直の特徴）	C字型	乙字型
口腔（図165, 167）	2対の歯牙を有する	1対の歯板を有する
交接嚢（図166, 168）	洋傘状，背肋は1本，3本の側肋は互いに離れる	釣鐘状，背肋は2本，側肋のうち中側肋と後側肋は密着する，外背肋が著しく細長い
陰門の位置	体中央よりやや下方の腹側	体中央よりやや上方の腹側
虫卵の形態（図169, 468-D）	長径50〜60μm，短径40〜45μm，無色，便に現れたときは4細胞分裂卵	ズビニ鉤虫と区別できない
外界での発育（図163-B〜E）	雌1匹は1日に約1万個の卵を産下，卵は外界で発育し幼虫形成卵となり，孵化し発育して感染幼虫となる（A→E）	雌1匹は1日に約5,000個の卵を産下，卵から感染幼虫までの発育はズビニ鉤虫に同じ．感染幼虫の形態比較は次項参照
感染方法	経口感染（F）が主，経皮感染（G）も可能	経皮感染（G）と経口腔粘膜感染のみ
感染後の発育	経口感染した感染幼虫は主に小腸粘膜に侵入，発育し第4期幼虫となって腸腔に現れ，さらに脱皮して第5期となり成虫となる．粘膜に侵入した幼虫の一部は血行性に肝，心，肺，肺胞，気管，食道，胃を経て小腸に達する．感染後約1か月で成熟する	経皮感染した感染幼虫（第3期幼虫）は血流に入り，心を経て肺に達し，ここで一定の発育をして肺胞に出て，気管，食道を経て小腸に達し成熟，約2か月を要する
成虫の寿命	2〜3年と考えられる	ズビニ鉤虫に同じ

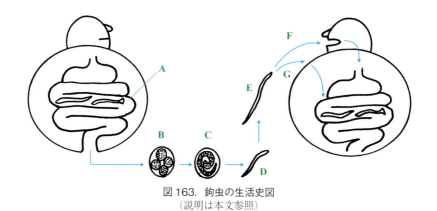

図163. 鉤虫の生活史図
（説明は本文参照）

鈎　虫　81

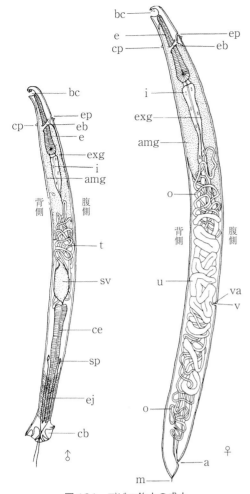

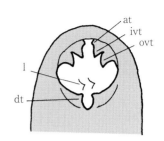

図 165．ズビニ鈎虫の頭部
at. 副歯，dt. 背側歯，ivt. 内腹歯，l. ランセット，ovt. 外腹歯

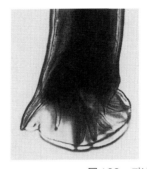
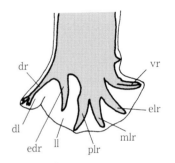

図 166．ズビニ鈎虫の交接嚢
dl. 背葉，dr. 背肋，edr. 外背肋，elr. 外側肋，ll. 側葉，mlr. 中側肋，plr. 後側肋，vr. 腹肋

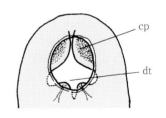

図 167．アメリカ鈎虫の頭部
cp. 歯板，dt. 背側歯

図 164．ズビニ鈎虫の成虫
a. 肛門，amg. アンフィッド腺，bc. 口腔，cb. 交接嚢，ce. セメント腺，cp. 頸部乳頭，e. 食道，eb. 排泄橋，ej. 射精管，ep. 排泄孔，exg. 排泄腺，i. 腸，m. 尾突起，o. 卵巣，sp. 交接刺，sv. 貯精嚢，t. 精巣，u. 子宮，v. 陰門，va. 腟

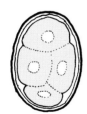

図 169．ズビニ鈎虫の虫卵
（アメリカ鈎虫も同じ）．
糞便内に現れたときは 4 細胞分裂卵である．

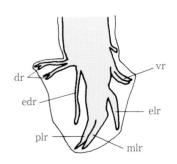

図 168．アメリカ鈎虫の交接嚢（略号は図 166 参照）

鉤虫［B］臨床・検査法

鉤虫の成虫は，雌雄ともその大きな口腔と歯牙や歯板で小腸粘膜に咬着し吸血している（図171）．したがって鉤虫症の主症状は貧血である．一方，検査法の特徴は，虫卵の比重が比較的小さいため集卵法は飽和食塩水浮遊法がよい．また培養法を併用すればさらに検出率が高く，かつ得られた感染幼虫の形態からズビニ鉤虫かアメリカ鉤虫かの診断が可能となる．

【疾病名】 鉤虫症 hookworm disease

【症　状】

1）**感染幼虫の経皮侵入による皮膚炎**　ズビニ・アメリカ両種鉤虫の感染幼虫がヒトの皮膚に接触すると脱鞘して第3期幼虫となり皮膚に侵入する．この際，赤色点状の皮膚炎を生じ，掻痒感が強い．イヌ鉤虫やブラジル鉤虫など動物の鉤虫の幼虫が侵入した際は移動性の線状の**皮膚爬行症**を生ずる（第34項参照）．

2）**若菜病**　ズビニ鉤虫の経口感染数日後から喘息様の咳がつづくことがある．鉤虫のアレルギー反応で，著しい末梢血好酸球増加がみられる（レフラー症候群またはPIE症候群，第32項参照）．若菜に付着していた感染幼虫を摂取して発症したのでこの名がある．

3）**成虫の小腸寄生による症状**　吸血およびその傷口からの出血により**貧血**が起こる．寄生虫体数が多くなると症状も強くなってくる．すなわち顔面蒼白，動悸，息切れ，全身倦怠，爪のスプーン状変形，赤血球数・ヘモグロビン・ヘマトクリット・血清鉄などの低下，また**異食症**といって，壁土，木炭，生米など異常なものを食べたくなることもある．ズビニ鉤虫の方がアメリカ鉤虫よりも大形で，吸血量も多く，したがって症状も強い．

【診断および検査法】

鉤虫の診断は検便により特有の虫卵を見い出すか，培養して感染幼虫まで発育させて行う．検便に際し注意すべきことは，鉤虫は産卵数が少ないので，少数寄生の場合は集卵法を行わないと見逃してしまう．集卵法の中でも遠心沈殿法（術式は第106項参照）よりも飽和食塩水浮遊法の方が簡便で有効である．それは鉤虫卵の比重が小さいからである．また培養法を併用するとさらに検出率が上がると同時に得られた感染幼虫の形態から虫種の診断が可能となる．

1）**飽和食塩水浮遊法**（図170）　過剰の粗製食塩を水に入れ，加熱・溶解し，冷却後比重が1.200以上あることを確かめ保存しておく．容量約10mlの試験管に飽和食塩水を約6ml入れ，次に約0.5gの便を入れ，割り箸で十分撹拌する．次いで台に立て，さらに飽和食塩水をピペットで注加し，液面が盛り上がるようにして30分間静置し，虫卵の浮上を待つ．この間，振動を与えてはならない．30分後カバーグラスを液面に接触させ，そのままスライドグラス上に置いて鏡検する．糞便を溶解してからほぼ1時間以内に検査を終わらないと，高浸透圧のため虫卵がこわれる．

2）**糞便培養法**（図172）　種々の方法があるが，沪紙培養法が簡便である．たんざく形に切った厚手の沪紙に図のように便を塗り，太目の試験管に立てる．適量の水を入れ，25〜28℃で4〜5日放置する．感染幼虫は管底に集まる．注意すべきは便は水中に落ちないようにうすく塗り，便と水面との間を1cmくらいあけ，昆虫が入ったり乾燥したりするのを防ぐため管口を閉じておくことである．

ズビニ鉤虫とアメリカ鉤虫の感染幼虫の鑑別
（図173）

a）全形　培養法で得た感染幼虫を含む水を1滴スライドグラス上に取り下からライターで加熱し殺す．焼きすぎてはいけない．カバーグラスをかけて鏡検．

ズビニ鉤虫感染幼虫の体長×最大幅平均値
　762.9×26.4μm
アメリカ鉤虫感染幼虫の体長×最大幅平均値
　630.5×26.5μm

要するに一見して後者は前者より太短く見える．

b）槍形構造　頭部中央の咽頭部の構造．ズビニ鉤虫でははっきりしないがアメリカ鉤虫では著明．

c）尾部　ズビニ鉤虫では肛門以下が長く（平均85μm），鞘の末端近くまで侵入するが，アメリカ鉤虫ではそれが短く（65μm），肛門以下急に細くなる．

d）鞘の横紋理　図に示すようにアメリカ鉤虫では著明で，よい鑑別点となる．

e）生殖器原基の位置　ズビニ鉤虫では腸管の中央よりやや下にあるがアメリカ鉤虫は中央よりやや上に位置する．

【治　療】

(1) **ピランテル パモエイト**　用法は回虫と同じ．

(2) **メベンダゾール**　3〜4mg/kg/日，分2, 3〜4日連用．

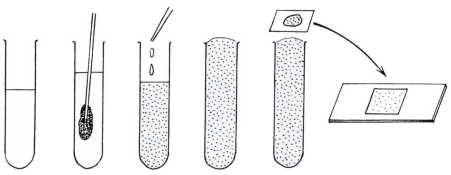

図170. 飽和食塩水浮遊集卵法（術式は本文参照）

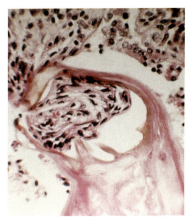

図171. アメリカ鉤虫成虫が小腸粘膜を口腔内にくわえこんで吸血しているところの組織切片像

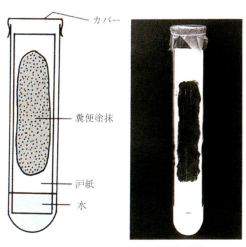

図172. 鉤虫卵含有便の沪紙培養法
（術式は本文参照）

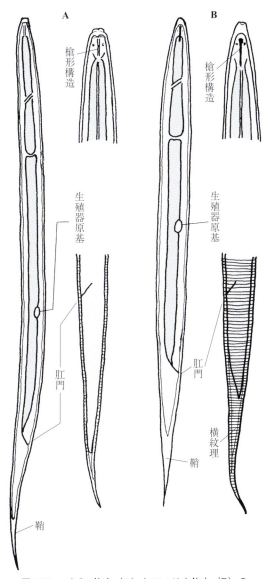

図173. ズビニ鉤虫（**A**）とアメリカ鉤虫（**B**）の感染幼虫の鑑別点
（術式ならびに鑑別法は本文参照）

84 蠕虫類——線形動物

41 nematoda ★ 東洋毛様線虫

毛様線虫は字のごとく毛のように細くて小さい．この中で日本でヒトに寄生しているのは東洋毛様線虫である．虫卵は鉤虫と鑑別上大切である．生活史も鉤虫に似ている．

【和名・種名】　東洋毛様線虫
　　　　　　Trichostrongylus orientalis
【疾病名】　東洋毛様線虫症
【分　布】　東洋，イラン．日本では東北・北陸地方に比較的多かったが，最近は著明に減少した．
【形　態】
1）成虫（図175）
　雌：体長 4.9～6.7mm，体幅 0.08mm
　雄：体長 3.8～4.8mm，体幅 0.075mm
　成虫は肉眼でやっと認められるくらい小さく細い．口腔はない．雄の尾端には交接嚢がある．雌の子宮内には十数個の虫卵が並んでいる．

2）虫卵（図174, 468-E）　無色で一見鉤虫卵に似るが次の点で異なる．①大きさが，長径 75～91 μm，短径 39～47 μm と著しく大きい．②しばしば一方がやや尖り船型を示す．③新鮮便の中ですでに 16～32 個くらいに細胞分裂が進んでいる．

3）感染幼虫（図176）　体長 781 μm，最大幅 21.5 μm（平均）．鉤虫の感染幼虫に似るが次の点で異なる．①腸管細胞が各側 8 個明瞭．②固有尾端は鈍円．

【生活史と感染経路】　便に混じて排出された虫卵は外界で感染幼虫となり，ヒトに経口感染する．体内移行は行わず，小腸内で 2～4 週間で成虫となる．
【症　状】　多数寄生すると腹痛，下痢．
【診　断】　検便により虫卵を見い出す．鉤虫と同様**飽和食塩水浮遊法**および**糞便培養法**を行う．
【治　療】　ピランテル パモエイト（鉤虫に同じ）．

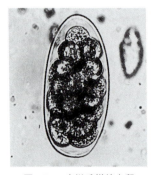

図174．東洋毛様線虫卵

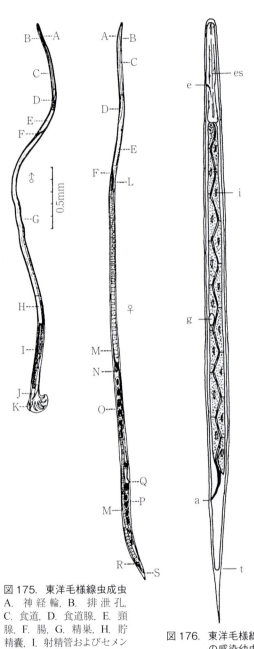

図175．東洋毛様線虫成虫
A. 神経輪，B. 排泄孔，C. 食道，D. 食道腺，E. 頸腺，F. 腸，G. 精巣，H. 貯精嚢，I. 射精管およびセメント腺，J. 交接刺，K. 交接嚢，L. 前卵巣の前端，M. 後卵巣および後卵巣の前端，N. 受精嚢，O. 前子宮，P. 後子宮，Q. 陰門，R. 終腸，S. 肛門
（横川ら，1974）

図176．東洋毛様線虫の感染幼虫
es. 食道，e. 排泄孔，i. 腸管細胞（各側8個），a. 肛門，t. 尾端（鈍円），g. 生殖器原基

広東住血線虫

広東住血線虫は本来ネズミの寄生虫で，中間宿主であるアフリカマイマイやナメクジなどの中に感染幼虫がおり，ヒトがそれを食べると感染し，幼虫は脳へ移行し，好酸球性髄膜脳炎を起こす．日本では1970年以来2003年までに人体寄生例が54例報告され，その後も沖縄を中心に数例報告されている．

【和名・種名】 広東住血線虫
Angiostrongylus cantonensis

【疾病名】 好酸球性髄膜脳炎

【分布】 太平洋をとりまく諸島，台湾，タイ，ベトナム，フィリピン，インドネシア，ハワイ，タヒチ，ニューカレドニア．日本では沖縄・奄美に比較的多い．

【形態と生活史】
成虫（図177）はドブネズミなどの肺動脈内に寄生．雌は体長25〜33mm，体幅約0.5mm，雄は体長約22mm，体幅約0.35mm．雌は図に示すようなラセン模様を示すのが特徴．雄は小さい交接嚢を持つ．

肺動脈内に産下された虫卵は肺の毛細血管にひっかかり，孵化して幼虫が現れ，これは肺胞→気管→食道→胃→腸を経てネズミの便の中に出る．この第1期幼虫が中間宿主の貝に経口的あるいは経皮的に侵入すると発育して2重の鞘をかぶった第3期幼虫（感染幼虫）となり，貝の筋肉に集まる．これをネズミが食べると肺動脈内で成虫となるが，ヒトが食べると成虫にならず，幼虫ないし幼若成虫の状態で脳やクモ膜下腔に寄生し，症状を起こす（図178）．

中間宿主として重要な貝はアフリカマイマイ *Achatina fulica*（図179，第80頁参照）で，その他，数種のマイマイやナメクジが中間宿主となる．またカエルや淡水産エビなども待機宿主となる．

【感染】
ヒトは上記の中間宿主を生食して感染する．東南アジアなどではこれらの貝の料理がある．

【症状】
著明な好酸球増加を伴う髄膜炎および脳炎の症状を示す（好酸球性髄膜脳炎）．すなわち激しい頭痛，発熱，項部強直，腱反射異常，四肢麻痺，昏睡，痙攣，精神異常などを起こす．

【診断と検査】
脳脊髄液沈渣より虫体を検索，または好酸球増加が重要な指標となる．Ouchterlony法，免疫電気泳動法などによる免疫診断．日本脳炎と鑑別を要する．

【治療】
特効薬はない．一般的には髄液をぬいて頭蓋内圧を下げ頭痛を軽減させ，副腎皮質ステロイドなどを与える．アルベンダゾールやメベンダゾールとステロイド剤との併用が有効との報告もある．

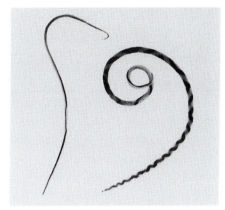

図177．広東住血線虫の成虫
雄（左），雌（右），雌虫のラセン模様に注意．

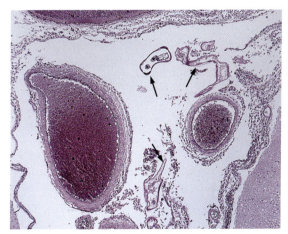

図178．5歳女児の脳のクモ膜下腔に見い出された広東住血線虫幼若成虫の断面（矢印）
（台湾高雄医学院 陳瑩霖教授提供）

図179．広東住血線虫の重要な中間宿主であるアフリカマイマイ（殻長約10cm）

糞線虫

糞線虫は最近，新しい検査法で調べてみると沖縄・奄美になお多くの感染者が存在し，特に成人T細胞白血病抗体陽性者における本虫保有率は極めて高い．本虫は特異な生活史を有し，自家感染で虫体が増加するので免疫不全患者では下痢の他，幼虫の全身播種，髄膜炎，敗血症などを起こす危険がある．

【和名・種名】　糞線虫
　　　　　　　　Strongyloides stercoralis
【疾病名】　糞線虫症　strongyloidiasis
【分　布】　全世界，日本では特に沖縄，奄美
【形態と生活史】

本虫の生活史は特異的で，成虫に**寄生世代**と**自由生活世代**の2つのタイプがある．人体から見い出される寄生世代の成虫は雌（図180）だけで，この雌はヒトの小腸の粘膜内に寄生し（図185，図187-**A**），単為生殖によって産卵し，卵は粘膜内で孵化し，**ラブジチス型幼虫**（図182-**R**）となって腸管内に現れ，糞便と共に外界に出る（図187-B_1）．この幼虫の体長は約380μm，体幅は約20μmで，食道はいわゆるラブジチス型（中央部がくびれ膨大部2か所）を示す．この幼虫はその後，次のような2つの発育方向をとる．

1）**直接発育**（図187，**A → B_1 → C → A**）

外界に出たラブジチス型幼虫（B_1）の一部は2回脱皮して**フィラリア型幼虫（感染幼虫）**（**C**，図182-**F**）となり，これは宿主に経皮感染して寄生世代の雌成虫（**A**）となる．

2）**間接発育**（図187，B_1 → **D** → B_2 → **C**）

上記以外のラブジチス型幼虫（B_1）は外界で4回脱皮し自由生活世代の雌・雄成虫（**D**，図181）となる．これらは交尾・産卵し，卵は孵化してラブジチス型幼虫（B_2）となるが，これはすべてフィラリア型感染幼虫（**C**）に発育する．

寄生世代の雌成虫は体長2.2～2.5mm，体幅0.04～0.05mmで，図180に示すような構造を持ち，食道はフィラリア型（膨大部なく円筒状）である．虫卵の大きさは長径約70μm，短径約43μmである．

自由生活世代の雌・雄成虫はそれぞれ1mm，0.7mmの体長を有し，図181に示すような形態で，食道は2か所に膨大部を持つラブジチス型を示す．

フィラリア型感染幼虫の形態は診断上重要である．体長は約630μm，体幅は約16μmで図182-**F**に示すように長い食道を有し，尾端が切れ込んでいるのが特徴である（図183，184）．

【感　染】

外界に存在するフィラリア型感染幼虫がヒトの皮膚を貫いて感染すると，血流により肺に移行して発育し，次いで気管，食道，胃を経て小腸に達し成熟する．またこの成虫から生じたラブジチス型幼虫が腸管内で感染幼虫にまで発育し，腸壁に侵入したり，肛門付近の皮膚上で感染幼虫にまで発育して皮膚に侵入することもある．これを**自家感染 autoinfection**といい，特に免疫不全患者に多く見られる．このような場合，寄生世代の成虫が増加し，重症となる．

【症　状】

主症状は反復する**下痢**で，その他，腹部膨満，食欲不振，体重減少などが見られる．また本虫が全身に播種することがあり，その時は本虫の保有している大腸菌やクレブシエラが血中に撒布され，髄膜炎，肺炎，敗血症などを起こすことがある．喜舎場らの報告によると，沖縄で無菌性髄膜炎119例中3例に，化膿性髄膜炎41例中17例に，またグラム陰性桿菌髄膜炎16例中12例に糞線虫の感染を認めたという．とくに免疫抑制剤の投与，AIDSなど免疫力が低下している患者では本虫の自家感染が容易となり重症化するので注意を要する．

【診断と検査法】

糞便中または十二指腸ゾンデ採取液中に幼虫を見い出した場合は，まず本虫を想起すべきである．下痢がひどいときは虫卵が出てくることもある．また暖期に糞便を放置しておくと鉤虫卵でも孵化し，類似の幼虫を生ずるので注意を要する．

本症の検査法としては，①糞便の直接塗抹法，②沪紙培養法（図172），③最近開発された**寒天平板培養法**（図186）（シャーレ内の寒天の中央に約2gの糞便を置き28℃で2日間放置すると幼虫の這った蛇行状の軌跡が見える），④ELISAなど免疫学的診断法，などがあるが，幼虫検出には，③の方法が最も検出率が高く，沖縄でこの方法で調べたところ従来約1%と考えられていた一般住民の寄生率は3.6～18.1%（平均7.14%），その中でATL抗体陽性者では47%の高率を示したという．

【治　療】

イベルメクチン ivermectin（商品名**ストロメクトール**）

本剤（3mg錠剤），0.2mg/kg/日を朝食1時間前に1回服用，2週間後に再度，同量を服用する．重症感染，再発，免疫不全の患者には糞便中の虫体が陰性になるまで1～2週間隔で4回以上反復投与する．播種性糞線虫症に対しては抗菌剤を併用する．90%以上の駆虫率を示す．重篤な副作用はないが妊婦と幼児には投与しない．

糞線虫　87

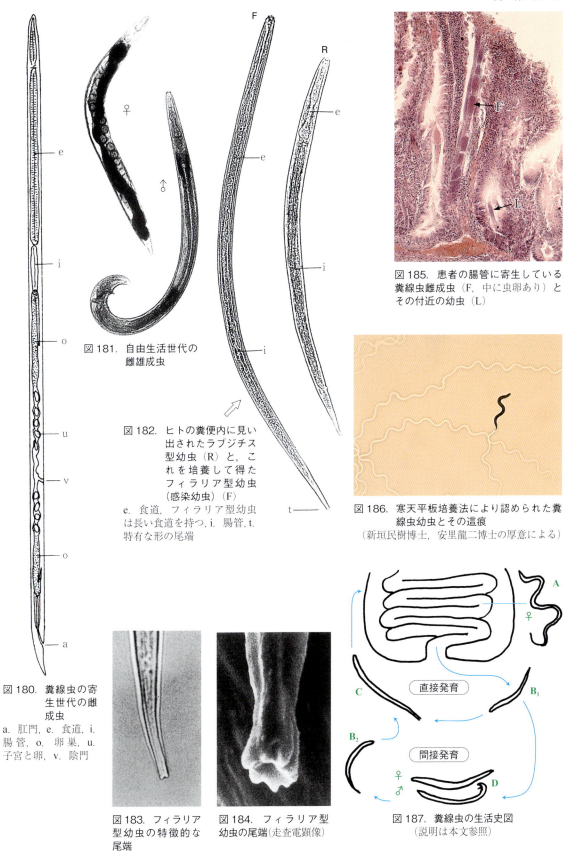

図 180. 糞線虫の寄生世代の雌成虫
a. 肛門, e. 食道, i. 腸管, o. 卵巣, u. 子宮と卵, v. 陰門

図 181. 自由生活世代の雌雄成虫

図 182. ヒトの糞便内に見い出されたラブジチス型幼虫（R）と，これを培養して得たフィラリア型幼虫（感染幼虫）（F）
e. 食道，フィラリア型幼虫は長い食道を持つ, i. 腸管, t. 特有な形の尾端

図 183. フィラリア型幼虫の特徴的な尾端

図 184. フィラリア型幼虫の尾端(走査電顕像)

図 185. 患者の腸管に寄生している糞線虫雌成虫（F，中に虫卵あり）とその付近の幼虫（L）

図 186. 寒天平板培養法により認められた糞線虫幼虫とその這痕
（新垣民樹博士，安里龍二博士の厚意による）

図 187. 糞線虫の生活史図
（説明は本文参照）

44 nematoda ★★ 有棘顎口虫, 剛棘顎口虫

わが国には有棘顎口虫，ドロレス顎口虫，日本顎口虫が分布し，ヒトに寄生するのは有棘顎口虫のみとされてきたが，最近，韓国，中国，台湾などからの輸入ドジョウ生食による剛棘顎口虫症が報告され，さらにドロレス顎口虫と日本顎口虫の人体感染例も発見された．有棘顎口虫は遊走性限局性皮膚腫脹，他の3種は皮膚爬行症を起こす．

顎口虫の形態的特徴 頭部に頭球が存在し（図188, 194），その表面に小棘が列をなして生え，また体表にも小棘が生えており，これらの形態や生え方，虫卵（図188）や腸管上皮細胞（図199）の形態などが分類に利用されている．

I. 有棘顎口虫 *Gnathostoma spinigerum*

【疫 学】

本種は主にアジアに分布する．特に中国の揚子江流域には感染者が多く，**長江浮腫**と呼ばれ，またタイ，ミャンマー，マレーシア，インドなどにも分布する．わが国では関東以西の22府県から患者が報告されたが，最近，本症は減少した．

【形態と生活史】

成虫の体長は雄12～31mm，雌15～33mm，イヌやネコの胃壁に腫瘤を形成し，そこへ頭を突っ込んで寄生している．虫卵は長径平均69.3μm，短径38.5μmで，一端が隆起している（図188-A）．

受精卵は糞便と共に外界に出て発育し，幼虫形成卵となり，次いで水中で脱出・孵化した第2期幼虫は**第1中間宿主**の**ケンミジンコ**（*Mesocyclops leuckarti*, *Cyclops strenuus*など）に摂取され，その体内で第3期前期幼虫となる（図189, 192）．

第2中間宿主はドジョウやカエルなど多種類で，これが第1中間宿主を食べると幼虫は第3期後期幼虫となり筋肉内で被嚢する．さらに雷魚や鳥類などの**待機宿主**がこれを食べると，幼虫は移行し，第3期後期幼虫のまま待機宿主の筋肉内で被嚢する（図191, 192）．

ヒトの感染源として最も重要なのは雷魚で，わが国では**カムルチー** *Channa argus* と**タイワンドジョウ（ライヒー）** *Channa maculata*（図190）の2種が湖沼や河川に棲息している．2001年に秋田でオオクチバスの生食で感染例が見られている．

【症 状】

ヒトが雷魚の刺身などと共に第3期後期幼虫を摂取すると，幼虫は消化管壁を貫いてまず肝臓に移行し，次いで皮膚や皮下に至り，さらに移動する（**幼虫移行症 larva migrans**）．本種の場合，幼虫は大てい深部に存在し，**遊走性限局性皮膚腫脹**を生ずる．すなわち突然，皮膚が腫脹し，発赤と痒感ないし疼痛をきたす．しかし数日後には自然に消退し，再び別の場所に現れる．好発部位は腹部・体幹・顔面などであるが稀に眼や脳・脊髄に迷入することがあり危険である．

【診 断】

特有の**遊走性限局性皮膚腫脹**があり，末梢血に**好酸球増加**があるときは本症を疑う．腫脹部を切開して虫体を得れば診断は確定するが，虫体の見つかる確率は低い．皮内反応，Ouchterlony 法，ELISA などが診断の助けとなる．雷魚やドジョウの生食の有無を問診することが大切である．最近これら4種顎口虫の第3期後期幼虫の腸管上皮細胞の形態や核数が異なることが判明し，病理組織切片上の虫体の断面で診断が可能となった（図199）．

【治 療】

虫体摘出が最も確実であるが，摘出が困難な時は，①**アルベンダゾール** 10～15mg/kg/日，分2，3～7日間投与．または，②**イベルメクチン** 200μg/kg，空腹時に水で頓用，2日連用が有効との報告がある．

II. 剛棘顎口虫 *Gnathostoma hispidum*

【疫 学】

本種はヨーロッパおよびアジアに分布しているが日本には分布しないとされていた．ところが1980年頃より韓国，台湾，中国などから輸入したドジョウを生食して皮膚爬行症を起こした例が報告されている．

【形態と生活史】

成虫はブタの胃に寄生し，体全体に棘が生えており，虫卵は有棘顎口虫に似ている（図188-B, 192）．第1中間宿主は**ケンミジンコ**，第2中間宿主は**ドジョウ**などである．

【症状と診断】

本種の場合，有棘顎口虫のような遊走性の皮膚腫脹ではなく，ミミズ腫れのような**皮膚爬行症 creeping eruption** を生じ，**好酸球増加**を伴うことが多い．このような症状は数か月で自然に消退する場合が多い．

診断はやはり虫体検出と免疫学的診断であるが，本種の場合，皮膚の病巣から幼虫の断面が見つかる場合がかなりあり，その時は幼虫の腸管の細胞の形態や核数によって他の顎口虫と鑑別ができる（図199）．

【治療と予防】

治療は有棘顎口虫に準ずる．最近，輸入ドジョウを調べた成績によると，5～10％に本種の幼虫が検出されているので，踊り食いなど生食は避けた方がよい．

有棘顎口虫，剛棘顎口虫　89

図189. ケンミジンコ（*Cyclops vicinus*）に寄生している日本顎口虫第3期前期幼虫（矢印）
（安藤勝彦博士の厚意による）

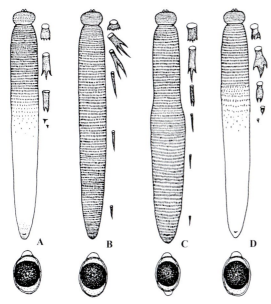

図191. 岐阜県産雷魚の筋肉内に見い出された有棘顎口虫第3期後期幼虫

図188. 有棘顎口虫（**A**），剛棘顎口虫（**B**），ドロレス顎口虫（**C**），日本顎口虫（**D**）の成虫の体表の棘の生え方および虫卵の形態
（故宮崎一郎博士の厚意による）

図190. 有棘顎口虫の待機宿主の雷魚（体長40cm）

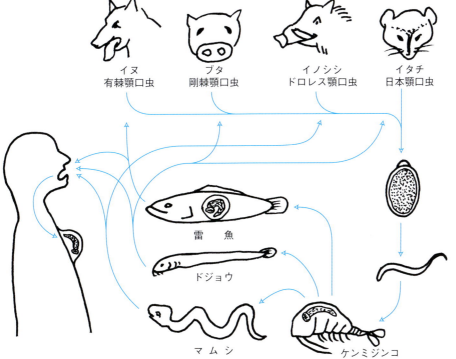

図192. 4種顎口虫の生活史図

ドロレス顎口虫，日本顎口虫

ドロレス顎口虫はわが国のイノシシに，日本顎口虫はイタチに広く感染しているが，この両種の幼虫がヒトに感染し，皮膚爬行症を起こすことが最近明らかとなった．感染はサンショウウオ，アマゴ，ドジョウ，マムシなどの生食による．また最近，病理組織切片に現れた幼虫の断面で顎口虫4種を鑑別することができるようになった．

I．ドロレス顎口虫　*Gnathostoma doloresi*

【疫　学】

本種は東アジア，東南アジア，インドに広く分布し，主としてブタを終宿主としている．しかしわが国ではブタには少なく，イノシシに濃厚に感染している．これまでの調査によると，岩手県以南，鹿児島県までほとんどの府県のイノシシに感染が見られる．

本種は従来，動物のみに寄生すると考えられていたが，名和らが1985～1989年の間に宮崎県で10例のドロレス顎口虫患者を報告して以来，各府県から症例報告が相次ぎ，2003年の時点で宮崎44，高知9，熊本7，鹿児島・大分・愛知3，長崎・大阪・東京・北海道2，沖縄・福岡・徳島・広島・島根・三重・長野・埼玉・神奈川・栃木・青森1，（合計88例）となっており，その後2013年までに10例追加された．

【形態と生活史】

成虫は終宿主の胃壁に頭を突っ込んで寄生している（図193）．成虫の形態は前項の図188-Cに示す如く体表全体に棘が生えており，体長は雄が約2cm，雌が約3cmである．虫卵の大きさは長径平均58.7μm，短径平均33.3μmと日本産顎口虫の中では最も小さく，かつ両端に隆起物がある．また第2中間宿主あるいは待機宿主体内に存在する第3期後期幼虫の頭球棘列の第1列の棘が小さいのも特徴である（図194）．

生活史は図192に示す如く，第1中間宿主は**ケンミジンコ**である．第2中間宿主は従来**サンショウウオ**とされてきたが最近の調査によると**マムシ**に高率に幼虫の寄生が見られ，一方，**ブルーギル**，**アマゴ**，**アユ**などの淡水魚からも見い出され，患者の問診でもこれらの生食が疑われる例が多い．

【症　状】

潜伏期は大体1～3週間とされ，主症状は線状の**皮膚爬行症**で，有棘顎口虫のような遊走性限局性腫瘤とは異なる．腹部に初発することが多く，その後，胸部，腰背部などに出没する．この爬行疹は動きが速く，痒みや痛みを伴うことが多い．また腹痛，嘔気，食欲不振，風邪様の症状を示すこともある．末梢血好酸球，血清IgEの値は多くの場合高値を示すが例外もある．また本種の幼虫がヒトの眼に寄生し，ぶどう膜炎を起こした例も報告された（図195）．

【診　断】

その特異な症状に留意し，摂取した食事について詳しく問診することが大切である．虫体摘出による診断が最も確実である．幼虫の頭部の形態，また切片標本に見られる腸管上皮細胞の形態と核数（図199）によって虫種の鑑別診断が可能である．虫体が得られない場合は食歴，症状に加えELISA，Ouchterlony法など免疫学的診断の結果を参考にする．

【治　療】

虫体摘出が最も確実であるが，摘出できない場合は有棘顎口虫の場合と同様の薬物療法を試みる．

II．日本顎口虫　*Gnathostoma nipponicum*

【疫　学】

本種は日本のイタチから発見され，日本各地に広く分布しているが外国からは報告がない．本種も動物のみに寄生すると考えられていたのであるが，1988年，安藤らは三重県で2例の人体感染例を見い出し，その後，岡山県1例，青森県3例，秋田県3例が追加された．

【形態と生活史】

成虫はイタチの食道に腫瘤を形成して寄生している（図196）．成虫の体長は雄約2cm，雌約3cm，体表の棘は体前半のみに存在し，虫卵の大きさは長径平均72.3μm，短径平均42.1μmである（図188-D）．

第1中間宿主はやはり**ケンミジンコ**，第2中間宿主は**ドジョウ**，**ヤマカガシ**，**ナマズ**，**ヤマメ**，**シラウオ**などが知られている．第2中間宿主または待機宿主の体内に存在する第3期後期幼虫の特徴は頭球の棘列が3列（他の3種はすべて4列）であることである．

【症状と診断】

主症状はやはり**皮膚爬行症**で，ドジョウなどを生食してから5～10日後に，腹部などに好発し（図197），生検により得た虫体の断面を見ると，図198に示すように腸管上皮細胞は円柱状，核数は0～3個で，図199の日本顎口虫に一致する．全身状態は余り侵されないが白血球増加，好酸球増加などが見られる．

【治　療】

虫体摘出以外，有棘顎口虫の場合と同様の薬物療法を試みる．

図193. 高知県産イノシシの胃壁に寄生しているドロレス顎口虫成虫

図194. ドロレス顎口虫第3期後期幼虫頭球棘の走査電顕像
（名和行文教授の厚意による）

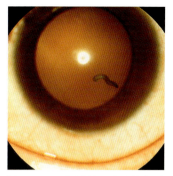

図195. 26歳男性の左眼前部硝子体内に現れたドロレス顎口虫幼虫
（笹野久美子医師の厚意による）

図196. 京都のイタチの食道壁に寄生していた日本顎口虫成虫

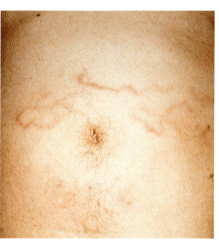

図197. 日本顎口虫幼虫感染による皮膚爬行症
（三重県, 55歳, 男, ドジョウを生食）

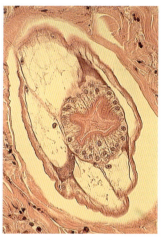

図198. 左の症例の虫体断面. 腸管細胞は円柱状, 核数は0〜4個（図199参照）

（図197, 198は安藤勝彦博士の厚意による）

有棘顎口虫
細胞　円柱状
核数　3〜7個

剛棘顎口虫
球状
1個

ドロレス顎口虫
球状
2個

日本顎口虫
円柱状
0〜3個

図199. わが国でヒトから見い出される4種顎口虫の幼虫の腸管上皮細胞の形態と核数の差異
病理組織切片標本での虫種の鑑別に有用（赤羽ら, 1986；安藤ら, 1990；名和ら, 1989などを参考）

バンクロフト糸状虫，マレー糸状虫

糸状虫は一般にフィラリアともいわれる．この両種はヒトを固有宿主として広く世界に分布し重要な寄生虫である．わが国にも昔から，とくに前者が濃厚に分布していたが，近年流行は終息した．この虫の特徴は成虫がリンパ系に寄生し，その幼虫のミクロフィラリアが血中を循環し，蚊によって媒介される点である．

【和名・種名】　バンクロフト糸状虫
　　　　　　　Wuchereria bancrofti
【疾病名】　バンクロフト糸状虫症
【分　布】　世界に広く分布．日本では北海道を除く全地域に分布し，とくに奄美・沖縄・南九州などに多かったが最近わが国での流行は終息した．
【形態と生活史】（図200，201）
　成虫　細い糸状で，平均体長は雌8cm，雄4cm，体幅は雌0.25mm，雄0.1mm．ヒトのみに寄生し，リンパ節やリンパ管内に寄生している．
　ミクロフィラリア microfilaria　雌成虫の子宮から幼虫が産出される．これがミクロフィラリアで血液中に存在し夜間末梢血に出てくる．これは診断上重要である．
　バンクロフト糸状虫のミクロフィラリアは鞘を有し（糸状虫の種類によっては鞘を持たないものもある），図200に示すような形態で，その大きさや，マレー糸状虫との鑑別点は**表14**にくわしく述べてある．
　ミクロフィラリアの定期出現性　ヒトの血流中に存在するミクロフィラリアは昼間は肺の毛細血管の中に潜んでおり，午後10時頃になると末梢血に現れ午前0時から4時頃が最も多く，夜明けと共に肺に帰る．これをミクロフィラリアの定期出現性，または**日周性 turnus**という．この不思議な現象のメカニズムはまだ解明されていないが，夜間吸血にくる蚊に吸われて生活史が全うされるので合目的的である．糸状虫の種によっては昼間吸血にくる蚊によって媒介される．この場合，ミクロフィラリアは昼間末梢血に現れる．
　中間宿主（媒介者 vector）　ネッタイイエカ，アカイエカ，コガタアカイエカ，シナハマダラカなどで，感染者を吸血して取り込まれたミクロフィラリアはこれらの蚊の体内で3回脱皮して発育し，感染幼虫となって次にヒトを刺したとき蚊の刺し口から侵入して感染する（図201）．その後3〜12か月で成虫となる．
【症　状】
　1）**熱発作**　蚊に刺され本虫に感染してから約9か月後に精索，睾丸，四肢などのリンパ節炎，リンパ管炎が起こり熱発作を起こす．その後も発熱をくりかえす．
　2）**陰囊水腫**　リンパ管が閉塞し，かつ破れると，リンパ液が陰囊にたまる．
　3）**乳糜尿**　リンパ液が膀胱に入るとミルクのような尿を排出する．
　4）**象皮病**　リンパ液が皮下組織に浸透すると長年の刺激により皮膚が肥厚し象皮病となる．好発部位は陰囊，下肢，大陰唇などである（63頁，扉の絵参照）．
【診　断】
　(1)　**夜間に採血**し，血液塗抹標本ギムザ染色を行い（52頁参照）ミクロフィラリアを検出する．
　(2)　**集虫法**　静脈血より1mlの血液を採り，10mlの2％ホルマリン液に混和し，遠沈し沈渣を塗抹ギムザ染色する．
　(3)　**誘発法**　ジエチルカルバマジン50mgを服用させ30分後に採血し検査する．
【治　療】
　ジエチルカルバマジン（商品名**スパトニン**）
　初日2mg/kg 1回，2日目2回，3日目3回と漸増し，以後1日3回食後に服用，12日間続ける．
　最近**イベルメクチン**（第48項参照）が有効との報告がある．

【和名・種名】　マレー糸状虫
　　　　　　　Brugia malayi
【疾病名】　マレー糸状虫症
【分　布】　主に東南アジア，インドに分布．日本では八丈小島に分布していたが現在消滅した．
【形態，生活史と臨床】
　成虫はバンクロフト糸状虫よりやや小さい．ミクロフィラリアの形態は診断上大切であるので**表14**に精述した．
　中間宿主（媒介者）となる蚊はヌマカ属の蚊が主で，その他ハマダラカ，ヤブカも媒介する．
　ミクロフィラリアは夜間末梢血に出てくるが，南太平洋諸島では夕方や昼間出てくる系統もある．
　症状はバンクロフト糸状虫と異なり，象皮病は主に下肢に起こり，陰囊水腫とか乳糜尿など泌尿生殖系の病変は起こらない．しかしリンパ管炎は起こり丹毒様の皮膚病変と高熱を発する．

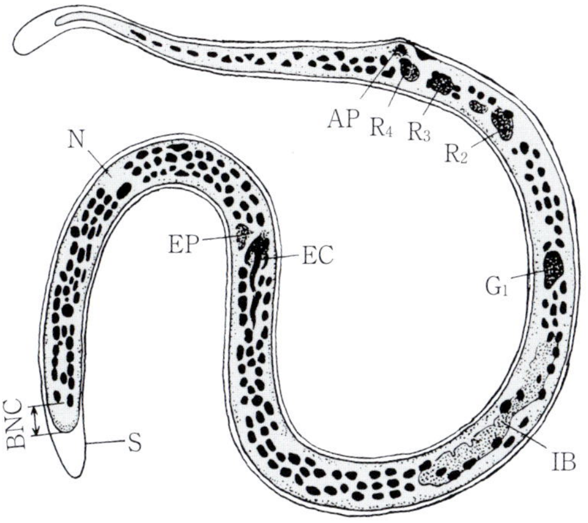

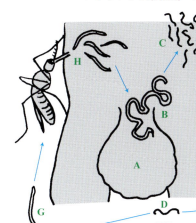

図200. バンクロフト糸状虫のミクロフィラリアの構造
BNC. 頭域, N. 神経輪, EP. 排泄孔, EC. 排泄細胞, G_1. 生殖細胞, $R_2 \sim R_4$. 直腸細胞, AP. 肛門, IB. inner body, S. 鞘

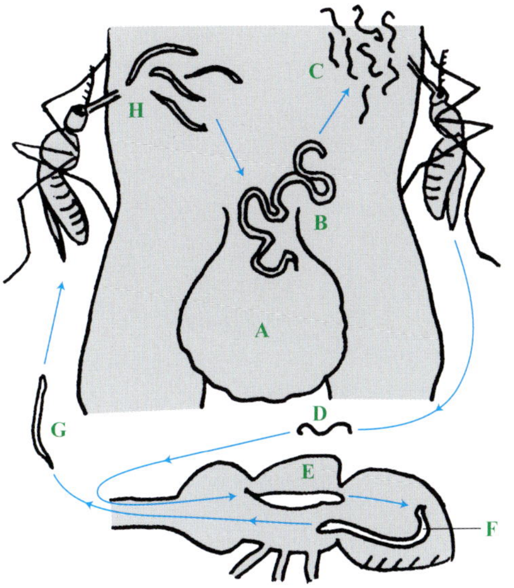

図201. 糸状虫の生活史図
A. 陰嚢, B. 成虫（リンパ管内）, C・D. ミクロフィラリア（血中）→蚊吸血, E. ソーセージ型に発育, F. 感染幼虫に発育, G・H. 蚊の吸血時，宿主体内に侵入・発育

表14. バンクロフト糸状虫とマレー糸状虫のミクロフィラリアの鑑別点

	バンクロフト糸状虫	マレー糸状虫
体　長（μm）	244～296	177～230
体　幅（μm）	8～10	7～9
排泄細胞（EC）	小さく，排泄孔（EP）に近く位置し，原形質突起は後方に伸びている 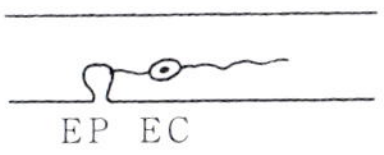	大きく，排泄孔（EP）よりもはるか後方に位置する 
生殖細胞（GC）および直腸細胞（RC）	GCおよびRCは同大，円形または方形で原形質に乏しく$R_2 \sim R_4$はG_1よりはるか後方に位置する．R_4は肛門（AP）に接し，時に肛門の後方に位置する 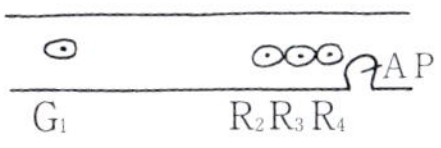	GCおよびRCはバンクロフト糸状虫より大．特にG_1は大きく，バンクロフト糸状虫の約2倍，楕円形で原形質に富む．R_2はG_1に近く位置し，R_4は常に肛門の前方にある 
肛　門（AP）	不著明，深さは体幅の1/2以内	著明，深さは体幅の1/2またはそれ以上
尾　部	徐々に細くなっており，尾端に核を有しない 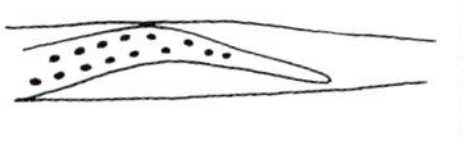	尾端に核を有し，かつ尾端に近く膨大部あり，そこにも核がある 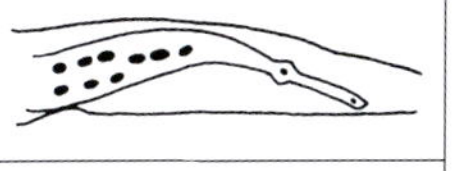
外　観	全体的に滑らかに彎曲している 	細かいジグザグの彎曲を示す 
症　状	陰嚢水腫および陰嚢や四肢の象皮病	主に下肢の象皮病
媒介蚊	イエカ属およびハマダラカ属など	ヌマカ属およびヤブカ属

（横川ら，1974などより）

イヌ糸状虫

イヌ糸状虫は日本をはじめ広く世界のイヌに感染し大きな病害を与えている．ところが最近，本虫の幼虫がヒトの肺や皮下に寄生し医学上問題となっている．本虫は蚊によって媒介される．ヒトの肺に寄生した場合，X線写真で銭形陰影を呈し，肺癌，肺結核を疑われて摘出手術を受ける例が増えている．また皮膚に爬行症を起こしたり内臓に腫瘤を形成したりすることもあるので注意を要する．最近わが国においてクマ糸状虫 *Dirofilaria ursi* による人体例が報告されている．

【和名・種名】　イヌ糸状虫
　　　　　　　Dirofilaria immitis
【疾病名】　イヌ糸状虫症　dirofilariasis
【分布と疫学】

本虫の成虫はイヌの心臓に寄生しており，世界に広く分布し，わが国のイヌにおける感染率は地域によって差はあるが平均30％前後とされている．本虫の幼虫の人体感染は外国ではかなり前から知られていたが，わが国では1964年，西村が第1例（皮下寄生）を発見し，1969年に吉村らが肺寄生を初めて報告した．それ以来2014年までに195例報告されている．その内訳は，肺寄生173例，皮下13例，腹腔3例，眼2例，子宮・肝臓・乳房・静脈内各1例となっている．一方，諸外国ではイヌやネコに感染している ***Dirofilaria repens*** という種の幼虫の人体感染が多数報告されているが，わが国でも2016年までに4例報告された．虫種の鑑別は遺伝子診断などによる．

【形態と生活史】

本虫の成虫は固有宿主であるイヌをはじめ種々の動物の右心室および肺動脈内に寄生している（図202）．体長は雄12〜20cm，雌25〜30cm，体幅はそれぞれ1mm，1.5mmと非常に細長くソーメン状である．

雌の体内で**ミクロフィラリア microfilaria** と称する幼虫が作られ，陰門から産出され血流中に入る．ミクロフィラリアは鞘を持たず，体長は218〜329μmである（図203）．

したがって感染しているイヌの血中にはミクロフィラリアが存在し，やはり夜間に末梢血中に多く現れる．これを媒介者 vector の**蚊**が吸血して摂取すると蚊の体内で感染幼虫にまで発育し，次の吸血時に吻に現れ，吸血時の刺口から宿主に侵入し感染する．媒介者となる蚊は，わが国ではアカイエカ，トウゴウヤブカ，シナハマダラカ，コガタアカイエカ，ヒトスジシマカなどである．

【症状】

本虫の成虫がイヌの心臓から肺動脈に多数寄生すると，イヌは特有の咳や嗄声を発し，次第に呼吸困難，貧血，腹水を生じ，衰弱して死亡する例もある．

本虫がヒトに感染した場合，成虫にまで発育することはできず，幼虫ないし幼若成虫の状態で寄生するが，その寄生部位から次のように分けている．

1. 肺イヌ糸状虫症
　pulmonary dirofilariasis

幼虫ないし幼若成虫が肺の血管に詰まり，**梗塞**を起こす場合で，その時の症状は，咳，痰，血痰，胸痛，発熱などであるが，無症状の場合もかなり多く，胸部X線検査で**銭形陰影 coin lesion**（図204，207）が見い出され，肺癌や肺結核の疑いのもとに摘出手術が行われ，組織学的検査で虫体の断面が見つかって初めて本症と診断される場合が殆どである（図205，206，208，209）．

2. 肺外イヌ糸状虫症
　extrapulmonary dirofilariasis

本虫の幼虫ないし幼若成虫が皮下あるいはその他の部位に移行し，**皮膚爬行症 creeping eruption** や腫瘤を形成し，外科的に摘出される場合である．その他，今までに腹腔，眼，子宮，肝臓などに寄生した例が報告されている．

【診断】

上記のような症状，とくにX線像で肺の銭形陰影を認めた場合は本症を疑うことが大切である．統計によると，本症の病巣は右肺下葉が最も多く，次いで右肺上葉，左肺上葉の順となっている．また感染者に男女差はないが，40歳以上の比較的高年齢者に多く，わが国の例では86％を占めている．

免疫学的診断についても種々試みられ，Ouchterlony法，免疫電気泳動法，ELISA などが利用されている．

【治療】

外科的に摘出する以外に根治療法はない．しかし肺寄生の場合，イヌ糸状虫の確診がつけば，それ以上増悪することはないので，強いて摘出手術をする必要はない．

イヌ糸状虫 95

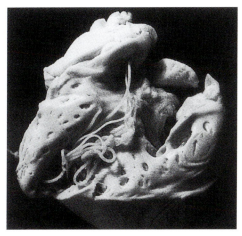

図202. イヌの右心室から肺動脈にかけて寄生しているイヌ糸状虫の成虫

図203. イヌ糸状虫のミクロフィラリア（無鞘）
（山田　稔博士撮影）

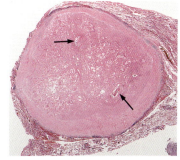

図205. 左の症例から摘出された腫瘤の断面，直径16mm，矢印は虫体の断面

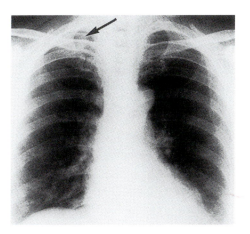

図204. 岡山県の68歳女性の右肺尖部に見い出された銭形陰影（黒矢印）と断層写真（右，白矢印）（筆者経験例）

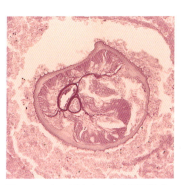

図206. 上の標本中，虫体断面拡大．雄幼若成虫尾端付近と診定

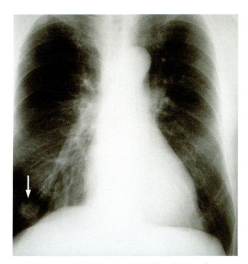

図207. 神戸市の59歳男性の右肺下葉の銭形陰影（矢印）

図208. 左の患者の摘出肺の虫体結節

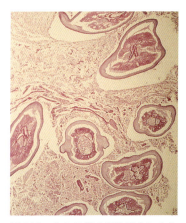

図209. 左の結節の切片標本にみられた多数の虫体断面

（図207，208，209は故西村　猛博士の厚意による）

東洋眼虫，回旋糸状虫，ロア糸状虫，メジナ虫

東洋眼虫は通常イヌの眼に寄生し，メマトイという小昆虫が媒介している．この成虫がヒトの眼に寄生した症例がわが国でかなり報告されている．回旋糸状虫はアフリカや中南米に分布し，ブユが媒介し，成虫はヒトの皮下に寄生し幼虫が眼に寄生して失明の原因となる．本症の治療薬イベルメクチンを発見した大村智博士は 2015 年ノーベル生理学・医学賞を受賞した．ロア糸状虫はアフリカの中・西部に分布し，ヒトの眼や皮下に寄生する．メジナ虫はアフリカでヒトの皮下に寄生している．東洋眼虫以外はわが国に分布しないが輸入症例が時々見られる．

I. 東洋眼虫　*Thelazia callipaeda*

【分布と疫学】

本虫は **Oriental eyeworm** といわれるようにインド，東南アジア，中国，ロシア，日本などに分布する．わが国のイヌの調査では 10%（京都）〜 20%（東京），ネコでは 1.3%（東京）に感染が見られた．わが国における人体寄生例の報告は 2014 年の時点で九州 73 例，中国 41 例，四国 23 例，近畿 14 例，中部 11 例，関東 2 例，不明 13 例（合計 177 例）と西日本に多い．

【形態と生活史】

成虫の体長平均は雄 11.3mm，雌 14.8mm，体幅は夫々 0.33mm，0.34mm で白色を呈す．成虫は主としてイヌの眼，特に結膜嚢に寄生し（図 210）涙の中に第 1 期幼虫を産出する．媒介者は**メマトイ**（Amiota 属）と呼ばれる小さな双翅目昆虫で，これが涙や眼脂を舐めるとき幼虫を摂取し，幼虫はメマトイの体内で感染幼虫にまで発育し，他の終宿主に伝播する．

【症状，診断と治療】

本虫がヒトの眼に寄生した時（図 211）の症状は，異物感，結膜充血，眼瞼腫脹，眼脂などで，治療法はオキシブプロカイン塩酸塩点眼後，虫体を摘出する．

II. 回旋糸状虫　*Onchocerca volvulus*

【分布と疫学】

本虫はアフリカおよび中南米に広く分布する．わが国には分布しないが時々輸入症例が見られる．最近わが国のイノシシに寄生している **Onchocerca japonica** の人体皮下寄生例が 11 例（大分 5 例，広島 3 例，福岡・島根・福島各 1 例）見出され，*Simulium bidentatum* が媒介ブユ種と報告された（高岡，宇仁ら，2015）．

【形態と生活史】

成虫はヒトのみに寄生し皮下に腫瘤を形成し（図 212），その中でコイル状に巻いている（図 213）．体長は雄 19 〜 42mm，雌 330 〜 500mm，体幅は夫々 0.2mm，0.4mm と雄は小さく雌は極めて細長い．雌虫からミクロフィラリアが産出され，これは母虫付近の皮下組織内に存在し，血中には現れない．体長は平均 256 μm で無鞘である．**ブユ black fly**（143 頁の写真参照）が媒介者で，感染者の組織液を吸ってミクロフィラリアを摂取すると体内で発育し，感染幼虫となり，次の感染源となる．

【症　状】

①感染した皮膚は掻痒感が強く，浮腫，萎縮が起こり，脱色斑も現れる．②頭部・背部などの成虫寄生部位に拇指頭大の腫瘤を形成する（図 212）．③ミクロフィラリアは球結膜から角膜へ，さらに網膜，視神経へと侵入するため結膜炎，角膜炎，網膜炎，視神経の萎縮へと進み，ついには失明する．

【診　断】

腫瘤付近の皮膚を直径 3 〜 5mm ほど切り取り，切った面を下にして，スライドグラス上に盛った生理食塩水の中へ入れ室温で 15 〜 60 分間放置し，遊出してくる幼虫を鏡検し虫数を数える．これを **skin snip 法**という．

【治　療】

イベルメクチン ivermectin（商品名ストロメクトール）150 μg/kg を空腹時に水で 1 回服用．必要に応じ 3 〜 6 ヵ月毎に繰り返す．殺ミクロフィラリアは強力であるが殺成虫効果は少ない．殺成虫のためイベルメクチン投与 1 週間後より**ドキシサイクリン** 200mg/日，4 〜 6 週間投与する．

III. ロア糸状虫　*Loa loa*

アフリカの中西部に分布し，ヒトの眼や皮下に寄生する．成虫の体長は雄 20 〜 30mm，雌 20 〜 70mm，ミクロフィラリアは昼間血中に出現し，**アブ horse fly** が媒介する．成虫は全身の皮下を移動し遊走性腫瘤を生ず．2013 年の時点で流行地で感染した日本人 6 例，外国人 3 例の報告がある（図 214）．治療は虫体を摘出するか，アルベンダゾールやイベルメクチンを投与する．

IV. メジナ虫　*Dracunculus medinensis*

ギニア虫ともいう．本虫は中近東やインドにも分布していたが最近アフリカに限られてきた．成虫はヒトの皮下に寄生し，雄は体長 3 〜 4cm，雌は 70 〜 120cm と細長い（図 215）．雌はヒトの足が水に浸った時そこに移動し皮膚に潰瘍が生じ，雌虫から幼虫が一斉に水中に放出され，これがケンミジンコに摂取され感染幼虫となる．ヒトはこのような水を飲んで感染する．砂漠地帯では貯水場の水が飲用，水浴などに共用されるため感染が起こる．

症状は皮膚の掻痒感，皮膚爬行症（図 216），筋炎，骨膜炎などである．治療は潰瘍から現れた虫をゆっくり巻き取る方法が昔も今も行われている．

東洋眼虫，回旋糸状虫，ロア糸状虫，メジナ虫　97

図210. 京都のイヌの眼に寄生していた東洋眼虫（矢印）

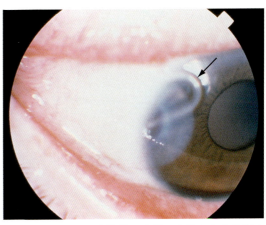

図211. 大阪の39歳男性の右眼に寄生した東洋眼虫（矢印），合計5隻摘出
（吉川正英・川崎健輔両博士の厚意による）

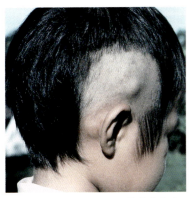

図212. グアテマラの回旋糸状虫症患者の腫瘤

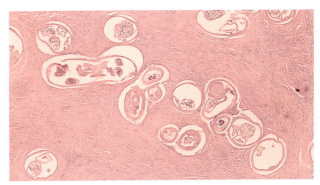

図213. 回旋糸状虫寄生皮膚腫瘤の横切像
コイル状に巻いて寄生している成虫の断面が多数認められる．

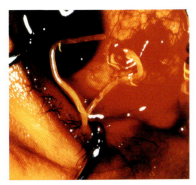

図214. ロア糸状虫
ザイールで感染した初の日本人症例，53歳，男，右眼より摘出中．
（藤田紘一郎教授の厚意による）

図215. メジナ虫雌成虫
（テヘラン大学，Arfaa教授寄贈標本）

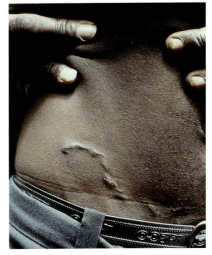

図216. メジナ虫による皮膚爬行症
（ナイジェリアの患者）

（図212, 216は多田 功教授の厚意による）

49 鞭虫，フィリピン毛細虫

鞭虫は世界に広く分布し，わが国でも古くから最も普通な腸管寄生虫の一つであったが，近年著しく減少した．しかし時々，特殊な集団生活環境内で濃厚感染をみることがある．

【和名・種名】 鞭虫 *Trichuris trichiura*
【疾病名】 鞭虫症 trichuriasis
【分布】 全世界，日本全土．最近わが国で減少してきたが，特殊な環境内で濃厚感染がみられる．筆者の経験では重症心身障害者施設2か所でそれぞれ66.7％，97.6％という高い感染率を示した．

【形態と生活史】
成虫は図217，218に示すごとく鞭(むち)のような形をしている．雌雄共，体の前方約3/5が非常に細くなっており，この部に特殊な構造をもった食道が存在する．雄の体長は3～4cm，雌は4～5cmで雄の尾端は腹側に強く巻いているので肉眼で容易に鑑別できる．

成虫はヒトの**盲腸**，ときに結腸や虫垂に寄生する．その細い体前部を腸粘膜に突込み，口の部分を粘膜上に現して寄生している．

虫卵は糞便と共に外界へ出る．新鮮な糞便中にみられる虫卵は**図219，468-F**に示すごとく単細胞卵で，厚い卵殻を有し，卵の前端と後端に栓があり，岐阜提灯様と形容される．虫卵の色は時に黄褐色，時に赤褐色である．虫卵の大きさは長径40～50μm，短径22～23μmとやや小形である．

虫卵は外界で発育し幼虫形成卵となり，これを飲み込むと感染する．嚥下された虫卵は小腸内で孵化し，第1期幼虫が現れ，これは小腸粘膜に侵入して数日後再び腸腔内に現れ，腸管を下って盲腸に達し，ここで成虫となる．

【症状】 少数寄生の場合はほとんど無症状であるが，多数寄生すると出血が認められ，腹痛，下痢，異食症，下血，貧血などを起こす．

【診断】 検便で特有の虫卵を見い出し診断する．鞭虫は産卵数が回虫などに比し少なく，雌1隻1日約900個である．したがって集卵法を行う必要がある．集卵法はAMS Ⅲ法などの遠心沈殿法がよい（第106項参照）．

【治療】
メベンダゾール 3～4mg/kg/日，朝夕分2，3日連用，または7～8歳以上なら一律に1日200mg，分2，3日間投与する方法もある．妊婦には投与しない．

フィリピン毛細虫 *Paracapillaria philippinensis*

本虫は元来わが国には分布していないが最近ルソン島で爆発的に流行し（1963年以降患者数1,300人以上，死亡率約10％），次いでタイ，エジプトでも流行が起こった．わが国では1972年以来4例発見された．

成虫の体長は雄1.5～3.9mm，雌2.3～5.3mm．ヒトの小腸粘膜内に寄生し，産出された虫卵や幼虫は糞便中にも現れるが腸管内で成虫にまで発育することもできるので虫体が増加し症状が増悪する（**自家感染**）．症状は腹痛，下痢で放置すると死亡する場合もある．**治療**はメベンダゾール400mg/日，20日間投与が有効とされる．**生活史**は不明であるが淡水魚が中間宿主で，わが国へは渡り鳥による伝播が考えられる．

本虫に近縁の**肝毛細虫** *Calodium hepaticum* は主にネズミの肝臓に寄生しているが稀にヒトの肝臓にも寄生し病害を与える．人体寄生は2013年現在世界で約70例（日本5例）である．

図217. 鞭虫の雌成虫
細い方が頭部．

図218. 鞭虫の雄成虫
尾端が強く巻いている．

図219. 鞭虫の虫卵
両端に栓あり．赤褐色．

50 旋毛虫

旋毛虫症はその症状の激しいところから欧米では古くから重要な疾患とされている．わが国では従来旋毛虫は分布しないと考えられていたが，1974年以来，青森，北海道，三重，石川，鳥取，山形，茨城などでクマの刺身を食べて本症が集団発生した．外国での感染を含め現在迄に100例近くの症例が報告されている．

【和名・種名】 旋毛虫　*Trichinella spiralis*
【疾病名】 旋毛虫症　trichinosis
【分　布】 全世界

【形態と生活史】

旋毛虫は他の寄生虫とかなり異なった生活史をもっている．すなわち一般の寄生虫では成虫から虫卵あるいは幼虫が一度宿主体外に出され，それが再び宿主に感染してくるのであるが，旋毛虫では宿主の腸管粘膜内に成虫が棲み，産下された幼虫は血行性に同じ宿主の横紋筋にばらまかれる（図221，222）．これを肉食の他の宿主が食べると感染し小腸粘膜内で成虫となるのである．

成虫の体長は雄1.2～1.4mm，雌2～3mm，体幅はそれぞれ40～50μm，60～70μmと小さい．構造は図220に示すとおりである．

宿主となる動物は非常に広く，ヒト，ブタ，イヌ，クマ，ネコ，ネズミ，イノシシ，ライオン等々で，いずれも感染動物の肉を生食して感染する．ヒトが感染するのは，欧米では主として加熱不十分の自家製ソーセージ，日本では目下のところクマ肉の刺身であるが，海外でブタ肉，クマ肉，スッポンを食べて感染した例が報告されている．

【症　状】

(1) 感染1～2週後，小腸粘膜内で成虫が幼虫を産み始める時期．下痢，腹痛，好酸球増加がはじまる．

(2) 感染2～6週後，幼虫がどんどん筋肉に運ばれる時期．顔面浮腫，発熱，各所の筋肉とくに咬筋，横隔膜，肋間筋などの激しい痛み，著明な好酸球増加がみられる．

(3) 感染6週以後，筋肉内で幼虫が被嚢する時期．重症の場合は全身浮腫，貧血，心不全，肺炎などを併発し死亡することがある．

【診　断】 筋肉の生検を行い幼虫を検出する（図221，222）．ラテックス凝集反応，Ouchterlony法など免疫診断を行う．

【治　療】 重症の場合は免疫抑制剤を用いて人体側の過剰反応を抑え危機を脱し，次いで駆虫薬を与える．

①アルベンダゾール：400mg/日，分2，5日間投与．肝機能障害，顆粒球減少，貧血，胃腸症状などの副作用がある．催奇性があるため妊婦には投与しない．

②メベンダゾール：5mg/kg/日，分2，5～7日間投与．

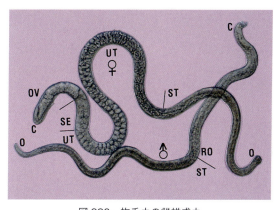

図220．旋毛虫の雌雄成虫
C．総排泄腔，O．口部，OV．卵巣，RO．生殖器，SE．受精嚢，ST．スティコソーム，UT．子宮
（高橋優三教授の厚意による）

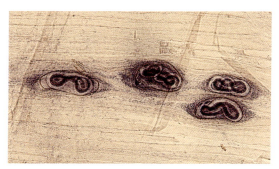

図221．横紋筋の走行にほぼ平行し，被膜につつまれて寄生している旋毛虫の幼虫

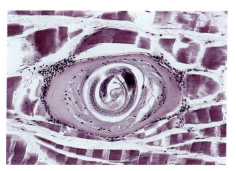

図222．筋肉中の旋毛虫の幼虫
（強拡大）

旋尾線虫

ごく最近，旋尾線虫亜目に属する線虫の幼虫がヒトに寄生し，皮膚爬行症や腸閉塞あるいは眼寄生を起こすことが知られ，次々に症例が報告されている．これの感染はホタルイカの生食による場合が最も多い．

【和名・種名】 旋尾線虫の幼虫には多くの種類があり，ヒトから見い出された幼虫を**旋尾線虫 type X**（タイプテン）と呼んできた．ところがごく最近の研究によると type X の成虫はツチクジラの腎臓に寄生している *Crassicauda giliakiana* であるという報告が出た．

【疾病名】 旋尾線虫幼虫症　larval spiruriniasis

【形態と生活史】

幼虫 type X の形態について述べると，体長は 5.43～9.80mm，体幅は 0.074～0.11mm と細長く，頭部には突出した口唇があり，尾端には 2 個の突起がある．ヒトの組織内に見い出された幼虫の断面は**図 224** に示す通りである．この線虫の中間宿主は**ホタルイカ**（図 223）やタラ，終宿主は海の哺乳類か鳥類と考えられている．

【症　状】

この幼虫が腸管に侵入・寄生した場合は，嘔吐や腹痛を訴え，腸閉塞と間違えられて開腹し，摘出される．その腸の組織を見ると，この幼虫の断面が見い出される．また幼虫が皮膚に移行してくると皮膚爬行症（図 225）を起こし，その部の組織を切ってみると，図 224 に示すような本幼虫の断面が見られる．いずれも幼虫の周囲には著明な好酸球の浸潤が見られる．

【診断と治療】

診断は虫体あるいは組織中の虫体の断面を見て確定する．本幼虫の断面はアニサキスや顎口虫の幼虫の断面に比して格段に小さいのが特徴である．

【疫　学】

患者の発生状況を見ると，1974 年，大鶴らが腸寄生の 2 例を報告して以来 1988 年頃から急に増加し，1994 年までに 51 例報告され，その後 2003 年までに更に 49 例報告された．その内訳は皮膚爬行症 23 例，腸閉塞 24 例，その他 2 例となっている．その後も毎年数例の報告がある．ホタルイカを食べて感染する例が多く，したがって患者の発生はこの漁期である 3～6 月に集中している．安藤らはホタルイカから初めて type X 幼虫を見い出し，岡沢らも日本海産ホタルイカ 1,109 匹を調べ 37 匹（3.3％）に同幼虫を見い出した．

幼虫はホタルイカの内臓にいるので生食する場合は内臓を除去する．また加熱あるいは −30℃ 4 日冷凍すれば幼虫は死滅する．

図 223．旋尾線虫の感染の原因と思われるホタルイカ

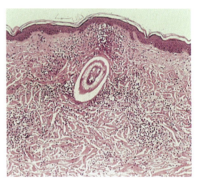

図 224．下の患者の皮下に見い出された旋尾線虫幼虫の断面

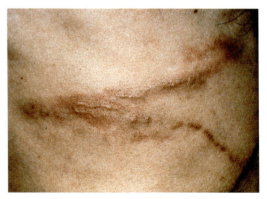

図 225．旋尾線虫幼虫による皮膚爬行症（48 歳，男）

（図 224，225 は故近藤力王至教授，信崎幹夫博士の厚意による）

各　論

II．蠕虫類

B．扁形動物

a．吸虫類

中国の日本住血吸虫症患者の腹水とヘルニア
（第63項参照）
（重慶医科大学，劉約翰教授の厚意による）

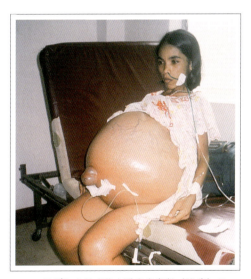

フィリピンの日本住血吸虫症患者（27歳）の
巨大腹水とヘルニア（第63項参照）
（林正高ら（1999）：Clin Parasitol., 10：34-36.：
狩野繁之博士の厚意による）

52 扁形動物および吸虫類　総論

ここでは扁形動物およびその中の吸虫類とはどのような動物か，その特徴を述べる．

I．扁形動物とは

すでに総論（3頁）で述べたように，ヒトに寄生する寄生虫を単細胞の原虫類と多細胞の蠕虫類に分け，蠕虫類をさらに線形動物と扁形動物に分ける．

この項から扁形動物に入るわけであるが，その特徴は字のごとく体が扁平である．しかし中には円筒状のもの（住血吸虫など）や球状のもの（肺吸虫など）もある．ほとんどが雌雄同体であるが例外もある（住血吸虫など）．消化管は一般に退化し簡単になっており，中にはこれを欠くものもある（条虫類など）．ほとんどのものは中間宿主を必要とし，複雑な生活史を営んでいる．

II．扁形動物の分類

1. 吸虫綱　Class Trematoda
2. 条虫綱　Class Cestoidea
（付．鉤頭虫門　Phylum Acanthocephala）

III．吸虫類の特徴

1．形態の特徴（図226 A〜E）

体には2個の吸盤があり，1つは体前端にあって口をとりかこみ，吸着して摂食を助けるので**口吸盤 oral sucker** という．他の1つは体の腹面または後端にあって，**腹吸盤 ventral sucker**（acetabulum ともいう）または後吸盤といい，主に体を固定するのに役立つ（**A**）．以前，2つの口をもつという意味でジストマ（distoma, di は 2, stoma は口の意味）とよばれたが，1つは口ではないのでこの言葉は現在は用いられない．

体表は外被で覆われ，表面には小棘や鱗片が配列している．外被の下には基底層，さらに筋層がある．筋肉は輪状筋と縦走筋とからなり蛭状の運動を行う．さらにその内側は柔組織と称する網目状の組織となっており，線虫のような擬体腔は持っていない．

神経系は体前端近くに神経節があり，ここから神経線維が各臓器に出ている（**B**）．

排泄系は柔組織内にある**焔細胞 flame cell** にはじまり，老廃物はここから集合管に集まり，体の後部にある排泄嚢に運ばれ，体後端の排泄孔から排泄される（**A**）．

消化系は体前端の口にはじまり，咽頭，食道を経て左右2本の腸管となる．腸管は通常単純で，盲管に終わり肛門はない．不必要なものは口から吐き出す．体表からも栄養を摂取している（**A**）．

生殖系について，吸虫類は若干の例外を除いて1個の個体の中に雌雄両生殖系をもち自家受精が可能である．まず雄性生殖系は精巣にはじまり，小輸精管，輸精管を経て貯精嚢に連なり，その先は射精管，陰茎となる．これらは陰茎嚢に収められている（**B**, **C**）．一方，雌性生殖系は卵巣にはじまり，卵細胞は輸卵管を通って卵形成腔に運ばれる．ここには受精嚢，ラウレル管，卵黄管などが開口しており，またメーリス腺があり，卵の受精と卵殻の形成が行われる．受精卵は子宮を下り生殖孔から産み出される（**C**, **D**, **E**）．

2．生活史の特徴（図227 A〜G）

成虫から産下された虫卵は中に**ミラシジウム miracidium**（**A**, **B**）という繊毛を有する幼虫を生じ，これが第1中間宿主の軟体動物（主として淡水産巻貝）に入り，**スポロシスト sporocyst**（**C**）となる．次いでこの中にいくつかの娘スポロシストを生ずる種と**レジア redia**（**D**, **E**）を生ずる種がある．レジアの中にはさらに娘レジアを生じ母レジアから脱出する．最終的にこれら娘スポロシストあるいは娘レジアの中に多数の**セルカリア cercaria**（**F**）が生じ貝から出る．住血吸虫などではこのセルカリアが直ちに終宿主に経皮侵入して感染するが，その他の吸虫では第2中間宿主に侵入して**メタセルカリア metacercaria**（**G**）となり，終宿主がこれを経口摂取したとき感染し成虫にまで発育するのである．

要するに吸虫類は1個の虫卵内に生じた1匹のミラシジウムが第1中間宿主の体内で増殖し（**幼生生殖**），数百匹のセルカリアとなり，それらが第2中間宿主に入ってそれぞれメタセルカリアとなる．1個のメタセルカリアは終宿主内で1匹の成虫に生育する．

人体寄生吸虫の分類

ここでは医学上重要な人体寄生吸虫類の分類について述べ，吸虫の一般構造と幼虫期の発育史を図示する．

吸虫綱　Class Trematoda
　後睾吸虫科　Family Opisthorchiidae
　○肝吸虫　*Clonorchis sinensis*
　　タイ肝吸虫　*Opisthorchis viverrini*
　異形吸虫科　Family Heterophyidae
　○横川吸虫　*Metagonimus yokogawai*
　　有害異形吸虫　*Heterophyes heterophyes nocens*
　二腔吸虫科　Family Dicrocoeliidae
　　槍形吸虫　*Dicrocoelium dendriticum*
　　膵蛭　*Eurytrema pancreaticum*
　住胞吸虫科　Family Troglotrematidae
　○ウェステルマン肺吸虫　*Paragonimus westermani*
　○宮崎肺吸虫　*P. miyazakii*

　　大平肺吸虫　*P. ohirai*
　棘口吸虫科　Family Echinostomatidae
　○浅田棘口吸虫　*Echinostoma hortense*
　蛭状吸虫科　Family Fasciolidae
　○肝蛭　*Fasciola hepatica*
　○巨大肝蛭　*F. gigantica*
　　肥大吸虫　*Fasciolopsis buski*
　住血吸虫科　Family Schistosomatidae
　○日本住血吸虫　*Schistosoma japonicum*
　　マンソン住血吸虫　*S. mansoni*
　　ビルハルツ住血吸虫　*S. haematobium*
　　メコン住血吸虫　*S. mekongi*
　○ムクドリ住血吸虫　*Gigantobilharzia sturniae*

○印は現在わが国で医学上重要な種類．

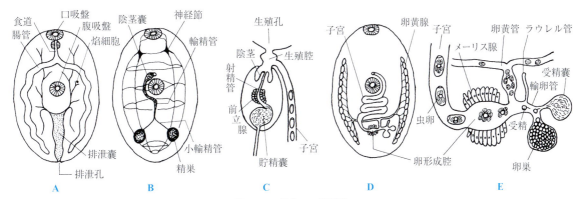

図 226. 吸虫の一般構造
A．消化系と排泄系，B．神経系と雄性生殖系，C．陰茎嚢付近の拡大図，D．雌性生殖系，E．卵形成腔付近の拡大図

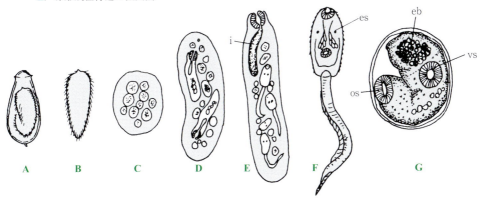

図 227. 吸虫の発育史（例　肝吸虫）
A．虫卵，B．ミラシジウム，C．幼若スポロシスト，D．発育スポロシスト，E．レジア，F．セルカリア，G．メタセルカリア，i．腸，os．口吸盤，vs．腹吸盤，eb．排泄嚢，es．眼点

肝吸虫，タイ肝吸虫

肝吸虫の成虫はヒトの肝内胆管に寄生し，寿命が長く肝硬変の原因となる．第1中間宿主はマメタニシ，第2中間宿主はモツゴなど淡水魚．ヒトはこれら魚を生食して感染する．プラジカンテルが著効を示す．わが国では減少したが2015年の時点で，韓国，中国，ロシア，ベトナムなどではなお合計1,500万人程度が感染しているという．タイ肝吸虫はタイ，ラオスなどでヒトに濃厚に感染し病害を与えている．

【和名・種名】　肝吸虫　*Clonorchis sinensis*
【疾病名】　肝吸虫症　clonorchiasis
【分　布】　日本国内の広い地域の湖沼・河川に富んだ水郷地帯に昔から流行していたが最近減少した．
【形　態】
成虫は扁平で柳の葉状，体長10～20mm，体幅3～5mmである．構造は図228に示すとおりである．
虫卵の特徴は，①大きさが長径27～32μm，短径15～17μmと小形である．②全体的に茄子形を示し，前端には陣笠状の**小蓋**があり，その部分が卵殻より横に突出している．③色調は黄色．④尾端に小突起がある．⑤虫卵内にはミラシジウムが形成されている（図231, 468-G）．⑥虫卵の卵殻表面には亀甲様紋様が観察される．横川吸虫卵や異形吸虫卵と鑑別を要する（次項表15参照）．
【生活史】（図229 A～E）
成虫（**A**）はヒト，イヌ，ネコ，ネズミなどの肝内胆管内に寄生し産下された虫卵は胆汁と共に十二指腸に現れ糞便と共に外界に出る（**B**）．虫卵は外界では孵化せず第1中間宿主の**マメタニシ**（**C**）（図230）に食べられるとその体内で孵化し，前項図227に示すごとく幼生生殖で増殖し多数の**セルカリア**（**D**）を生ずる．これは水中に泳ぎ出て第2中間宿主の淡水魚を求め，これに侵入して筋肉内で**メタセルカリア**（図232）となる（**E**）．最も重要な淡水魚は**モツゴ**（図233）で，この他にホンモロコ，タモロコ，ゼゼラ，ヒガイ，コイ，フナ，タナゴなど約80種の淡水魚が第2中間宿主となる．
メタセルカリア（被嚢幼虫ともいう）の特徴は図232に示すごとく，まず直径は0.14～0.15mmで，中の幼虫は体を曲げており，時々回転運動をする．柔組織内には黄褐色の色素顆粒を有し，口吸盤と腹吸盤の大きさはほぼ同じ（それぞれ50μm，60μm）である．また排泄嚢の中にはかなり大きな顆粒が充満している．メタセルカリアの形態は横川吸虫やその他の吸虫のものと鑑別する必要がある（次項表16参照）．
このメタセルカリアをヒトが魚肉と共に生食すると小腸内で脱嚢し，現れた幼虫は胆汁の流れをさか上って総胆管に入り，さらに肝内胆管枝に達して発育する．メタセルカリア摂取後23～26日で産卵を始める．肝吸虫の寿命はきわめて長く20年以上に及ぶという記録がある．

【症　状】
肝吸虫が多数寄生すると胆管を閉塞し，胆汁のうっ滞が起こり，慢性の胆管周囲炎，間質の増殖，肝細胞の萎縮・変性をきたし，長年の間に肝硬変を起こす．自覚症状としては食欲不振，全身倦怠，下痢，腹部膨満，肝腫大，さらに進むと腹水，浮腫，黄疸，貧血などをきたす．しかし少数寄生の場合はほとんど自覚症状がない．
【診　断】
検便または十二指腸ゾンデにより採取した材料から虫卵を検出して診断する．肝吸虫の産卵数は1虫当たり1日約7,000個と少ないので少数寄生の場合は集卵法を行わないと見逃される．集卵法はAMS Ⅲ法などの遠心沈殿法がよい（方法は第106項参照）．
臨床的には逆行性膵胆管造影，CT像（図234），エコー像などが参考になる．また免疫学的診断も用いられている．
【治　療】
プラジカンテル praziquantel（商品名ビルトリシド）75mg/kg/日，分3，食後投与．1～2日の投与で著効がある．

魚からメタセルカリアを検出する方法

1）**圧平法**　魚肉を2枚のガラス板で圧平し，実体顕微鏡で探索する．

2）**人工消化法**　魚体を鋏で細切し，検体1gに対し5mlの人工胃液（水1l，塩酸7ml，ペプシン1gの混合液）を加え，37℃ 3時間消化し，水で数回洗って沈渣を鏡検する．

タイ肝吸虫　*Opisthorchis viverrini*

タイ，ラオスなどで濃厚にヒトに感染している．やはり肝内胆管に寄生し肝吸虫と同様の症状を起こす．成虫は肝吸虫よりやや小さく，精巣の形が嚢状である（肝吸虫は樹枝状，図228のt）．第1中間宿主はマメタニシに似た巻貝で，*Bithynia siamensis*などである．第2中間宿主はやはり淡水魚で，人々はこれらの魚を生で食べる習慣がある．虫卵は肝吸虫と区別できない．タイ肝吸虫の濃厚感染者では胆管癌の発生率が高いことが知られている．本虫の流行地へ行ったときは現地食に注意する必要がある．

肝吸虫，タイ肝吸虫　105

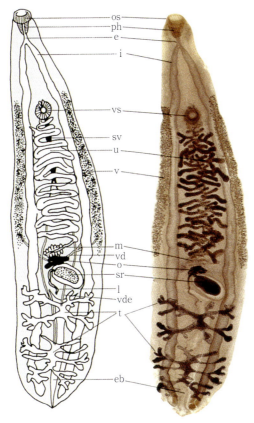

図228．肝吸虫の成虫
os. 口吸盤, ph. 咽頭, e. 食道, i. 腸, vs. 腹吸盤,
sv. 貯精嚢, u. 子宮, v. 卵黄腺, m. メーリス腺,
vd. 卵黄管, o. 卵巣, sr. 受精嚢, l. ラウレル管,
vde. 輸精管, t. 精巣, eb. 排泄嚢

図230．第1中間宿主の
マメタニシ

図231．肝吸虫の虫卵

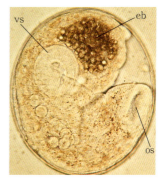

図232．肝吸虫のメタセルカリア
os. 口吸盤, vs. 腹吸盤, eb.
排泄嚢

図233．第2中間宿主のモツゴ

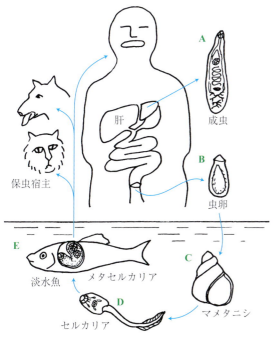

図229．肝吸虫の生活史図（説明は本文参照）

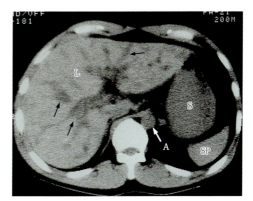

図234．肝吸虫感染者のCT像（造影剤注入）
肝内胆管の拡張（黒矢印）を認める．L. 肝, S. 胃,
SP. 脾, A. 大動脈

55 trematoda ★★★ 横川吸虫

横川吸虫は現在，わが国においてもまだかなりの感染者が存在する．小腸内に寄生する小形の吸虫で病害はあまり強くない．第1中間宿主はカワニナ，第2中間宿主はアユを始めとする淡水魚である．最近，人間ドックなどで行われた成人の検便で0.1～0.2%程度に本虫の感染が見い出されている．横川吸虫によく似た高橋吸虫 *Metagonimus takahashii*, *M. miyatai* も存在する．びわ湖の淡水魚にしばしば *M. takahashii* のメタセルカリアが鱗に認められる．

【和名・種名】 横川吸虫
　　　　　　　 Metagonimus yokogawai
【疾病名】 横川吸虫症　metagonimiasis
【分　布】 東および東南アジア一帯，日本全土
【形態と生活史】 成虫は体長1～1.5mm，体幅0.5～0.8mmと小形（図236），楕円形で図237, 238に示すような構造を持っているが，腹吸盤と生殖盤が合して**生殖腹吸盤装置**を形成しているのが特徴である．

虫卵は小形で，肝吸虫の虫卵によく似て鑑別を要する（図241, 468-H）．その鑑別点を表15に示した．産下された虫卵の内部には肝吸虫と同様ミラシジウムができているが外界では孵化しない．

生活史は図235 A～Fに示す如く成虫は小腸内に寄生し（A），虫卵は糞便と共に外界に出る（B）．虫卵が第1中間宿主の**カワニナ**（図239）（C）に食べられると体内でミラシジウムが孵化し，スポロシスト→レジア→セルカリアと発育し，セルカリアは貝から遊出して（D），第2中間宿主である淡水魚の鱗の下に侵入しメタセルカリアとなる（E）．第2中間宿主となる魚は**アユ**（図242）が最も重要で，その他，フナ，シラウオ，コイ，オイカワ，タナゴなど43種が知られている．

メタセルカリア（図240）はほぼ球形で，主として魚の鱗の内側に寄生しているが，時に魚肉内にも寄生する．魚の鱗をはがしてスライドグラスの上に置き水で封じて鏡検するとよい．中の幼虫が活発に回転運動をしている．このメタセルカリアの形態も肝吸虫のそれによく似ているので鑑別を要する．鑑別点を表16に示したが，最も大切な点は口吸盤と腹吸盤の大きさの違いである．

ヒトが本虫に感染するのは，アユなどを生で，あるいは加熱不十分の状態で食べる（F）からである．摂取されたメタセルカリアは約1週間で成虫となる．本虫の寿命は大体数か月と考えられている．

【保虫宿主】 イヌやネコにも感染している．
【症　状】 本虫は小腸粘膜に吸着して寄生しており，かつ虫も小さいので大した病害はない．しかし時に組織に侵入したり（図243）多数寄生すると腹痛や下痢を起こす．腸穿孔や腸閉塞を起こした症例もある．
【治　療】
　プラジカンテル　50mg/kgを空腹時に頓用，2時間後に塩類下剤を投与する．

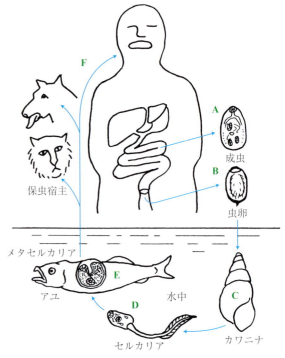

図235. 横川吸虫の生活史図（説明は本文参照）

表15. 肝吸虫と横川吸虫の虫卵の鑑別点

	肝 吸 虫	横 川 吸 虫
外　　形	下方がややふくれ茄子形	楕円形
小　　蓋	陣笠状で卵殻から横に突出している	卵殻から突出していない
長径×短径	27～32×15～17μm	28～32×15～18μm
卵殻の厚さ	横川吸虫よりやや薄い	肝吸虫よりやや厚い
色　　調	一般に黄色	一般に褐色

表16. 肝吸虫と横川吸虫のメタセルカリアの鑑別点

	肝 吸 虫	横 川 吸 虫
好適中間宿主	モツゴ，モロコ，ヒガイ，タナゴなど	アユ，フナ，シラウオ，ウグイなど
直　　径	0.14～0.15mm	0.14～0.16mm
口吸盤の大きさ	直径約50μm	楕円形45×25μm
腹吸盤の大きさ	直径約60μm	楕円形22×18μm
排　泄　嚢	嚢状，大きい顆粒	Y字形，小さい顆粒

横川吸虫

図 236. 一患者からカマラで駆出した
横川吸虫の成虫
体長は約 1mm と小さい．

図 237. 横川吸虫の成虫

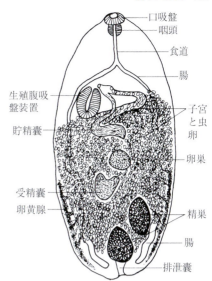

図 238. 横川吸虫成虫の模式図

図 239. 横川吸虫の第 1 中間宿主
カワニナ
(ウェステルマン肺吸虫の第 1 中間宿主
にもなる．第 57 項，第 80 項参照)

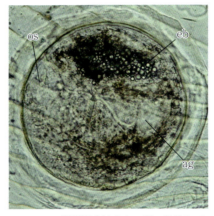

図 240. 琵琶湖産淡水魚の鱗に付着して
いた横川吸虫メタセルカリア
（表 16 参照)
ag. 生殖腹吸盤装置，eb. 排泄囊，
os. 口吸盤

図 241. 横川吸虫の虫卵
肝吸虫の虫卵との鑑別が
重要．（表 15 参照）

図 242. 横川吸虫の重要な第 2 中間宿主のアユ

図 243. 回腸下部に生じたポリープの粘膜絨毛内
深く寄生し，慢性炎症を示した症例
（猪狩弘之，粉川隆文両医師の厚意による）

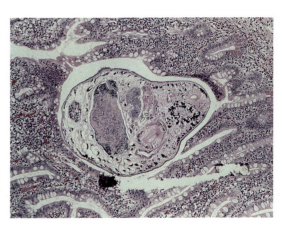

56 有害異形吸虫，槍形吸虫，肥大吸虫，膵蛭

これらの吸虫は現在，わが国で時々人体寄生例に遭遇する程度である．

I．有害異形吸虫
Heterophyes heterophyes nocens

エジプトには**異形吸虫** *Heterophyes heterophyes* という吸虫が分布しており，わが国でもこれによく似た吸虫が発見された．生殖吸盤上の棘の数が異形吸虫では60〜90本あるのに対し，わが国のものは52〜63本と少ないので亜種として扱い，有害異形吸虫という和名が与えられた．

成虫（図244）は体長約1mm，体幅約0.5mmと小さく，ヒトの小腸内に寄生する．

第1中間宿主は**ヘナタリ**（図246，第80項参照）という河口付近に棲む貝で，第2中間宿主は**ボラ，メナダ，ハゼ**など，やはり汽水域に棲む魚類である．

虫卵は小蓋を有し，長径23〜27μm，短径14〜16μm，肝吸虫卵に似ているがさらに小さい（図245）．

症状は少数寄生の場合はほとんど無症状である．

有害異形吸虫の感染者は瀬戸内海沿岸や千葉県などから比較的多く報告されている．最近，影井らはエジプトで異形吸虫に感染した日本人4例を報告し，筆者も同様の1例を経験した（図244）．

II．槍形吸虫　*Dicrocoelium dendriticum*

本虫はヒツジをはじめ多くの草食動物の胆管に寄生している．世界各地に分布し，わが国にも存在する．わが国でヒトの感染例は長野，愛知，岡山，大阪，島根などで合計11例報告がある．

成虫は体長5〜15mm，体幅1.5〜2.5mmで図247に示すような構造をもっている．

虫卵は図248に示すように楕円形で褐色に着色し，卵殻がかなり厚く，明瞭な小蓋を有する．大きさは長径38〜45μm，短径22〜30μmで中にミラシジウムをもっている．

第1中間宿主はマイマイの類で，第2中間宿主はアリである．メタセルカリアをもったアリが偶然ヒトの口に入ると感染する．胆管内で成虫となり，肝蛭症（第62項参照）に似たかなりひどい症状を示すことがある．

III．肥大吸虫　*Fasciolopsis buski*

本虫は本来ブタの小腸内に寄生する大形の吸虫であるがヒトにもしばしば感染する．流行地は中国，台湾，ベトナム，タイ，マレーシア，インドなどで，わが国には分布しない．

成虫（図249）は長径20〜75mm，短径8〜20mm，厚さ0.5〜3mmと大きく分厚い．

虫卵（図250）は大形で長径130〜140μm，短径80〜85μm，楕円形で卵殻は薄く，前端にはっきりしない小蓋を有し，肝蛭の虫卵（第62項参照）によく似ている．

第1中間宿主は**ヒラマキガイ**の類で，この中で発育したセルカリアが水中に遊出し，水生植物の表面に付着してメタセルカリアとなる．ヒトは水に浮かぶ菱の実などを食べた時に感染することが多い．

症状はかなり重く，腹痛や下血を起こすことがある．

IV．膵蛭　*Eurytrema pancreaticum*

本虫はヒツジ，ウシ，スイギュウ，ブタなどの膵管に寄生している．東洋およびブラジルに分布し，わが国のウシにも見い出される．

成虫（図251）は体長約10mm，体幅約5mmで，虫卵は槍形吸虫の虫卵によく似ている．

第1中間宿主は**オナジマイマイ**など陸産貝，第2中間宿主は直翅目の**ササキリ**の類である．

わが国でも時々，人体寄生例が発見され，最近，石井ら（1983）は福岡県で一女性の剖検に際し，膵管から15隻の成虫を見い出し，また高岡ら（1983）も大分県で一女性の手術により3隻の成虫を見い出した．

有害異形吸虫，槍形吸虫，肥大吸虫，膵蛭　109

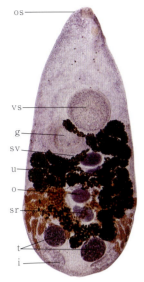

図244. 異形吸虫の成虫
エジプトで感染し，帰国後筆者らが駆虫した患者（40歳女性）から得た虫体.
os. 口吸盤, vs. 腹吸盤, g. 生殖吸盤, sv. 貯精嚢, u. 子宮, o. 卵巣, sr. 受精嚢, t. 精巣, i. 腸管

図245. 異形吸虫の虫卵
（図244の患者より排出）

図246. 有害異形吸虫の第1中間宿主ヘナタリ

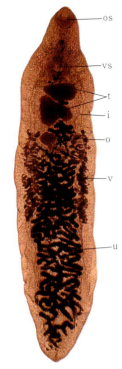

図247. 槍形吸虫の成虫
v. 卵黄腺（他の略号は図244参照）

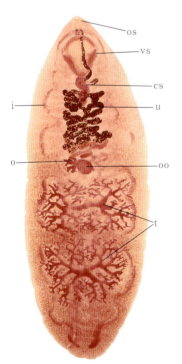

図249. 肥大吸虫の成虫
oo. 卵形成腔, cs. 陰茎嚢
（他の略号は図244参照）

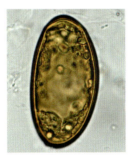

図248. 槍形吸虫の虫卵
（故高田季久教授の厚意による）

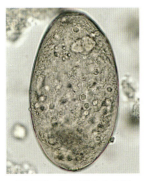

図250. 肥大吸虫の虫卵

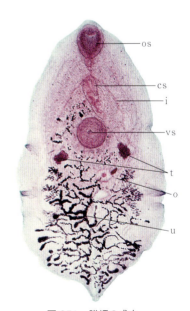

図251. 膵蛭の成虫
cs. 陰茎嚢（他の略号は図244参照）

57 ウェステルマン肺吸虫［A］形態・生活史・疫学

わが国には数種の肺吸虫が分布するがヒトに寄生するのはウェステルマン肺吸虫と宮崎肺吸虫とである．ウェステルマン肺吸虫症は戦後経済発展と共に減少していたが，最近また増加の傾向にある．その理由は待機宿主であるイノシシやシカの肉を生食したり，第2中間宿主のカニを生食したりする嗜好が増加しているためと思われる．

【和名・種名】　ウェステルマン肺吸虫
　　　　　　　Paragonimus westermani
【疾病名】　ウェステルマン肺吸虫症，脳肺吸虫症
【分　布】　東アジアおよび東南アジア．日本では北海道を除く全土，中でも九州に比較的多い．

【形　態】
成虫は体が分厚く，ラグビーボール状で，体長約12mm，体幅7mm，厚さ5mmである．体表には皮棘が生えているが本種の皮棘は単生で，先端が2～3棘以上には分岐しないのが特徴である．

この生きた成虫を第111項で述べる方法で標本を作り観察してみると図252のような構造が分かる．他の肺吸虫との重要な鑑別点は，まず卵巣が6本の棍棒状に分葉していること，精巣が左右それぞれ6個および5個に分葉していることである．

最近，受精嚢の中に精子が認められるものと認められないものを区別し，二倍体型と三倍体型とに分け，ヒトの肺実質内に寄生するのは三倍体型とされているので以下これについて述べる．

虫卵（図253，468-I）の大きさは長径80～90 μm，短径46～52 μmと人体寄生虫卵の中では大形である．特徴は濃い褐色を呈し，前端に大きな小蓋がある．全体として形が変異に富み，左右非相称で，小蓋のある側，すなわち前半に最大幅があり，後半はやや尖り，後端は卵殻が著明に肥厚している．

【生活史】（図257 A～F）
成虫はヒトの肺実質内で虫囊を形成して寄生している（A）．したがって虫卵は喀痰の中に出てくる．また喀痰はしばしば飲み込まれるので糞便の中にも出てくる（B）．虫卵が排出されたときには，まだミラシジウムが形成されていないが，2～3週間でミラシジウムを形成し，これが水中に遊出し，第1中間宿主の**カワニナ**（第55項の図239）に侵入する（C）．カワニナの体内でスポロシスト→レジア→第2代レジア→セルカリアと発育する．肺吸虫のセルカリアは短尾セルカリア（図254）で，これが第2中間宿主に侵入する（D）．第2中間宿主は**モクズガニ**（図256）と**サワガニ**（図255）が重要で，この体内でメタセルカリアとなる（E）．

メタセルカリアはモクズガニでは主に鰓や筋肉の中に存在し，サワガニでは肝臓や筋肉の中に存在する．メタセルカリアの直径は0.3～0.4mmで，形態は図258，272に示すごとく，その被膜は薄い外膜としっかりした内膜とから成り，幼虫はその中で体を縮めて存在し，中央に顆粒を満たした排泄囊が黒く見え，それを取り巻いて腸管がラセン状に見える．また口吸盤も見える．

ヒトなど終宿主がメタセルカリアを摂取（F）すると小腸で幼虫が脱囊し，腸管を貫いて腹腔に現れ，一時，腹壁の筋肉に侵入し，再び腹腔に現れ，横隔膜を貫いて胸腔に入り，肺の表面から肺実質に侵入する．メタセルカリアを摂取してから約1か月で成虫となる．

【感染と疫学】
ヒトが本虫に感染するのはカニ体内のメタセルカリアを生で摂取するからで，カニの調理法に問題がある．すなわち，ある地方ではモクズガニを潰してカニ汁などを作るが，その際，まな板や包丁に付着したメタセルカリアが他の食品と共に人の口に入ることが多い．

ところが最近，南九州で本症患者が136人も発生し，よく調べてみると，これらのヒトは**イノシシ**の肉を生で食べており，恐らくイノシシがカニを食べたとき，カニ体内の肺吸虫幼虫が筋肉内に移行し，イノシシは非固有宿主であるため本虫は幼虫のまま待機し（待機宿主），ヒトがそれを食べて感染したものと考えられる（乗松ら，1975）．このような患者はその後も増え，2003年には241例に達し，その後も報告が続いている．

さらに最近シカの肉を生食して本虫に感染した例が7例報告され，シカの肉からも幼虫が見つかっている．

モクズガニはわが国の河川にも棲息し，海に下って産卵し，幼カニは川を遡行して発育し，成熟すると背甲の横径は10cmにも達し，美味なので食用に供される．以前，肺吸虫症が蔓延していた頃はこのカニの危険なことが宣伝され，その後水質汚濁などでカニも減少していたが，最近増殖し，珍味として出回るようになり，老酒に漬けた中国料理（酔蟹）による感染が数十例報告されている．また佐賀県玉島川のモクズガニ69匹中13匹にメタセルカリアが検出され，その他，対馬，兵庫県円山川のカニからも検出されるようになった．

一方，サワガニはわが国各地の山間渓流に棲息し，ウェステルマン肺吸虫二倍体型の第2中間宿主になっている．しかし二倍体型の方はヒトに感染した場合，成虫にまで発育し難く，未成熟のまま胸腔に現れ，胸水などを起こすことが多いとされている．

ウェステルマン肺吸虫 111

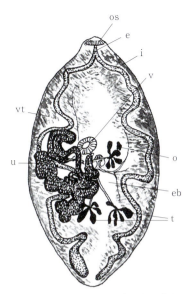

図252. ウェステルマン肺吸虫の成虫
e. 食道, eb. 排泄嚢, i. 腸管, o. 卵巣, os. 口吸盤, t. 精巣, u. 子宮, v. 腹吸盤, vt. 卵黄腺

図253. ウェステルマン肺吸虫の虫卵
（矢印は小蓋）

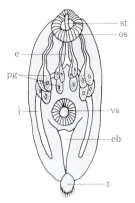

図254. セルカリア
e. 食道, eb. 排泄嚢, i. 腸管, pg. 穿刺腺, os. 口吸盤, st. 穿刺棘, vs. 腹吸盤, t. 尾

図255. 第2中間宿主のサワガニ

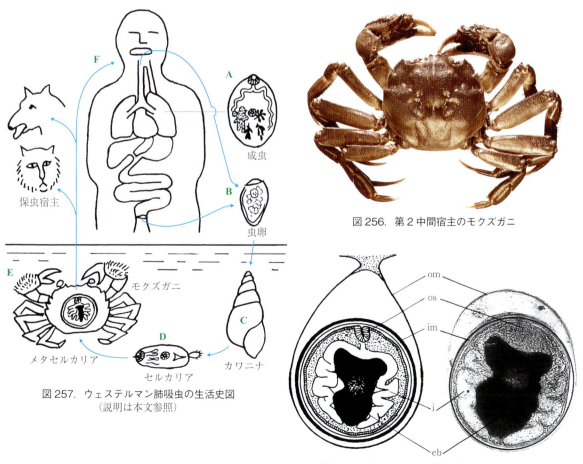

図256. 第2中間宿主のモクズガニ

図257. ウェステルマン肺吸虫の生活史図
（説明は本文参照）

図258. ウェステルマン肺吸虫のメタセルカリア
om. 外膜, os. 口吸盤, im. 内膜, i. 腸管, eb. 排泄嚢

58 ウェステルマン肺吸虫［B］症状・診断・治療

本虫は主にヒトの肺実質内に寄生するので患者は血痰を喀出し、また胸部X線所見上、種々の陰影を示し、肺結核や肺癌と誤診されやすい。本虫はまた脳をはじめ人体各所に異所寄生する性質がある。診断は喀痰または糞便からの虫卵検査ならびに種々の免疫診断が有用である。治療はプラジカンテルが著効を示す。

【症　状】

1）肺に寄生した場合

ウェステルマン肺吸虫の成虫がヒトの肺実質内に寄生した場合、拇指頭大の虫嚢を形成する（図259）。虫嚢の中にはしばしば2虫体が存在し（図260）、さらに組織の破壊物、血液、虫体の排泄物、虫卵、シャルコー・ライデン結晶などを含んだ汚いチョコレート色の液が貯留している。

肺吸虫症の主症状は**血痰**で、時に咳や胸痛を伴う。血痰は鮮血のこともあるが大抵はチョコレート色の汚い血痰である。このような血痰が長く続くわりには全身状態のよいのが特徴で、肺結核や肺癌との鑑別点の一つとなっている。

2）脳に寄生した場合

本虫は時に脳に異所寄生することがあり、そのような場合は重篤で、頭痛、嘔吐、てんかん様発作、視力障害、麻痺など脳腫瘍に似た症状を起こし、時に死亡する場合がある。これを**脳肺吸虫症**と称し、最初の例は日本で発見された（大谷1887）。その後わが国で百数十例報告されている。

3）その他の場所に寄生した場合

肺吸虫は人体各所に異所寄生する性質があり脳のほかに皮下、腹腔内、眼、泌尿生殖系、縦隔洞、咬筋などから見い出され、それぞれの部位に障害を及ぼしている。

【診　断】

チョコレート色の汚い血痰を出し、一般状態が比較的良好でツベルクリン反応陰性の場合は本症を疑う。

1）喀痰検査

喀痰を少量スライドグラス上にとりカバーグラスをかけて直接鏡検してもよいが、虫卵が少ない場合は集卵法を用いる。すなわち試験管に喀痰をとり、約10倍量の2% NaOHを加えてよく攪拌し、約10分後、遠心沈殿して沈渣を鏡検する。

2）糞便検査

喀痰は無意識に嚥下されるので糞便検査は必要である。AMS III法などの遠心沈殿集卵法を用いるのがよい（第106項参照）。

3）胸部X線検査

浸潤影、結節影、透亮影など種々の陰影を示す。断層撮影で明瞭な像を得ることが多い（図261, 262）。肺結核や肺癌との鑑別はX線像だけでは困難である。最近はCTやMRIなどの検査が用いられている。

4）免疫反応検査

疑わしい患者にはまず**皮内反応**が行われていたが、現在は殆ど行われなくなった。診断液（VBS抗原）は虫体の抽出液で専門家が保有しているので相談するとよい。

ツベルクリン用注射器でこの抗原液を皮内に注射し、その膨隆の直径が3～4mm（0.01～0.02ml）になるように注入する。15分後に膨隆の直径を測定する（図263）。

［判定例］
注射時の膨隆の縦横径　3×4mm（平均4mm）
15分後の膨隆の縦横径　8×10mm（平均9mm）
腫脹差　9mm−4mm＝5mm

判定基準は膨隆差が3mm以内陰性、4mm擬陽性、5mm以上陽性とする。反応が強いときは膨隆がアメーバ状に拡大する。周囲の発赤は参考程度に留める。

皮内反応が陰性の場合はほぼ確実に肺吸虫症を否定できるが陽性の場合は、非特異反応もあるので直ちに感染していると断定することはできない。さらに虫卵検査や他の血清反応を行う必要がある。

皮内反応は本症が治癒した後も長年月の間陽性を示すが補体結合反応は治癒後6～12か月で陰転するので治癒の判定に役立つ。その他、Ouchterlony法（図264）、電気泳動法などが行われてきたが、現在はELISA法や遺伝子解析などが利用され、肺吸虫の種類まで判明するようになった。

【保虫宿主】

本種はヒトの他にイヌ、ネコ、トラなど多くの動物が終宿主となっている（保虫宿主）。

【治　療】

プラジカンテル praziquantel（商品名ビルトリシド）が著効を示す。用法は本剤75mg/kg/日、2～3日服用とする。

脳肺吸虫症の場合、従来は開頭術を行って虫体を摘出していたが、脳腫瘍でなく肺吸虫の診断が下せればプラジカンテルの強力な薬物治療をまず行うべきであろう。

図259. ウェステルマン肺吸虫のメタセルカリアを実験的にイヌに与え，生じた虫囊（矢印）

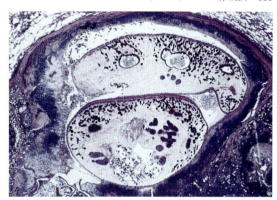

図260. 実験感染イヌの肺の組織切片像
虫囊内に2隻の成虫がペアで寄生している．

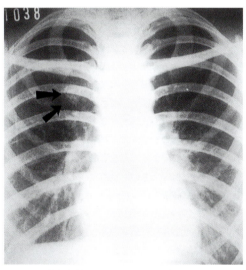

図261. 京都府竹野郡網野町で見い出したウェステルマン肺吸虫症の一少女（16歳）の胸部X線像
右肺上葉に虫囊結節が認められる（矢印）．喀痰と便の中に虫卵陽性，ビチオノール投与により根治した．

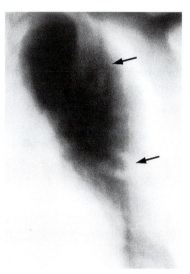

図262. 左と同じ地域の別の少女（7歳）の左肺の断層撮影
矢印の所に虫囊の輪状透亮影が明瞭に認められる．本例は肺葉切除術を行い，病巣から成虫1隻を摘出した．

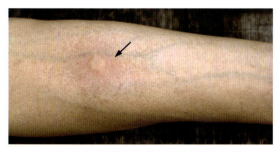

図263. 肺吸虫症患者の皮内反応（矢印は膨隆）

図264. 図263の患者のOuchterlony法，ウェステルマン肺吸虫抗原（Pw）との間に著明な沈降線を認める
Pm. 宮崎肺吸虫，Po. 大平肺吸虫，Fh. 肝蛭，As. 回虫，Dm（l）. マンソン裂頭条虫幼虫の各抗原

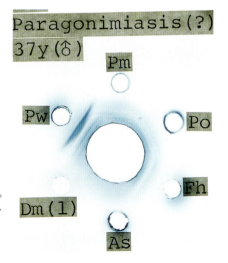

宮崎肺吸虫

宮崎肺吸虫は日本に広く分布し，イタチ，テン，タヌキ，イノシシなど野獣に成虫が寄生している．第1中間宿主はホラアナミジンニナという貝，第2中間宿主はサワガニである．このサワガニを生で食べさせる料理屋があり，時々患者が発生する．主症状は気胸，胸水で，好酸球増加を伴う胸水貯留の場合は本症を疑うことが大切である．

【和名・種名】　宮崎肺吸虫
　　　　　　　Paragonimus miyazakii
　　　　　　　（最近 *Paragonimus skrjabini miyazakii* と亜種となっている）

【疾病名】　宮崎肺吸虫症

【歴史と分布】

本虫は1955年，宮崎一郎によって九州のイタチから発見され，その後1961年に加茂甫によって宮崎肺吸虫と命名された．本虫は北海道を除く全国各地に広く分布し，上記のような野獣の肺に寄生している．

【形態と生活史】

1. 成虫　本虫の形態的特徴は，①圧平標本における全形は両端が細く伸び，紡錘形を示すこと，②皮棘は単生，③卵巣はかなり複雑に分枝，④精巣もかなり長い分枝を出す，⑤口吸盤は腹吸盤よりやや小さい，などの点である（図265）．

2. 虫卵　ウェステルマン肺吸虫とはかなり形態が異なる．すなわち，①長径70〜77μm，短径41〜46μmと小さく，②卵殻の厚さも1.02μmと薄く，③卵殻の無蓋端も肥厚せず，小さな凹みを示すことが多い（図266，468-J）．

3. 第1中間宿主　ホラアナミジンニナという微小な巻貝（図267，第80項のF）が第1中間宿主となっている．また東海地方ではカワネミジンツボという小さな貝も中間宿主となっている．

4. 第2中間宿主　山間渓流に棲むサワガニ（図255参照）が第2中間宿主となる．貝から遊出したセルカリアはカニの体内に入りメタセルカリアとなるが，ウェステルマン肺吸虫のメタセルカリアと次の点で異なる．①好寄生部位は心臓付近または甲殻の内側の膜などである．②サイズが大きく直径480〜490μm，③内膜，外膜がそれぞれ16.8μm，10.3μmと厚い（図268，272）．

サワガニには前述のウェステルマン肺吸虫のメタセルカリアも寄生しており，形態的に鑑別困難なときは終宿主動物に感染させ成虫を得るか，あるいは分子遺伝学的検索による．

【症　状】

従来，わが国でヒトに寄生する肺吸虫はウェステルマン肺吸虫のみと考えられていたが，1974年以降，横浜，東京，山梨，京都などでサワガニを生食した後に**気胸**や**胸水貯留**，**胸痛**などを起こし，強い**好酸球増加**を示す患者が次々に発見され，免疫学的検査で宮崎肺吸虫の抗原と最も強い反応を示すところから本虫の感染と考えられるようになった．その後，症例は全国各地から報告され，2013年までに169例を数えるが特に東京都，神奈川県に多い．

宮崎肺吸虫症の症状の特徴は，虫体は通常肺実質内に虫嚢を形成しないのでX線像でも虫嚢像は見られず，また血痰などは出さず，主に気胸や胸水貯留などが見られる点である．この理由は，宮崎肺吸虫にとってヒトは好適な宿主ではないので成虫にまで発育しがたく，幼虫ないし幼若成虫が胸膜を貫いて出たり入ったりするため上記のような症状を呈するものと考えられる．しかし最近の報告に依れば，虫嚢形成，喀痰・糞便からの虫卵検出などウェステルマン肺吸虫と同様の症状を示した例も報告されている．

図269は筆者の経験した患者で著明な胸水を認め，かつ免疫電気泳動法で宮崎肺吸虫の抗原と最も強い反応を示した症例である（図270）．

【診　断】

喀痰や糞便内に虫卵を認めない場合が多い．サワガニ生食の有無，気胸，胸水，好酸球増加など特有の症状から本症を疑い，各種の免疫反応を利用して診断する．この際血清とともに胸水がよい材料となる．

【治　療】

ウェステルマン肺吸虫と同様**プラジカンテル**が有効である．75mg/kg/日，分3，2〜3日連用する．

【疫　学】

わが国の各地で，サワガニを生きたまま提供する料理屋があり，ほとんどの患者はこのような機会に感染している．わが国における宮崎肺吸虫の分布は広く，サワガニからメタセルカリアが見い出された府県は，北から岩手，秋田，山形，福島，新潟，茨城，静岡，愛知，福井，滋賀，京都，兵庫，三重，奈良，和歌山，島根，広島，山口，香川，徳島，愛媛，高知，福岡，佐賀，大分，長崎，熊本，宮崎で，調査が進めばその他の府県にも分布している可能性がある．

図265. 宮崎肺吸虫成虫の圧平標本
（デラフィールドのヘマトキシリン染色）

図266. 宮崎肺吸虫の虫卵
ウェステルマン肺吸虫の虫卵と形態が異なる．（本文参照）

図267. 第1中間宿主のホラアナミジンニナ
殻高1〜1.5mmと小さい．

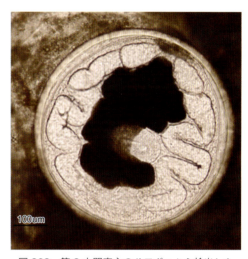

図268. 第2中間宿主のサワガニから検出した宮崎肺吸虫のメタセルカリア
外膜が厚いのが特徴．

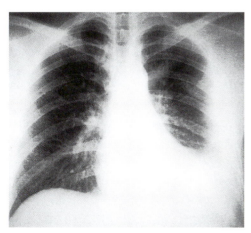

図269. 京都で見い出された宮崎肺吸虫感染と思われる患者の胸部X線像（筆者経験例）
左胸腔に著明な胸水貯留を認める．

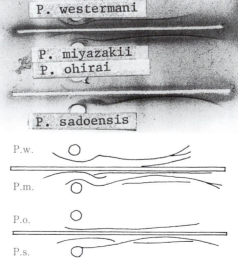

図270. 左の患者の血清の免疫電気泳動像
宮崎肺吸虫抗原との間に最も強い反応を認める．
（杏林大学，故辻教授実施）

大平肺吸虫，その他の肺吸虫

ここに述べる肺吸虫は主にイタチ，ネズミ，タヌキ，イヌ，ネコなどの動物に寄生している．ヒトに寄生したという確実な例は知られていないが研究材料として用いられている．小形大平肺吸虫と佐渡肺吸虫は大平肺吸虫のシノニム（同物異名）とする説もある．

I．大平肺吸虫　*Paragonimus ohirai*

【分　布】目下，東京，千葉，茨城，静岡，愛知，石川，三重，京都，兵庫，高知，熊本，宮崎，鹿児島などの都府県下の大河の河口域に分布している．揚子江にも分布している．

【形態と生活史】

成虫　皮棘が群生し，卵巣が複雑に分枝している．

虫卵（図273）　ウェステルマン肺吸虫卵より小形で左右相称，最大幅が中央付近にあるものが多い．

第1中間宿主　ムシヤドリカワザンショウ（図274）

第2中間宿主　クロベンケイガニ（図271），ベンケイガニなど．第1中間宿主と同じく汽水域に棲息．

メタセルカリア（図272）　ウェステルマン肺吸虫のメタセルカリアより小さく，外膜と内膜を有し，体肉内に赤色の顆粒を有する．

II．小形大平肺吸虫　*Paragonimus iloktsuenensis*

【分　布】わが国では大阪，兵庫，鹿児島に分布．中国，台湾，韓国にも分布する．

【形態と生活史】

成虫・虫卵　大平肺吸虫に類似する．

第1・第2中間宿主　大平肺吸虫のものに同じ．

メタセルカリア（図272）　大平肺吸虫と異なる点は内膜を欠く点である．

III．佐渡肺吸虫　*Paragonimus sadoensis*

【分　布】佐渡島の山間渓流

【形態と生活史】

成虫・虫卵　大平肺吸虫に類似する．

第1中間宿主　ナタネミズツボという淡水産の貝．

第2中間宿主　サワガニ．

本種は大平肺吸虫に似ているが，中間宿主が異なり，純淡水域に棲息すること，セルカリアやメタセルカリアの形態がやや異なることで別種とされているが，大平肺吸虫と同種とする説もある．成虫はイタチの肺に寄生している．

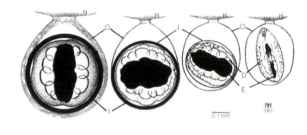

図272．わが国に分布する肺吸虫のメタセルカリアの形態比較

1．宮崎肺吸虫，2．ウェステルマン肺吸虫，3．大平肺吸虫，4．小形大平肺吸虫．H．宿主，O．外膜，I．内膜，D．腸管，E．排泄囊．佐渡肺吸虫は3に似る．

（故宮崎一郎博士の厚意による）

図271．大平および小形大平肺吸虫のわが国における第2中間宿主クロベンケイガニ

図273．大平肺吸虫の虫卵

図274．ムシヤドリカワザンショウ

（第80項参照）

61 棘口吸虫

棘口吸虫類の吸虫は世界に広く分布し、鳥類、哺乳類、爬虫類などから数百種が記載されている。その中で日本でヒトに寄生が認められた種は5種あるが、その中で最近、浅田棘口吸虫という種のヒト寄生がかなり多い。そこでこの種を中心に述べる。

浅田棘口吸虫　*Echinostoma hortense*

【形態と生活史】

成虫（図277）　ネズミ、イヌ、イタチなどの小腸に寄生しているがヒトの小腸にも寄生しうる。体長約8.4mm、体幅約1.3mm、頭端は頭冠を形成し、本種では27〜28本の頭冠棘が並んでいる。

虫卵（図276、468-K）　長径120〜140μm、短径70〜90μmと大形、楕円形で卵殻は薄く、前端に不明瞭な小蓋があり、後端は結節状、淡黄色を呈する。

第1中間宿主　モノアラガイ、ヒメモノアラガイ（次項図280、第80項参照）。

第2中間宿主　ドジョウ、カエル、イモリ、サンショウウオなど。**メタセルカリア**（図275）はほぼ球形で直径は約160μm、中に幼虫を含んでいる。

【感　染】　ヒトの感染は上記第2中間宿主の生食によるが、わが国で最も感染する頻度の高いのはドジョウの踊り食いである。

【症　状】　**心窩部痛**が最も多く、著明な末梢血の**好酸球増加**を伴う。その他、悪心、嘔吐、下痢、発熱もみられる。

【診　断】　糞便検査により特有の虫卵を検出する。虫卵は肝蛭虫卵（次項参照）と鑑別を要する。

【治　療】　プラジカンテル　50〜75mg/kg/日、1〜2日投与する。

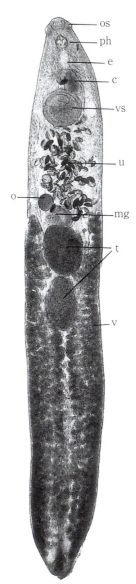

図277. 浅田棘口吸虫の成虫
c. 陰茎嚢、e. 食道、mg. メーリス腺、o. 卵巣、os. 口吸盤、ph. 咽頭、t. 精巣、u. 子宮と卵、v. 卵黄腺、vs. 腹吸盤

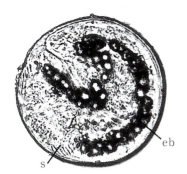

図275. 浅田棘口吸虫のメタセルカリア
ドジョウの鰓から採取したもの。eb. 排泄嚢、s. 頭冠棘

図276. 浅田棘口吸虫の虫卵
患者の糞便中に見い出されたもの。（筆者経験例）

肝蛭

肝蛭類は世界で数種あり，主なものは肝蛭と巨大肝蛭である．わが国に分布するのは巨大肝蛭が主である．これら肝蛭は通常，ウシやヒツジの胆管に寄生し害が大きい．わが国のウシにも多く寄生している．これがときどきヒトに感染し強い症状を起こす．

I．巨大肝蛭　*Fasciola gigantica*

【疾病名】　肝蛭症　fascioliasis

【分布】　アジア，アフリカ，ハワイなど，わが国に分布する種は巨大肝蛭が主と考えられている．

【形態と生活史】（図282 A～I）

成虫（図278）　体長50～60mm，体幅10～13mm，ヘラ形で体長は体幅の3倍以上ある．通常はウシやヒツジの胆管内に寄生している（A）．

虫卵（図279，468-L）　長径150～190μm，短径75～95μmと極めて大きく，寄生虫卵の中で最も大形である．形は長楕円形，卵殻は薄く，前端には不明瞭な小さい小蓋がある．無蓋端はやや肥厚し，全体に淡黄色を呈する．虫卵は胆汁と共に排出され，糞便中に現れる（B）．外界で発育して中にミラシジウムを生じ，これが水中に遊出して第1中間宿主に侵入する（C）．

第1中間宿主（D）　わが国で最も重要なものはヒメモノアラガイ（図280，第80項のH）である．この体内でスポロシスト，レジア，セルカリアと発育し，セルカリア（E）は水中に遊出して付近の水草や木片などの表面で被嚢してメタセルカリアとなる（F）．したがって第2中間宿主は存在しない．

メタセルカリア（図281）　直径220～250μmの球状で中に幼虫を含む．

【感染】　このようなメタセルカリアをウシやヒツジが草と共に食べると感染する．ヒトが感染するのは次の二通りが考えられる．①セリ，ミョウガ，タガラシなど水辺栽培の植物を生食するときメタセルカリアを摂取する（G）．②メタセルカリアがウシに食べられると消化管内で脱嚢し，幼虫は消化管壁に侵入し，腹腔に現れ，さらに肝臓の表面から侵入する．ヒトがこのようなウシの消化管や肝臓を生で食べたとき感染する（H）．

ヒトの場合も，ウシと同様の体内移行を行い，最終的には胆管内で成虫となり産卵する（I）．しかし時には腹腔内で嚢腫を形成することもある．

【症状】　ヒト肝蛭症の症状は次のごとくである．

（1）激しい**心窩部痛**あるいは**右季肋部痛**

（2）発熱

（3）著明な**好酸球増加**，時に80％に達する．

（4）その他，悪心，嘔吐，咳，食欲不振，体重減少，黄疸，蕁麻疹，肝腫大を認める．時に瀕死の重症に陥ることもある．

【診断】

（1）好酸球増加を伴う胆石様心窩部痛の患者は本症を疑い，摂取した食品についてくわしく問診する．

（2）糞便および十二指腸ゾンデ採取液から特有の虫卵を検出する．検便にはAMS III法のような遠心沈殿集卵法を用いること．虫卵は棘口吸虫卵（前項参照）と鑑別を要する．

（3）逆行性膵胆管造影（図283）で肝内に造影剤の異常プーリング像を認める．

（4）腹腔鏡検査，肝シンチグラムなども診断の助けとなる．

（5）免疫学的診断法が役立つ．古くは肝蛭抗原による皮内反応，Ouchterlony法（図284），免疫電気泳動法などが行われたが，現在ではELISA法が用いられている．

【治療】

プラジカンテルを肺吸虫症治療（第58項参照）の場合と同様に行う．最近**トリクラベンダゾール** 10mg/kgを食直後に頓用（重症例では20mg/kg，分2）するのが最も有効との報告があるが妊婦と幼児には投与しない．

【疫学】

世界では1,300例以上の人体感染例が知られているが，わが国では現在まで150例近くの報告がある．

II．肝蛭　*Fasciola hepatica*

ヨーロッパやオーストラリアには本種が分布している．やはりウシやヒツジに濃厚な感染がみられ，ヒトにも感染する．成虫は巨大肝蛭より小さく体長20～30mm，体幅10～13mmで楕円形に近い．虫卵もやや小さく，長径125～150μm，短径65～90μmである．大体虫卵の長径が150μm以上を巨大肝蛭，以下を肝蛭としている．しかし種々の変異があり画然と分けられないのが現状である．京都における肝蛭寄生例が遺伝子検査で判明している[註1, 2]．

註1．Inoue K. et al.（2007）: Gut, 56: 1542.
註2．Inoue K. et al.（2007）: Parasitol. Res., 100: 665-667.

肝　蛭　119

図278. 巨大肝蛭の成虫

図279. ヒトの糞便内に見い出された巨大肝蛭の虫卵（筆者経験例）

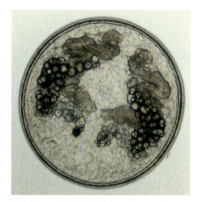

図281. 日本産肝蛭のメタセルカリア

図280. 巨大肝蛭の第1中間宿主のヒメモノアラガイ

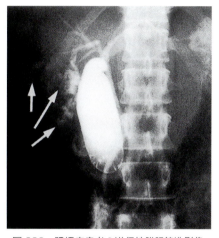

図283. 肝蛭症患者の逆行性膵胆管造影像
右葉肝内胆管の造影剤の異常プーリング（矢印）．
（筆者経験の京都在住の32歳女性）

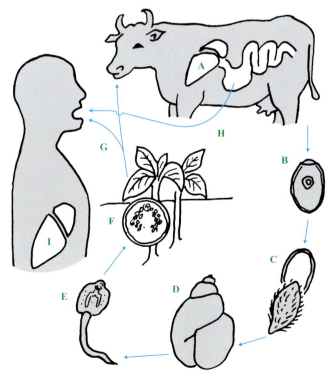

図282. 肝蛭の生活史図（説明は本文参照）

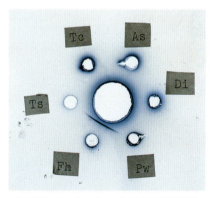

図284. **Ouchterlony**法による免疫診断
Fh：肝蛭，As：ブタ回虫，Di：イヌ糸状虫，Pw：ウェステルマン肺吸虫，Tc：イヌ回虫，Ts：無鉤条虫，の各抗原．中央に患者血清．

63 日本住血吸虫，メコン住血吸虫

trematoda ★★

日本住血吸虫の成虫および中間宿主のミヤイリガイは共に日本人学者によって発見された．本虫は東アジアおよび東南アジアに分布する．日本では限られた5地域に分布したが官民挙げての撲滅作業が成功し1977年以来，国内での感染者はなくなったが，時々，輸入症例がみられる．成虫の形態は線虫様で，雌雄異体であり，門脈系血管内に寄生する．本虫によく似たメコン住血吸虫がメコン川流域で住民に大きな被害をもたらしている．

【和名・種名】 日本住血吸虫
Schistosoma japonicum

【疾病名】 日本住血吸虫症 schistosomiasis

【分 布】 中国には広大な流行地があり，2013年時点での推定感染者数は86万人といわれる．フィリピンやインドネシアにも流行地がある．日本では広島県片山地方，甲府盆地，沼津地方，筑後川，利根川，小櫃川流域に限定して流行が見られたが現在終息した．

【形態と生活史】（図289 A～E）

成虫（図285） 雌雄異体で一見線虫のような外観を呈する．雌は円筒状で体長約25mm，体幅約0.3mmで図に示すような構造を有し，子宮内には50～100個の虫卵が並び，腹吸盤の直下の子宮孔から産下される．

雄は体長約15mm，体幅約0.5mmで，前体部は円筒状であるが後体部は鞘状になり**抱雌管**を形成する．

雄虫は雌虫を抱いた形で門脈系の種々の静脈内に寄生し（**A**），産卵時には門脈を遡って腸管の細血管に達し産卵する．その血管は虫卵で塞栓し，周囲の組織は破壊され，虫卵は腸管腔内に脱落する．成虫が血管内に存在するのに虫卵が糞便と共に外界に出る（**B**）のは上記の理由による．しかし一部の虫卵は門脈の血流によって肝臓，さらに脳にも運ばれて大きな病害をもたらす．

虫卵（図286，468-M） 長径70～100μm，短径50～70μmで淡褐色，他の吸虫卵と異なって小蓋がない．卵殻の側面に小さな突起があり，卵殻内にはトックリ形のミラシジウムが形成されている．糞便と共に外界に出た虫卵は水中で孵化し，出てきたミラシジウムは中間宿主の貝に経皮的に侵入する（**C**）．

中間宿主（図287） 住血吸虫類は中間宿主が1つしかない（**D**）．日本住血吸虫の中間宿主は**ミヤイリガイ** *Oncomelania hupensis nosophora* という貝である．この貝の棲息しないところに日本住血吸虫は分布しない．ミヤイリガイの体内でスポロシスト，娘スポロシスト，セルカリアと発育，増殖する．

本虫のセルカリアは尾が2分しているのが特徴である（岐尾セルカリア（次項図297参照）．これが貝から水中に遊出し，終宿主であるヒト，ウシ，イヌなど多数の動物の皮膚を貫いて侵入する（**経皮感染**）（**E**）．侵入したセルカリアは血流によって腸間膜動脈末端に達し，門脈枝に移行して発育する．セルカリア感染後約40日で成虫となる．

【症 状】
1. セルカリアが侵入したところに皮膚炎を生ずる．
2. 急性期 虫体が成熟し腸管壁に産卵を始めると腸の損傷が起こり，粘血便を排出する．下痢，発熱，肝腫大，好酸球増加を見る．
3. 慢性期 肝脾腫，肝硬変，腹水，貧血の症状が起こってくる（101頁の扉の写真参照）．
4. 脳症状 虫卵が脳の血管に詰まると癲癇様発作，頭痛，運動麻痺，視力障碍などが起こる．

【診 断】
1. 虫卵の検出 検便により特有の虫卵を検出する．集卵法はAMS III法など遠心沈殿法がよい．
2. 直腸生検や肝生検による虫卵の検出（図288）．
3. 卵周囲沈降反応 患者血清中に生きた本虫卵を入れ37℃で24時間置くと虫卵の周囲に沈降物を生ずる．

【治 療】
プラジカンテルが極めて有効かつ簡便．40mg/kg/日，分2，2日間投与する．妊婦には投与を避ける．

【予防・撲滅】
1. 流行地の水域に入るときはゴム長靴などを使用しセルカリアの経皮侵入を防ぐ．
2. ミヤイリガイの撲滅 殺貝剤を用いたり，棲息地の溝をコンクリート化して貝の棲息を困難にしたりして，わが国でも撲滅に成功したが，最近はプラジカンテルの出現によって，撲滅戦略の重点は殺貝から治療に移りつつある．

メコン住血吸虫 *Schistosoma mekongi*

ラオスとカンボジアの国境のメコン川流域，特にコーン島を中心としてメコン住血吸虫が若年者を中心に濃厚に感染している．2004年に行われたコーン郡の学童の感染率は50％以上を示した．感染はメコン川に入りセルカリアの経皮感染を受けることによる．本虫は形態的にも病害においても日本住血吸虫に類似しているが中間宿主はミヤイリガイでなく *Neotricula aperta* という小さな貝である．

治療は**プラジカンテル**を用い，日本住血吸虫と同様に行う．WHOなどの援助により広範な調査と集団駆虫が行われている．

日本住血吸虫，メコン住血吸虫 121

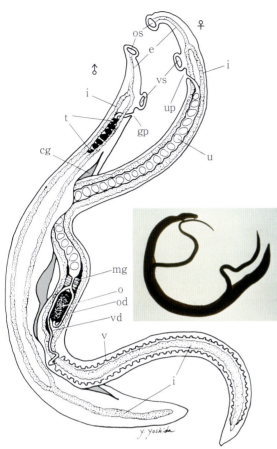

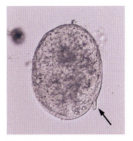

図286．日本住血吸虫卵
小蓋なく側面に突起あり
（矢印）．

図287．日本住血吸虫の
中間宿主ミヤイ
リガイ
（片山産）

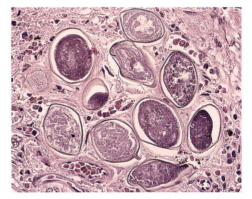

図288．肝硬変から肝細胞癌に移行した患者の
肝組織中に見い出された日本住血吸虫卵
（群馬大学，鈴木　守教授提供標本）

図285．日本住血吸虫の成虫，雌雄抱合の図
os. 口吸盤, e. 食道, vs. 腹吸盤, i. 腸管, t. 精巣,
gp. 生殖孔, up. 子宮孔, u. 子宮と虫卵, cg. 抱雌管,
mg. メーリス腺, o. 卵巣, od. 輸卵管, vd. 卵黄管, v.
卵黄腺

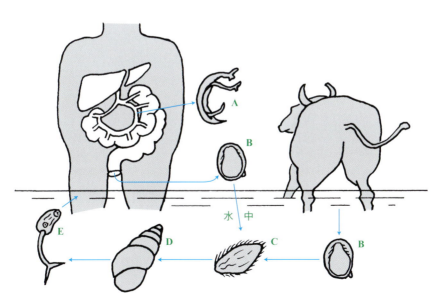

図289．日本住血吸虫の生活史図（説明は本文参照）

マンソン住血吸虫，ビルハルツ住血吸虫

マンソン住血吸虫は主として南米およびアフリカ，ビルハルツ住血吸虫はアフリカおよび中近東に分布し，世界的には重要な寄生虫であるがわが国には分布しない．しかし最近，国際交流の進展に伴い流行地で感染した日本人の帰国，あるいは感染した外国人の入国など症例が見られるので注意を要する．

【和名・種名】　マンソン住血吸虫
Schistosoma mansoni

【疾病名】　マンソン住血吸虫症

【疫　学】

本虫は図290に示すようにアフリカ，南米およびカリブ海諸島に広く分布する．しかし感染者は世界各地に散在し，わが国でも最近，ケニア，エジプト，ザンビアなどで河やダム湖に入って感染した日本人13例が報告された．

【形態と生活史】

成虫（図291）の形態的特徴は，①日本住血吸虫やビルハルツ住血吸虫より小形で，体長は雄6～10mm，雌7～16mm，②体表一面に疣状の突起が生えている，③2分した腸管は体中央より前方で合して1本となる，④卵巣は体中央より前方にあり短い子宮を有する，⑤精巣沪胞の数は6～9個，などの点である．

虫卵の形態は日本住血吸虫の虫卵とは大いに異なり，図292，293，468-N に示す如く一側に大きな棘を有し，虫卵の長径は114～175μm，短径は45～68μmと大形で黄褐色を呈し，ミラシジウムを内蔵している．

生活史は日本住血吸虫のそれに類似している．すなわち成虫はヒトの門脈枝内で雌雄抱合して寄生し，雌は産卵を行う．細血管内に産下された虫卵は血管を塞栓し，周囲の組織は壊死に陥り，虫卵は腸管内に脱落して糞便内に現れる．

水中に入った虫卵からミラシジウムが孵化し，中間宿主に侵入する．中間宿主になる貝は *Biomphalaria glabrata*（図295）などの淡水貝である．これらの貝の中で発育して生じたセルカリアはやはり岐尾セルカリア（図297）で，貝から出て水中を泳ぎ，終宿主の皮膚を貫いて感染する．

【症状と診断】

症状は日本住血吸虫の症状に似ているが一般的に軽症である．診断は糞便検査，直腸粘膜生検などを行い特有の虫卵を検出する．また種々の免疫学的診断法を利用する．

【治療と予防】

治療は日本住血吸虫症と同様に行う．予防法は流行地で河や湖沼に素手・素足で入らないことである．

【和名・種名】　ビルハルツ住血吸虫
Schistosoma haematobium

【疾病名】　ビルハルツ住血吸虫症

【疫　学】

本虫は図290に示す如くアフリカのほぼ全域，中近東，インドの西部などに分布する．とくにナイル川流域は濃厚で，農地を作るために砂漠に灌漑用水路を広げると本症の流行も拡大する．2014年の時点で日本人の感染例が約30例報告されている．

【形態と生活史】

成虫の雄の体長は10～15mm，雌は16～20mm，形態の特徴は，①2分した腸管は体中央よりやや後方で合し，②精巣沪胞の数は4個ときに5個，③卵巣は体中央より後方に位置する，などの点である．

虫卵は図294，468-O に示すように後方に向かう大きな棘を有するのが特徴である．大きさは長径112～170μm，短径40～73μmと大形である．

生活史の特徴は，成虫がヒトの膀胱および肛門付近の静脈叢の血管内に寄生することである．そして膀胱壁の細静脈内に産卵する（図299）．したがって虫卵は膀胱内に脱落し尿中に現れる．しかし一部は直腸壁にも産卵し，虫卵が糞便内に現れることもある．

中間宿主は *Bulinus truncatus*（図296）などの貝で，この中で生じた岐尾セルカリアはやはりヒトの皮膚を貫いて侵入し，約3か月で成虫となる．

【症状と診断】

セルカリア侵入後，皮膚炎を生ずるが，約1か月で消退する．本虫が成虫になる頃から頭痛，腰痛，全身倦怠，肝脾腫大，好酸球増加などを示す．成虫は主に膀胱壁細静脈内に寄生し，虫卵は血液や組織と共に膀胱内に脱落するので，主症状は血尿（図298）と排尿痛である．膀胱壁は次第に繊維化が進み，エジプトなど本症の流行地では膀胱癌の発生率が高く，本虫との関連が考えられている．

診断は流行地に関係ある血尿患者はまず本症を疑い，尿沈渣について虫卵検査を行う．膀胱鏡検査，免疫学的検査も有効である．

【治療と予防】

日本住血吸虫およびマンソン住血吸虫に準ずる．

マンソン住血吸虫，ビルハルツ住血吸虫　123

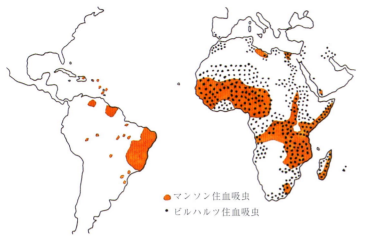

図290．マンソン住血吸虫とビルハルツ住血吸虫の分布域
（故 Dr. Beaver の厚意による）

● マンソン住血吸虫
・ ビルハルツ住血吸虫

図291．マンソン住血吸虫の成虫
細長い雌は彎曲し，雄に抱かれている．

図292．マンソン住血吸虫の虫卵
棘が側方に出ている．

図293．ミラシジウム孵化直前のマンソン住血吸虫の虫卵

図294．ビルハルツ住血吸虫の虫卵
棘が後方に出ている．

図295．マンソン住血吸虫の中間宿主の *Biomphalaria glabrata*

図296．ビルハルツ住血吸虫の中間宿主の *Bulinus truncatus*

図297．マンソン住血吸虫のセルカリア

図298．ビルハルツ住血吸虫症患者の血尿

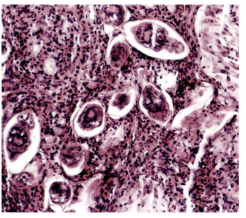

図299．ビルハルツ住血吸虫症患者の膀胱壁中の虫卵
（図293，298，299は Dr. Seitz の厚意による）

鳥類住血吸虫のセルカリアによる皮膚炎

わが国の水田や湖沼に素足で入ったとき掻痒感の強い皮膚炎を生ずる疾患があり，水田皮膚炎とか湖岸病と呼ばれているが，これは鳥類に寄生する住血吸虫のセルカリアがヒトの皮膚に侵入して起こることが明らかとなった．この皮膚炎は全国的に見られる．

【疫　学】

鳥類には種々の住血吸虫が寄生しており，水中に存在するそれらのセルカリアによる皮膚炎は世界中に存在し，**住血吸虫セルカリア皮膚炎 schistosome cercarial dermatitis** または **swimmer's itch** と呼ばれている．わが国でも同様の疾患が全国各地で見られ，主として5～10月の暖季に患者が多発している．主な病原虫は下記の3種である．

I．ムクドリ住血吸虫
Gigantobilharzia sturniae

島根県宍道湖には古くから**湖岸病**と呼ばれる皮膚炎が知られていたが，1948年，田部はこの原因はムクドリなどに寄生している本種のセルカリアの皮膚侵入によって起こることを明らかにした．本症は宍道湖のみならず全国に広く分布している．

本虫の成虫（図300）はムクドリ，マガモ，スズメ，カラス，セキレイなどに寄生しており，体長平均，雄10mm，雌26mmで，鳥の腸管に分布する血管内に寄生し，卵が糞便と共に外界に出る．中間宿主は**ヒラマキガイモドキ**（第80項の **K**）という小さな円盤状の貝である．この貝の中で発育し，水中に泳出したセルカリア（図301）は固有宿主である鳥に侵入すると成虫にまで発育するが非固有宿主であるヒトに侵入すると成虫にまで発育することができず，皮膚にとどまって皮膚炎を起こす．

症状はセルカリア侵入数時間後から強い掻痒感を伴う発疹を生ずる．好発部位は水に浸かった部分，それも水面に接した部分で顕著である（図302）．

治療は専ら痒みを止める対症療法を行う．なるべく引っ掻かないようにし，ステロイド軟膏，抗ヒスタミン軟膏などを塗布する．

II．*Trichobilharzia brevis*

わが国に広く分布し，水田皮膚炎の病原虫となっている．固有宿主は**アヒル**で，中間宿主は**ヒメモノアラガイ**（第80項の **H**）である．症状などはムクドリ住血吸虫の場合とほぼ同じである．

III．*Trichobilharzia physellae*

島根県隠岐島で水田皮膚炎の原因となっている住血吸虫で，**カモ**を終宿主，**モノアラガイ**（第80項の **J**）を中間宿主としている．隠岐島以外にも存在する．症状その他は，ムクドリ住血吸虫の場合とほぼ同じである．

図300．ムクドリ住血吸虫の成虫
ムクドリの血管内から採取．

図301．ムクドリ住血吸虫のセルカリア

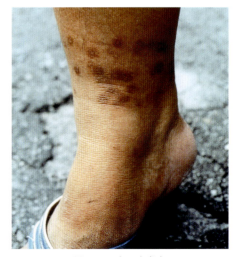

図302．水田皮膚炎
水に浸った水面に一致して皮膚炎発生，色素沈着を示す．

（図300，301，302は神戸大学，松村武男名誉教授の厚意による）

66 咽頭吸虫

咽頭吸虫は本来水鳥の寄生虫であるが，最近，わが国で続いて人体寄生例が報告されるようになった．本虫のメタセルカリアを持った淡水魚を生食することによってヒトが感染すると咽頭や喉頭の粘膜に吸着し，異物感と炎症を起こす．

【和名・種名】 咽頭吸虫
Clinostomum complanatum

【分類】

Clinostomum 属に配属されている吸虫は鳥類から 43 種，哺乳類から 4 種記載されている．ヒトに偶然寄生する種は数種あるかもしれないが，現在の段階では *C. complanatum* と同定した報告が最も多い．

【形態と生活史】

成虫は図 303 に示す如くずんぐりした蛭状で，体長は 4～8mm，体幅は 1.6～2.4mm で，内部の構造は図 304 に示すとおりである．虫卵の大きさは長径 100～125μm，短径 54～80μm とかなり大きく，前端に小蓋を有する．

固有宿主はアオサギ，シラサギなど水鳥がほとんどで，それらの口腔，咽頭，食道などに吸着して寄生している．水中に入った虫卵の中で発育したミラシジウムは第 1 中間宿主となるモノアラガイ（第 80 項の J 参照）などの淡水貝に入り，生じたセルカリアは次いで第 2 中間宿主の淡水魚に侵入してメタセルカリアとなる．これを鳥やヒトが摂取して感染するのである．

【臨床】

本虫がヒトに寄生すると咽頭や喉頭の粘膜に吸着するので，その部の強い異物感，疼痛，咳，嗄声などを生ずるが，時に血痰や発熱を見ることもある．このような咽頭吸着寄生による症状は肝蛭やヒルの寄生によっても起こり，**halzoum** という疾病名で世界に広く知られている．

診断と治療は肉眼で，または内視鏡で虫体を見い出し摘出する．

【疫学】

世界ではイスラエルと韓国で各 1 例報告があり，わが国では 1938 年に山下が最初の症例を報告して以来，2018 年までの症例数は合計 26 例（佐賀 5 例，島根 4 例，愛知，熊本，山口，岐阜各 2 例，秋田，群馬，富山，石川，滋賀，大阪，広島，福岡，長崎各 1 例）である．その年齢は 15 歳から 70 歳，男性 7 例に対し，女性 19 例となっている．また感染源はコイ，フナの生食によるものが最も多い．

図 303. 68 歳男性の咽頭より摘出された
Clinostomum sp. の全形標本
（島根医科大学，山根洋右教授の厚意による）

図 304. 70 歳女性の咽頭より摘出された
咽頭吸虫成虫の内部構造
os. 口吸盤，a. 腹吸盤，u. 子宮，c. 陰茎囊，O. 卵巣，t_1, t_2. 前・後精巣
（秋田大学，吉村堅太郎教授の厚意による）

各　論

II．蠕虫類
B．扁形動物
b．条虫類
（付．鉤頭虫類）

マスを生食し八，九尺の条虫が二，三匹も出たとのこと，箸に巻き取る方法が昔から用いられた（「新撰病草紙」より．「新撰病草紙」は平安・鎌倉時代に描かれた「疾の草紙」にならって江戸時代に作られた病草紙．嘉永三年（1850），江戸の大膳亮好庵（道敦）が折ふしに書きとどめてきた奇病・異常のうち十六種を撰び一巻としたもの．詞書は稲垣正信が書き，画は福崎一宝の作である）．
〔東北大学付属図書館医学分館所蔵，同館の許可を得て掲載〕

患者から駆除したばかりの日本海裂頭条虫と思われる虫体を持つ筆者（本文第69項参照）

67 条虫類　総論

条虫は一般にサナダムシといわれるように長い真田紐のような外観を呈する．英語では tapeworm という．条虫類はすべて寄生生活を営み，自由生活をするものはない．ヒトを固有宿主とする条虫はヒトの腸管内に寄生しているが，有鉤条虫やマンソン裂頭条虫や多包条虫などは，幼虫期の虫体がヒトの皮下，肝臓，脳などに寄生し，この場合の方が病害が大きい．

I．条虫の一般形態

条虫は図305に示すごとく，**頭節 scolex**，**頸部 neck**，**未熟体節 immature proglottid**，**成熟体節 mature proglottid** および **受胎体節 gravid proglottid** からなっている．条虫の種類によって，この体節の数は少ないものは3個（多包条虫，第74項参照），多いものは数千個（広節裂頭条虫，第69項参照）もある．この体節の連なりを**ストロビラ strobila** という．各々の体節内に雌雄の生殖器があり，要するに雌雄同体の個体が多数連結していると考えればよい．しかし，ばらばらに離れては寄生を続けることはできない．また頸部で体節が次々に生産されるので，終宿主体内で成虫が増員すると解釈してよい．そのかわり，このような種は幼虫の時期に増員することはない（例　広節裂頭条虫）．一方，多包条虫などでは，成虫での増員が顕著でない代わりに幼虫時代に増員が行われる．このように寄生虫はある時期に無性的に大いに増員するか，または多数の虫卵を産出して種族を保存しようとしている．

頭節には虫体を宿主の腸粘膜に固着させるための器官がある．それは条虫の種類によって**吸溝**，**吸盤**，**額嘴**，**小鉤**など，それぞれ異なっている．

頸部は頭節に続く細い部分で，ここで新しい体節が作られる．したがって自然に，あるいは駆虫薬の作用で長いストロビラが体外に排出されても頭節と頸部が残っておれば早晩元通りに成長する．

未熟体節は，ストロビラの始めの方で，生殖器の発育が未熟な部分であり，成熟体節は生殖器の成熟した部分で，最も大きな部分を占めている．受胎体節というのはストロビラの末端の方で，各器官は老熟・退化し，無鉤条虫などでは虫卵が充満している．一方，広節裂頭条虫などでは虫卵は充満せず，末端部は老熟・萎縮しているので老化体節ともいう．このような末端部は自然に切れて肛門から排出されるが，その出方は条虫の種類によって異なることが多い．すなわち広節裂頭条虫では長いストロビラが連なって出てくるが，無鉤条虫では体節が1個1個ばらばらに出てくる場合が多い．

条虫は種類によって子宮孔（産卵門）を有するものと有しないものとがある．前者では虫卵が逐一産下され，糞便と共に外界に出る（広節裂頭条虫など）．ところが後者では虫卵が体節内に蓄積し，受胎体節自身が自然排出されることによって虫卵が外界に出る（無鉤条虫など）．

条虫類は消化管を持たないのが大きな特徴で，栄養は体壁を通して吸収される．そのため体壁の構造は特異な分化を示している．すなわち条虫の**外被 integument** には微小毛 **microtrix** と称する，丁度，腸絨毛のような多数の突起が出ている（図306）．すなわち体壁の構造は細胞性であり，線虫のように分泌によって形成された非細胞性の構造とは異なり，その微細構造はむしろ脊椎動物の腸管内壁に似ている（図306）．この外被はまた，自分の体を宿主の消化液から守るために体外酵素を出している．

外被の内側には**柔組織 parenchyma** と称する網目状の組織があり，この中に**石灰小体 calcareous corpuscle**（図307）と呼ばれる同心円状の，光をよく屈折する小体がある．これは条虫に特有の物質で，石灰小体形成細胞で作られ，成虫と幼虫とを問わず存在する．したがって病理組織標本などで，この小体を見い出したならば条虫の診断が下せる．しかしその機能は内骨格としての役割や浸透圧の調節などが考えられるが，まだよく分かっていない．

排泄系は吸虫と同様，焰細胞に始まり，各体節の両側の集合管に集まり全体節を貫いて後端で開口する．

神経系は頭節に中枢があり，そこから後方に向かって神経幹が走り末端各所に分布する．

生殖器は雌雄同体で，構造は複雑，かつ虫種によって異なるので各項目のところで精述する．

II．条虫の生活史

条虫はその生活史を全うするためには**中間宿主**を1つ（無鉤条虫など），ないし2つ（広節裂頭条虫など）必要とする．例外的に終宿主の腸粘膜に侵入することによって中間宿主の代わりをするものもある（小形条虫など）．生活史は条虫の種類によってそれぞれ異なるので各項目のところで詳しく述べることにする．

68 人体寄生条虫の分類

ヒトに寄生する条虫の分類を示す．これらの条虫は擬葉目と円葉目に大別されるが，その相違点などを示す（表17）．

Phylum Platyhelminthes　扁形動物門
　Class Cestoidea　条虫綱
　　Subclass Cestodaria　単節条虫亜綱
　　Subclass Cestoda　多節条虫亜綱（真正条虫亜綱）
　　　Order Pseudophyllidea　擬葉目
　　　　Family Diphyllobothriidae　裂頭条虫科
　　　　　○*Diphyllobothrium latum　広節裂頭条虫
　　　　　○*D. nihonkaiense　日本海裂頭条虫
　　　　　○*Diplogonoporus balaenopterae
　　　　　　　　　　　　　　クジラ複殖門条虫
　　　　○*#Spirometra erinaceieuropaei
　　　　　　　　　　　　　　マンソン裂頭条虫
　　　　　#Sparganum proliferum　芽殖孤虫
　　　Order Cyclophyllidea　円葉目
　　　　Family Taeniidae　テニア科
　　　　　○*Taenia saginata　無鉤条虫
　　　　　*T.asiatica　アジア条虫
　　　　○*#T. solium　有鉤条虫
　　　　　#T. multiceps　多頭条虫
　　　　　#Echinococcus granulosus　単包条虫
　　　　○#E. multilocularis　多包条虫
　　　　Family Hymenolepididae　膜様条虫科
　　　　　*Rodentolepis nana　小形条虫
　　　　　*R. diminuta　縮小条虫
　　　　Family Dilepididae　ジレピス科
　　　　　*Dipylidium caninum　瓜実条虫
　　　　Family Mesocestoididae　メゾセストイデス科
　　　　　*Mesocestoides lineatus　有線条虫

○印はわが国で医学上とくに重要なもの．
＊腸管内，＃人体組織内

表17．擬葉目と円葉目との主な相違点

	擬　葉　目	円　葉　目
頭　節	吸溝を有し，吸盤や小鉤はない	吸盤を有し，小鉤を有する種もある
子宮と産卵	子宮孔を有し，虫卵は逐一産下される	子宮は盲管に終り，虫卵は産下されず，子宮内に蓄積される
虫卵の形態	小蓋を有し，虫卵内は未発育	小蓋を有せず，中に六鉤幼虫を有する
中間宿主	2つ必要とする	1つ必要とする
終宿主へ感染してくる時期の幼虫の名称	プレロセルコイド plerocercoid	Taenia 属：囊尾虫 cysticercus，共尾虫 coenurus Echinococcus 属：包虫 hydatid cyst Rodentolepis 属：擬囊尾虫 cysticercoid

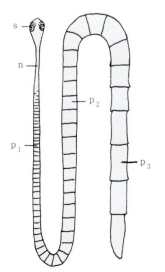

図305．条虫の全形略図
s. 頭節，n. 頭部，p₁. 未熟体節，p₂. 成熟体節，p₃. 受胎体節

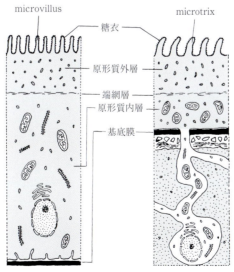

図306．条虫の外被の細胞（右）と脊椎動物の小腸の上皮細胞（左）との構造上の類似性（電子顕微鏡像の模式図）

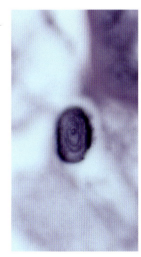

図307．条虫の柔組織内に存在する石灰小体
同心円状，直径約 20μm．

広節裂頭条虫，日本海裂頭条虫

この両種は形態的に区別困難なため混乱が続いていたが，その分布や中間宿主，遺伝子の相違から別種として取り扱われるようになった．マス，サケなどを生食して感染する．最近，冷蔵輸送の進歩により新鮮な魚が国の内外から食膳に運ばれるため感染者が後を絶たない．現在わが国において最も重要な寄生虫症の一つである．

【和名・種名】　広節裂頭条虫
　　　　　　　　Diphyllobothrium latum
　　　　　　　　日本海裂頭条虫　*D. nihonkaiense*
【疾病名】　裂頭条虫症　diphyllobothriasis
【分類と疫学】
　従来，わが国に分布するのは *D. latum* とされてきたが，1986年，山根らはわが国でサクラマスから感染するのは新種の *D. nihonkaiense* であると発表した．その後の多くの研究によると両者を形態的に区別するのは困難であるが遺伝子配列が異なるという．また前者は北欧，ロシア西部で**カワカマス**などを第2中間宿主とし，後者は日本近海から千島，アリューシャン，北米で捕獲される**サクラマス** *Onchorhynchus masou*，**カラフトマス** *O. gorbuscha*，**シロザケ（トキシラズ）** *O. keta* などを中間宿主とする．したがってわが国での感染は日本海裂頭条虫が主と思われるが，海外での感染や輸入魚による広節裂頭条虫の感染例を無視するわけにはいかないので，遺伝子による種の同定ができない臨床例では**裂頭条虫症**と称するのが適当と考える．

【形　態】
　両種の形態に差はないので基本種である *D. latum* について以下に述べる．
　成虫（図308）　体長5〜10m，最大幅10〜15mm，体節数3,000〜4,000個，頭部の方が細く，中央にゆくほど幅広い．
　頭節（図309）　棍棒状で縦約2mm，幅約1mm，両側に1対の**吸溝**があり，これで腸粘膜に吸着する．
　頸部　頭節に続く細い部分で，ここで体節が生産されている．
　成熟体節　生殖が行われている部分で，デラフィールド・ヘマトキシリン染色またはカルミン染色を施すと**図311**に示すように，中央に子宮などの生殖器が見える．体節の詳しい構造は**図312**のごとくであるが，本種の特徴を述べると，①体節の腹面正中線上に生殖門と子宮口があり，子宮口からは虫卵が逐一産下される．②精巣は多数の沪胞状で柔組織内に存在し，輸精管で陰茎嚢に連なる．③卵黄巣も沪胞状で柔組織内に分散し，卵黄管で卵形成腔に連なる．④卵巣は一対の葉状で下縁に位置する．⑤子宮は太くループを作る．
　虫卵（図310，468-P）　長径60〜70μm，短径40〜50μm，淡黄色，楕円形，吸虫卵に似て前端に**小蓋**があり，尾端に小突起がある．虫卵内は未発育で1個の卵細胞と数個の卵黄細胞を認める．

【生活史】（図314 A〜F）
　成虫はヒトの小腸腔内に寄生し（**A**），極めて多数の虫卵を産下する．虫卵は糞便と共に外界に出て（**B**）発育し，**コラシジウム**と称する幼虫を生ずる（**C**）．これは孵化し，水中に出て第1中間宿主に摂取される．
　第1中間宿主は**ケンミジンコ**（第81項，**図361**）で，その体内で**プロセルコイド**（**前擬充尾虫**）と称する段階まで発育する（**D**）．これが第2中間宿主となる上記の魚類に摂取されるとその筋肉内で**プレロセルコイド**（**E**）（**擬充尾虫**，図313）にまで発育する．これをヒトが食べると感染し（**F**），約1か月で成虫となる．

【症　状】
　虫体が長大であるわりに自覚症状は強くない．しかし突然，下痢，腹痛を起こすようなことがある．患者が本虫の感染に気付くのは，排便時に急に下痢が起こり肛門から長い虫が垂れ下がっているのを認め，引っ張るとどんどん出てくるからである（127頁，扉の絵参照）．通常1〜数m出て切れる．頭節と頸部が残っていれば数週後，再びもとの状態にまで生育する．

【診　断】
　1．虫体が肛門にぶら下がるのが本虫の特徴である．クジラ複殖門条虫も同様であるが，無鉤条虫では体節がばらばらに切れて糞塊の上を動き回るのが特徴である．したがって患者の訴えを聞いただけで虫種の見当が付く．
　2．検便：本虫は小腸内で多数の虫卵を産出する．したがって検便により特有の虫卵を見つけて診断するのが迅速，かつ確実である．しかし長い体節が自然排出した後は，しばらくの間，虫卵産出のないことがある．

【治　療】
（1）　**プラジカンテル**
　朝，空腹時，本剤10mg/kgを頓用，2時間後に塩類下剤（硫酸マグネシウムなら20〜30gを大量の水に溶解）を与える．
（2）　**ガストログラフィン**
　注腸造影剤である本剤を十二指腸ゾンデを通じて，100ml宛，約10分ごとに数回注入すると条虫が見る見る下降し，生きたまま下痢と共に排出される．X線透視下で排虫の模様が観察できるが被曝などの欠点がある．

広節裂頭条虫，日本海裂頭条虫　131

図308. 駆虫により一日本人から採取した日本海裂頭条虫と思われる虫体（矢印は頭節）

図309. 広節裂頭条虫の頭節
（米国の標本）

図310. 虫卵
（矢印は小蓋）

図311. 広節裂頭条虫の体節の圧平染色標本
（米国の標本）

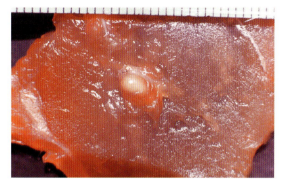

図313. サクラマスの筋肉内のプレロセルコイド
上図：魚肉内ではこのように被嚢している場合が多い（直径4〜6mm）.
下図：脱嚢した幼虫（長さ数cm，頭端に凹みがある）.

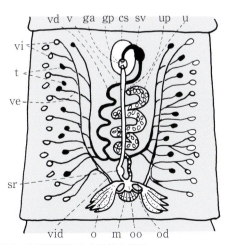

図312. 広節裂頭条虫の体節の構造
cs. 陰茎嚢，ga. 生殖腔，gp. 生殖門，m. メーリス腺，o. 卵巣，od. 輸卵管，oo. 卵形成腔，sr. 受精嚢，sv. 貯精嚢，t. 精巣の沪胞，u. 子宮，up. 子宮口，v. 腟，vd. 輸精管，ve. 小輸精管，vi. 卵黄腺，vid. 卵黄管　（Brown & Faust より）

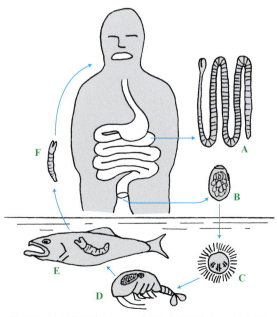

図314. 広節裂頭条虫および日本海裂頭条虫の生活史図
（説明は本文参照）

70 クジラ複殖門条虫, マンソン裂頭条虫

従来, クジラ複殖門条虫は海棲哺乳類に寄生し, ヒトに寄生するのは大複殖門条虫と考えられてきたが, 遺伝子解析などの結果, 両種は同種であることが判明したので 2 年先に記載された前者が先取権を得た. 本種は本来クジラ, トドなどに寄生しているがヒトにも寄生し, 特にわが国で患者が多い. 一方, マンソン裂頭条虫はイヌ, ネコに普通に寄生しており, まれに成虫がヒトにも寄生するが, この幼虫寄生によるマンソン孤虫症の方が重要である (次項).

I. クジラ複殖門条虫
Diplogonoporus balaenopterae
（旧名　大複殖門条虫　*D. grandis*）

人体寄生例は日本が最も多く 2000 年までの統計では 270 例を数え, その後も毎年数例〜十数例報告されている. 関東以南の海岸に近い住民の 20 歳以上の男性に患者が多い. 報告の多い府県は, 静岡, 高知, 鳥取, 長崎, 島根, 福岡, 神奈川, 千葉, 大阪などである.

成虫（図 315）は大形で体長 10m, 体幅 40mm に達するものがある. 本種の最も大きな特徴は**体節**（図 316）に生殖器が 2 組, 時にそれ以上あることで, かつ体節は頭部で新生されるほか成熟体節で分節が起こる. **頭節**（図 317）はホウズキ状を示す.

虫卵（図 318）は短楕円形で長径 63〜74μm, 短径 41〜58μm, 淡黄褐色を呈し, 前端には小蓋があり, 日本海裂頭条虫などの虫卵と区別しがたい.

生活史は未だよく分かっていないが, 第 1 中間宿主は海棲橈脚類 (ケンミジンコ類), 第 2 中間宿主は海産魚と思われる. イワシおよびこれの稚魚のシラスを食べて感染したという患者が多い.

診断は自然排出した体節や糞便内虫卵の検査による.
症状, **治療**は前項の日本海裂頭条虫と同様である.

II. マンソン裂頭条虫
Spirometra erinaceieuropaei

以前 *Diphyllobothrium mansoni* といわれた種で和名もこれに由来している. わが国のイヌ, ネコに感染しているが, ヒトの腸管に寄生した症例が 1997 年までに 14 例報告されている. **成虫**の形態は日本海裂頭条虫に似ているが, 体長は 60〜100cm と小さく, 生殖器の構造も異なる. **虫卵**の形態も異なり, 左右非相称で両端が尖り, 長径 52〜76μm, 短径 26〜43μm である (図 319).

生活史は, 第 1 中間宿主はケンミジンコの類, 第 2 中間宿主は非常に広く, 両生類, 爬虫類, 鳥類, 哺乳類の多くのものがなり, 体内にプレロセルコイドを生ずる. ヒトもこれに含まれ, 体内に幼虫が寄生した場合, **マンソン孤虫症**を発する (次項).

図 315. 人体から採取したクジラ複殖門条虫
体節は幅広く, 生殖器が 2 組並んでいる.

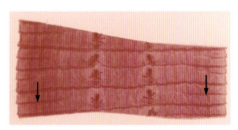

図 316. クジラ複殖門条虫の体節の圧平染色標本
体節の分節（矢印）に注意.

図 317. 人体から得たクジラ複殖門条虫の頭節
（ホウズキ状）

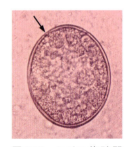

図 318. クジラ複殖門条虫の虫卵
小蓋（矢印）あり.

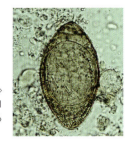

図 319. マンソン裂頭条虫の虫卵
前後尖り, 左右非相称, 小蓋あり, 中にコラシジウムを有す.

71 孤虫症（幼裂頭条虫症）

孤虫症 sparganosis というのは裂頭条虫の幼虫（プレロセルコイド）がヒトの組織内に見い出され，その成虫が不明の場合，孤児という意味から孤虫と呼ばれてきた．マンソン孤虫ははじめその成虫が不明であったため孤虫と呼ばれたが，その後マンソン裂頭条虫の幼虫であることが判明し，もはや孤虫ではなくなった．しかし長年呼び親しまれてきたので現在もこの名が用いられている．

I．マンソン孤虫　*Sparganum mansoni*

マンソン裂頭条虫（前項）のプレロセルコイドがヒトに寄生した場合，**マンソン孤虫症**という．

【分　布】　本症は世界に広く分布しているが特にアジアに多く，わが国では 1881 年に Scheube が京都で第 1 例を発見してから 2009 年末までに 623 例を数え[註1]，その後も毎年数例ずつ，2014 年末までに約 40 例の追加報告がある．

【形　態】（図 322）　虫体の大きさは種々で，普通 10～20cm であるが大きいものは 60～70cm に達する．前端に凹みがあり，多数の皺をもつ紐状である．

【感　染】　ヒトが感染するのは本虫のプロセルコイドを有するケンミジンコを飲料水などと共に摂取した場合，ヒトは**中間宿主**であるのでその体内でプレロセルコイドになる．またプレロセルコイドを有するヘビ，トリ，カエル，スッポン[註2]などを生食した場合，ヒトは**待機宿主**となってプレロセルコイドが移行し，その状態で寄生する．実際上ヒトが感染するのはこの方法が多く，生食後 10 日頃から症状が現れる．

【症　状】　**遊走性限局性皮膚腫瘤**である．すなわち患者は拇指頭大の腫瘤が生じて消えたり，他へ移動したりすると訴える（第 44 項，顎口虫参照）．腹部・胸部・顔などが多い．脳内に寄生した例が世界で 28 例，わが国で 10 例報告があり注意を要する．また眼や肺にも寄生する．

【治　療】　外科的に摘出する（図 320，321）

II．芽殖孤虫　*Sparganum proliferum*

これは本当の孤虫で，現在もその成虫は不明である．数 mm から 1cm くらいのワサビの根のような形をした幼虫がヒトの軟部組織内で増殖し，ついには体全体におよび患者を死亡させる奇怪な虫である．現在までに日本で 7 例，外国で 7 例報告されている．

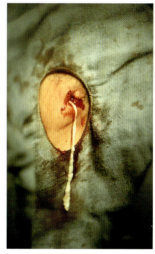

図 320．一女性の大陰唇に生じた腫瘤の切開創から現れたマンソン孤虫
（京都府立医科大学皮膚科摘出）

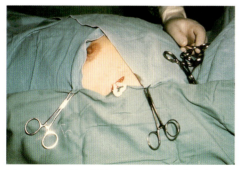

図 321．一女性の乳房に生じた腫瘤の切開創から現れたマンソン孤虫

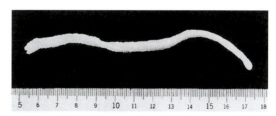

図 322．ヒトの皮下腫瘤から摘出したマンソン孤虫

註 1．吉川正英ら（2010）：Clin. Parasit. 21：33-36．
註 2．堀口裕治，山田　稔（2013）：皮膚の科学，12：39-43．

無鉤条虫

無鉤条虫は世界中に分布し，わが国でも患者が時々見られる．成虫はヒトの小腸内に寄生する．中間宿主はウシで，ヒトは牛肉を生食して感染する．また本種は次項の有鉤条虫のような嚢虫症を起こすことはない．一方，ブタの肝臓を生食して感染するアジア条虫 Taenia asiatica の症例が 2014 年末までに輸入例 3 例を含め 31 例報告され，今後の増加が考えられる．

【和名・種名】 無鉤条虫 *Taenia saginata*
【疾病名】 無鉤条虫症 taeniasis
【形 態】
成虫 体長は 3～6m，体節数は約 1,000 個に達する．**頭節**（図 323）は 4 つの吸盤と小さな額嘴を有する．有鉤条虫のような鉤はない．成熟体節および受胎体節の特徴は，①生殖門が側面にある．②子宮は盲管に終り子宮口はない．虫卵が子宮内に蓄積されてくると子宮はその容積を増すため樹枝状となる．これが受胎体節である．③この子宮の枝分かれの数が各側 20 条以上ある（図 324）（有鉤条虫では 10 条程度）．

虫卵（次項図 328，468-R） 形態は有鉤条虫と同じである．子宮内卵をみると外側にゼリー状の卵殻があるがこれは外界ではとれやすい．中に円形の厚い放射線状を有する**幼虫被殻**がある．この大きさは長径 30～40μm，短径 20～30μm である．その中には 6 本の鉤を有する**六鉤幼虫 oncosphere** が存在する．

【生活史】（図 325 A～E）
成虫はヒトの小腸内で，頭節の吸盤で粘膜に吸着して寄生している（**A**）．ヒト以外の動物には寄生しない．小腸内では産卵せず，受胎体節が切れて外界に出て虫卵が遊離する（**B**，**C**）．中間宿主である**ウシ**がこの虫卵を食べると筋肉内で**無鉤嚢虫**ができる（**D**）．これは長径 8mm，短径 5mm 程度で長球状である．ヒトがこれを食べると感染し（**E**），約 2～3 か月で成虫となる．

【症 状】
小腸内に成虫が寄生している場合の症状は通常軽微で，腹部不快感，腹痛，下痢程度である．しかし受胎体節が毎日のように肛門から這い出し不愉快である．

【診 断】
患者が体節の排出を訴え，その体節をみて診断する（図 324，子宮の分枝が各側 20 条以上）．また本虫の場合は，広節裂頭条虫の場合のように長い体節が肛門からぶら下がることは少なく，体節は 1 個 1 個分離し，糞塊の上で動いている．本虫は産卵しないので検便では虫卵を見い出し難い．しかし体節が肛門を通るとき虫卵が圧出され，肛門に付着するので，蟯虫診断用の**肛囲検査法**（**セロファンテープ法**）（第 38 項）が利用される．

【治 療】
広節裂頭条虫の場合と同様に行う．

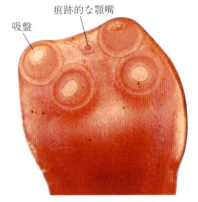

図 323．無鉤条虫の頭節
（有鉤条虫のような小鉤はない）

図 324．無鉤条虫受胎体節の子宮の複雑な走行
（墨汁注入）

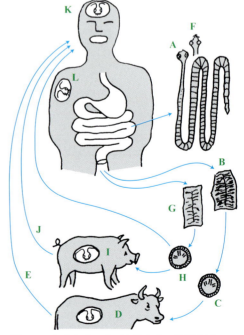

図 325．無鉤条虫および有鉤条虫の生活史図
（説明は本文参照）

73 有鈎条虫

cestoda ★★★

有鈎条虫は無鈎条虫と種々の点で異なる．まず中間宿主はブタで，ヒトはブタ肉と共に有鈎嚢虫を生食して感染し成虫を生ずる．またヒトは終宿主になると同時に中間宿主にもなり，ヒトが虫卵を摂取すると筋肉や脳に有鈎嚢虫を形成し病害が大きい．本来，日本内地には分布しない種であるが時々有鈎嚢虫症の患者がみられる．

【和名・種名】 有鈎条虫 *Taenia solium*
【疾病名】 有鈎条虫症（成虫寄生の場合）
　　　　　人体有鈎嚢虫症（幼虫寄生の場合）
【分　布】 全世界，日本では沖縄のみ．しかし人体有鈎嚢虫症の患者は全国で毎年数例ずつ報告がある．
【形　態】
　成　虫　体長は2〜3mと無鈎条虫より小さい．頭節（図326）には4個の吸盤の他，22〜32本の小鈎が並んでいる．受胎体節（図327）は無鈎条虫より薄く，子宮の分枝も左右各10条程度と少ない．
　虫　卵（図328）　無鈎条虫の虫卵と区別し難い．
【生活史】（図325 F〜L）
　本虫はヒトだけを固有宿主とし（F），他の動物の体内では成虫にならない．ヒトの小腸内の受胎体節が肛門から排出されると，外界で虫卵が遊離し（G, H），ブタがこれを食べるとその筋肉内で**有鈎嚢虫**となる（I）．これは無鈎嚢虫と外観はよく似ている．これをヒトが食べると感染し（J），約3か月で成虫となる．
　一方，ヒトが虫卵をのみこんだとき中から六鈎幼虫が現れ腸粘膜に侵入し，その後身体各所に嚢虫を作る（K, L）．これを**人体有鈎嚢虫**（図329）という．さらにヒトの小腸内に成虫が寄生している場合，受胎体節が消化され，中の虫卵が遊離し，虫卵をのみこんだ時と同様に人体有鈎嚢虫を形成する．この場合は嚢虫の数が次第に増加し危険である．
【症　状】
　(1) 成虫寄生の場合は無鈎条虫と同様軽症である．
　(2) 人体有鈎嚢虫症の場合，皮下や筋肉内にできたときは腫瘤程度であるが，脳に寄生すると癲癇様発作，痙攣など種々の神経症状を発する．
【診　断】
　成虫が小腸内に寄生しているときは排出した体節を検査し診断する（図327）．日本での症例は成虫は存在せず有鈎嚢虫のみを見る患者が多い．これは外人などの感染者の便が口に入った恐れがあり，性的接触，流行地の便所，虫卵で汚染された水，食品の摂取などについてよく問診することが大切である．
【治　療】
　成虫の駆虫は広節裂頭条虫の場合と同様に行う．嚢虫は外科的摘出かプラジカンテル投与を行う．

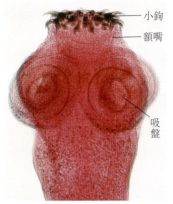

図326. 有鈎条虫の頭節

図327. 有鈎条虫の受胎体節
子宮の分枝が無鈎条虫より少ない．

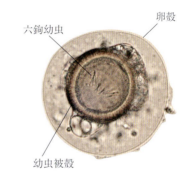

図328. 無鈎条虫の子宮内卵
有鈎条虫も同じ形態．

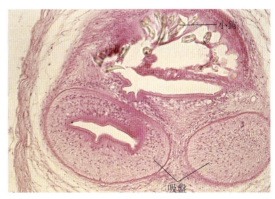

図329. 京都府の一婦人の上腕皮下から摘出した人体有鈎嚢虫の切片標本（小鈎の存在が特徴）

単包条虫，多包条虫 [A] 形態・生活史

単包条虫と多包条虫は一般にエキノコックスといわれる条虫で，成虫はイヌやキツネの小腸腔内に寄生しているが，その虫卵がヒトなど中間宿主に摂取されると肝臓や脳に包虫と称する嚢腫を形成し，非常に病害が大きい．これを包虫症という．わが国にはこの両種が分布するが，とくに最近，多包条虫による多包虫症が北海道を中心に流行が拡大し重要問題となっている．

【和名・種名】
　単包条虫　*Echinococcus granulosus*
　多包条虫　*Echinococcus multilocularis*

【疾病名】
　単包虫症　unilocular hydatid disease
　多包虫症　alveolar hydatid disease

【形　態】

成虫は両種とも体長，数mmと非常に小さく，よく似ているが**表18**に示すような特徴により鑑別できる．形態の概要を述べると**図330**，**331**に示す如く，まず頭節には4個の吸盤と，28〜50個の小鉤を持った額嘴とがあり，続く未熟体節は，単包条虫では1個，多包条虫では2個のことが多い．次の成熟体節は基本的には無鉤条虫と同じ構造を有する．最後の受胎体節は各器官が退化し，500〜800個の虫卵が充満している．

虫卵は共に大きさ，形とも無鉤条虫や有鉤条虫の虫卵によく似ていて区別しがたい（**図332**）．幼虫期である**包虫 hydatid cyst**の形態は両種で異なり，単包条虫では嚢状で単包性（**図334**，次項**図337**，**338**），多包条虫では小包虫の集合体で断面はスポンジ状である（**図336**，次項**図344**）．

【生活史】（**図335 A〜G**）

わが国では多包条虫の方が重要なので，これについてまず述べることにする．

多包条虫の終宿主は**キツネ**や**イヌ**で，成虫はそれらの小腸腔内に寄生し（A），糞便と共に外界に出た虫卵（B）は中間宿主である**野鼠**など齧歯類に摂取されると小腸上部で孵化し，**六鉤幼虫**が現れ，これは腸壁に侵入し，血流あるいはリンパ流によって身体各所に運ばれ**多包虫 alveolar hydatid cyst**を形成する（C）（**図336**）．この中には将来一匹の成虫になる**原頭節**（**図333**）が多数含まれている．これを終宿主であるキツネなどが食べると感染し成虫となる（D）．

一方，ヒトも中間宿主となり，虫卵を経口摂取すると（E），各臓器に多包虫を形成する．多包虫の好発部位は肝臓（F）であるが，脳（G），肺，腎，脾などに形成されることもある．

一方，**単包条虫**の方は，終宿主はイヌ，オオカミ，キツネなどであるが中間宿主は**ヒツジ**，**ウシ**，**ブタ**，**ウマ**などが主で，**ヒト**もまた中間宿主となる．

ヒトが単包条虫の虫卵を摂取すると，多包条虫の場合と同様，肝臓をはじめとする身体各所の臓器に**単包虫 unilocular hydatid cyst**を生ずる．

包虫は両種とも極めてゆっくりと発育し，数年〜十数年を要して手拳大に発育する．単包虫では**図334**に示すような**母胞嚢**を形成し，最内層の胚層から**繁殖胞**ができ，中に**原頭節**を生ずる．次々に繁殖胞が発育し，**娘胞嚢**となり，母胞嚢内に増殖する．母胞嚢内には淡黄色の**包虫液**が存在し，この中に浮遊している原頭節を**包虫砂**と称している．

【分　布】

単包条虫は，アフリカ，地中海沿岸，中近東，中国，オーストラリア，南米など世界的に広く分布し，わが国からも見い出された．一方，多包条虫は北半球の主として北緯38度以北のドイツ，フランス，スイス，中国，ロシア，アラスカ，北海道などに分布している．

表18．単包条虫と多包条虫の主な相違点

	単包条虫	多包条虫
成虫の体長	大きい（3〜6mm）	小さい（1.2〜3.7mm）
体節の数	3個，時に4個	2〜5個，時に6個
受胎体節の長さ	全体長の1/2以上	全体長の1/2以下
精巣の数	45〜65個	16〜26個
生殖孔の位置	中央より後方	中央より前方
終宿主	イヌ，オオカミなど	キツネ，イヌなど
中間宿主	ヒツジ，ウシなど偶蹄類が主，時に霊長類	野鼠など齧歯類が主，時に霊長類
包虫寄生部位	肝が主，時に脳，肺	左に同じ
包虫の形状	嚢状で単包性	小包虫の集合体で割面スポンジ状
包虫内容物	液状	粘稠液
分布域	世界各地	北半球

単包条虫，多包条虫　137

図330．単包条虫の成虫
cs．陰茎嚢

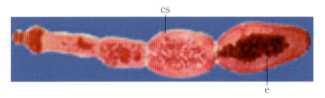

図331．多包条虫の成虫
cs．陰茎嚢，e．虫卵

図332．多包条虫の虫卵
単包条虫，多包条虫，無鉤条虫，有鉤条虫は虫卵の形態が類似していて区別し難い．

図333．多包虫の原頭節
（Dr. Seitzの厚意による）

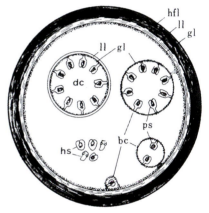

図334．単包虫の母胞嚢の構造
hfl．宿主由来の線維性皮膜，ll．虫体由来の非細胞性の層状皮膜，gl．胚層，bc．繁殖胞，dc．娘胞嚢，ps．原頭節，hs．包虫砂

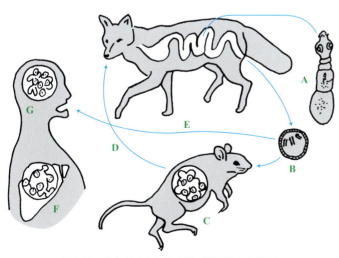

図335．多包条虫の生活史図（説明は本文参照）
単包条虫では終宿主は主にイヌ，中間宿主はヒツジなど草食動物，ヒトに感染すると肝や脳に単包虫を生ずる．

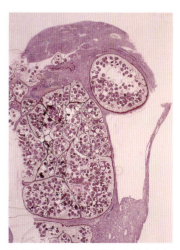

図336．マウスの肝臓に生じた多包虫の横切像
（Dr. Seitzの厚意による）

75 単包条虫，多包条虫 ［B］ 臨床・疫学

単包条虫および多包条虫の幼虫がヒトの肝臓，脳，肺などに寄生すると，やがて大きな囊腫を形成し放置すると死に至る．診断はまず免疫反応，超音波，CTの順に検査を行う．治療は外科的摘出以外に確実な方法はない．多包虫症は今や北海道全域に流行が拡大し，さらに本州へ南下の兆しを見せ今後わが国における最も重要な寄生虫疾患に発展しそうである．感染症法では4類感染症に指定されている．

【症　状】　わが国では多包虫症が重要であるので以下，本症を中心に述べる．

第1期（潜伏期）　無症状，数年～十数年．

第2期（進行期）　上腹部の膨満感・不快感．肝は3横指程度触知し，肝機能は正常か軽度異常，次第に増悪，肝がさらに腫大し，発熱・黄疸などが出現する．

第3期（末期）　全身状態が強く侵され，腹水，門脈圧亢進を示し肝不全，消化管出血などで死亡する．

原頭節が血流によって肺に転移すると（図342），咳，痰，血痰などを発し，時に包虫を喀出する．また脳に転移すると痙攣，癲癇様発作など種々の神経症状を起こす（図343）．単包虫症の場合も同様である（図338）．

【診　断】

1. 流行地に居住もしくは旅行の有無を問診する．
2. 免疫診断：まずELISA，Western blot法，Ouchterlony法などを行う．感染の初期には陰性や擬陽性の場合もある．
3. 陽性者には腹部X線撮影，超音波検査，CT検査（図339）などを行って病巣の状況を把握し，腹腔鏡所見と生検などにより診断を確定する．

【治　療】

外科的に包虫を摘出する以外に確実な方法はない．切除不能あるいは切除後病巣遺残の場合にはアルベンダゾールの経口投与（10mg/kg/日，分3，4週間投与，2週間休薬を反復）を行う．

【予　防】

ヒトへの感染は終宿主の糞便中の虫卵が口に入ることによる．感染したキツネやイヌの体毛は虫卵で汚染されており，また渓流の水や山菜もこれら野生動物の糞便で汚染されている可能性があるので注意を要する．

日本における包虫症の疫学

1. 単包虫症

わが国で包虫症が最初に見つかったのは単包虫症の方で，1881年，浜田が第1例を報告した．それ以来2014年までに88例が関東以西の各地から毎年1～3例程度散発的に報告されている．現在，多包虫症に比し重要性は低いが，最近，北海道のヒツジ，ブタ，ウシから国内感染と思われる単包虫が見い出されており，一方，獣肉の輸入も盛んなので今後，監視が必要である．

2. 多包虫症

1926年，桂島が宮城県でわが国最初の2症例を報告した．その後1936年10月，礼文島出身の28歳の女性に本症が見いだされ，以後2016年9月現在までの総症例数は746例，内訳は北海道645例（礼文島131，その他514），青森22，東京21，宮城9，新潟・大阪各5，富山・神奈川各4，秋田・愛知・沖縄各3，岩手，長野，三重，山形，千葉，福井各2，福島，埼玉，石川，京都，兵庫，山口，大分各1例となっている[註1]．この北海道以外の98例の内少なくとも51例は北海道など流行地に関係のある患者であるが他は感染地不明である．

わが国における本症の流行の経過を見ると，まず礼文島では大正末期，野鼠の退治と毛皮収益をねらって千島の新知島から本虫に感染していたベニギツネを輸入し放飼したことによる．その後キツネを駆逐するため野犬を放ったところイヌが終宿主となり，最後に礼文島からイヌを無くして流行は終息した．

ところが今度は道東地方に流行が発生した．それは1966年2月，根室の7歳の少女に本症が発見されたのに始まる．この道東における流行は流氷に乗ってやってきた感染キツネを起源とし，**キタキツネ *Vulpes vulpes schrencki***（図341）を終宿主，**エゾヤチネズミ**を中間宿主として流行している．現在，北海道全域に流行が拡大しており，キツネの感染率は平均15％，地域によっては40～60％と高く，イヌは1～3％，中間宿主の野鼠は30％，また全道各地のブタからも検出されている．

一方，手術を受けて本症と診断された患者は1998年までに373人を数え，毎年5～20人が新たに患者として認定されている．また抗体が陽性で観察を要する者は400～500人に達しているという．

さらに北海道における本症の流行が本州に拡大する兆候を見せている．とくに青森県では22例と多く，うち9例は原発例とされている．また県内のブタ3頭から本虫の幼虫が検出され，今後注意を要する．さらに2005年に埼玉県北部の野犬から虫卵が検出され，2014年には愛知県阿久比町内山野で捕獲された野犬8頭のうち，1頭の糞便から多包条虫の遺伝子が検出された．

註1．感染症発生動向調査週報，2005-2016．

参考文献

1. 神谷晴夫（2000）：日本寄生虫学会東会抄録，13-14．
2. 並木正義（1994）：日医事新報，3657：44-48．

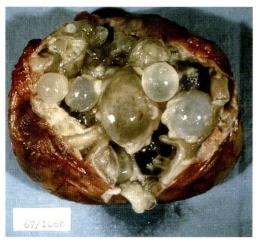

図337. ヒトの肝臓に見い出された単包虫

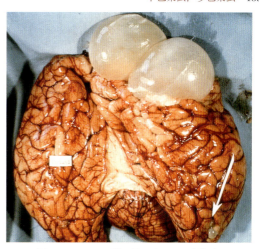

図338. ヒトの脳に見い出された単包虫

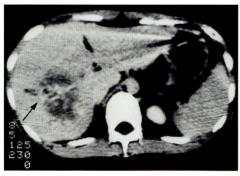

図339. 肝多包虫症患者（22歳, 女性）の CT 像
（矢印病巣）

（図339, 340, 343, 344 は北海道大学, 内野純一教授の厚意による）

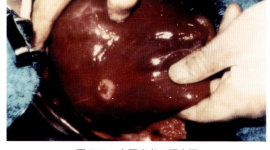

図340. 左図患者の肝表面

図341. 多包条虫の終宿主キタキツネ
（北海道立衛生研究所, 高橋健一氏の厚意による）

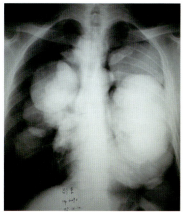

図342. 中国重慶の肺多包虫症患者の
X 線像
（重慶医科大学, 刈約翰教授の厚意による）

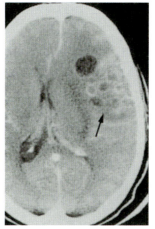

図343. 多包虫脳転移像（矢印）

図344. 図339 の患者の摘出肝の
多包虫の割面
（充実性で黄色を呈する部分）

76 小形条虫，縮小条虫，瓜実条虫，多頭条虫，有線条虫，サル条虫

小形条虫は以前は感染者が多かったが最近減少し，その他の条虫は時々感染例に遭遇する．

I．小形条虫　*Rodentolepis nana*

世界に広く分布している．従来 *Hymenolepis nana*, *Vampirolepis nana* という種名が用いられた．本来ネズミの寄生虫であるがヒト，とくに子供によく感染する．不潔な環境下の子に感染率が高い．わが国でも以前かなり見られたが最近は減少した．

【形態と生活史】
成虫の体長は 10～30mm，体幅は 1mm 程度である．頭節（図 345）には 4 個の吸盤と 20～30 本の小鉤がある．ネズミやヒトの小腸粘膜内に頭節を突っ込んで寄生している（図 346）．

虫卵（図 347，468-S）は糞便内に現れる．大きさは長径 45～55 μm，短径 40～45 μm，楕円形で，中にレモン形の幼虫被殻がある．その両端の突起から数本のフィラメントが出ている．幼虫被殻の中には 6 本の鉤をもった六鉤幼虫が存在する．色は淡黄色である．

中間宿主はノミとかコクゾウムシで，摂取された虫卵はこれら昆虫体内で**擬囊尾虫**となり，それをネズミやヒトが食べると小腸内で成虫となる．しかし終宿主が直接虫卵を食べた場合，小腸粘膜内で擬囊尾虫となり，それが腔内に現れて成虫となることもできる．すなわち中間宿主はなくてもよい．さらに成虫が腸内に寄生していると，その卵が腸内で孵化し六鉤幼虫が腸粘膜に侵入することもある．そして寄生虫体数が増加する．これを**自家感染 autoinfection** といっている．

【症状と診断】
少数寄生の場合は無症状であるが自家感染などで虫体が増加すると腹痛，下痢，栄養障害などを起こす．

診断は糞便検査により特有の虫卵を検出する．

【治療】
本虫は自家感染があり幼虫が腸粘膜内に存在する可能性もある．**プラジカンテル**は組織内幼虫にも有効なので 25mg/kg に増量し 1 回投与する．

II．縮小条虫　*Rodentolepis diminuta*

世界のネズミに広く寄生し，時に日本の子供にも感染がみられる．種名 *Hymenolepis diminuta* も用いられる．

成虫（図 348）は長さ 50～80cm とかなり大きい．頭節（図 350）には 4 個の吸盤はあるが小鉤はない．成熟体節は図 351 のごとくである．

虫卵（図 349，468-T）は球形で直径 60～80 μm と大きく，全体に褐色で幼虫被殻はレモン形でなく球形でフィラメントはない．

中間宿主が必要で，ノミ，コクヌストモドキなどである．自家感染はない．

症状は小形条虫に類似する．診断は検便による．治療にはプラジカンテルを用いる．

III．瓜実条虫　*Dipylidium caninum*

世界各地のイヌに感染している．体節が丸く瓜の種のような形をしているのでこの名がある（図 353）．ときにヒトにも感染し，わが国では今までに 12 例，世界では約 200 例の報告がある．

体長は 60～70cm，頭節には 4 個の吸盤と小鉤がある（図 352）．虫卵は球形で直径 40～50 μm である．

中間宿主はイヌやネコに寄生するノミやシラミの類である．プラジカンテルを用い駆虫する．

IV．多頭条虫　*Taenia multiceps*

成虫はイヌの腸管内に寄生し，ヒツジ，ウシ，時にヒトが中間宿主となる．この条虫の幼虫は**共尾虫**とよばれ，中間宿主の脳や脊髄に寄生する．人体寄生例は世界中で 25 例ほど知られている．

V．有線条虫　*Mesocestoides lineatus*

世界中に分布し，成虫はイヌ，ネコの腸管内に寄生しているが，時にヒトの腸管内にも成虫が寄生する．体長は 30～250cm とかなり長い．わが国では今までに 14 例報告され，とくに東海地方に多い．

生活史はまだよく分かっていないが，第 1 中間宿主はササラダニの類，第 2 中間宿主は種々の脊椎動物（ヘビ，トカゲ，トリなど）と考えられている．わが国で感染した例のほとんどはマムシの血や肉を生で摂取している．

VI．サル条虫　*Bertiella studeri*

サル条虫はアジア，アフリカのサルに寄生し，わが国のニホンザルにも寄生している．中間宿主はササラダニ類で，人体例が 2018 年までに世界で 53 例，わが国では小児 3 例，成人 3 例の合計 6 例の人体寄生例が報告されている．

小形条虫，縮小条虫，瓜実条虫，多頭条虫，有線条虫，サル条虫　141

図345. 小形条虫の頭節と
上部体節

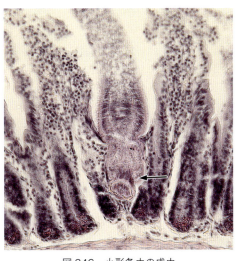

図346. 小形条虫の成虫
宿主の腸絨毛間に寄生（矢印は頭節）．

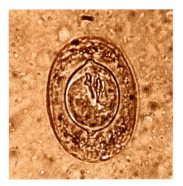

図347. 小形条虫の虫卵
幼虫被殻はレモン状，中に六鉤幼虫
を蔵する．

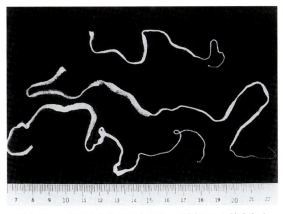

図348. 4歳の少女から駆虫によって採取した縮小条虫
（筆者経験例）

図349. 縮小条虫の虫卵
卵殻は色濃く，幼虫被殻は球形，中に
六鉤幼虫を蔵する．

図350. 縮小条虫の頭節
4個の吸盤と痕跡的な額嘴．

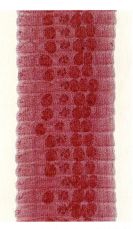

図351. 縮小条虫の成熟体節

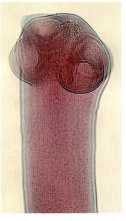

図352. 瓜実条虫の頭節

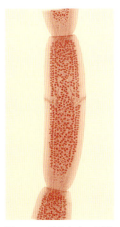

図353. 瓜実条虫の受胎
体節

77 鉤頭虫類
acanthocephala

蠕虫類の中で既述の線虫・吸虫・条虫綱以外に，ヒトに寄生するものとして，この鉤頭虫などがある．

鉤頭虫門　Phylum Acanthocephala

このグループは以前は線虫類に入れられていたが，最近，むしろ条虫類に近いものとされ，独立の門に配された．本グループの特徴は頭端に吻 proboscis があり，多数の鉤を有すること（**図 356**）のほか，体構造が他の蠕虫と著しく異なる．すべて寄生性で，栄養は体表より吸収し，雌雄異体である．500 種以上の種が，多くの脊椎動物から記載されている．この中で以下のような種がわが国でヒトに寄生することが知られている．

I. *Moniliformis dubius*

1983 年，井関らは大阪で 1 歳 2 か月の男児からわが国最初の本虫を見い出し報告した（**図 354**）[註1]．一般に本虫の成虫はネズミの腸管内に寄生し，やや扁平で多数の節から成り，一見条虫に似ている．大きさは雄 8cm，雌 20cm 前後である．その虫卵（**図 355**）がゴキブリなど中間宿主に食べられると，体内で **cystacanth**（**図 357**）と称する幼虫となり，それを終宿主であるネズミが食べるとその腸内で成虫となる．ヒトが感染するのはこの cystacanth を誤って摂取することによる．井関らによると大阪のゴキブリやネズミには本種の幼虫や成虫が高率に感染しているという．

本種の近縁種に ***Moniliformis moniliformis*** という種があり，世界各地に分布し人体感染例も報告されている．上記の *M. dubius* をこれのシノニムとする説もある．

II. *Bolbosoma* sp.

Bolbosoma 属の鉤頭虫はクジラ類を終宿主，甲殻類と魚類を中間宿主としているが，1983 年に鹿児島県の 51 歳と 16 歳の男性から本虫の寄生が報告された[註2, 3]．共に腹痛を訴え，手術により虫体が見い出された．また 2002 年には京都で 65 歳男性の横行結腸癌手術の際に *Bolbosoma* 属の幼若雌虫が見い出された[註4]．さらに 2013 年，京都で 1 例見い出され（山田ら）2019 年までに合計 10 例報告されている．

註 1．井関基弘ら（1985）：寄生虫誌，34：219-228．
註 2．Tada, I. et al.（1983）：J. Parasit. 69：205-208．
註 3．Beaver, P. C. et al.（1983）：Am. J. Trop. Med. Hyg. 32：1016-1018．
註 4．樋野陽子ら（2002）：Clin. Parasit. 13：102-104．

図 354. ***Moniliformis dubius*** の成虫
1983 年に井関らが大阪で 1 歳 2 か月の男児から見い出し 1985 年に報告した虫体．

（図 354〜357 は金沢大学，井関基弘教授の厚意による）

図 355. *M. dubius* の虫卵（外殻の大きさ平均 115×61 μm）

図 356. *M. dubius* 未熟成虫の吻の鉤の配列．

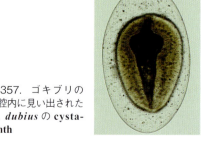

図 357. ゴキブリの体腔内に見い出された *M. dubius* の cysta-canth

各 論

III. 衛生動物

Simulium ochraceum
メキシコやグアテマラの回旋糸状虫症（オンコセルカ症）の主要な媒介ブユである（第48項，第91項参照）（左と中央の写真は，日本熱帯医学会会員で昆虫生態写真家である其田益成氏の厚意による）

Lutzomyia 属サシチョウバエ
中南米のリーシュマニア症は主としてこの Lutzomyia 属のサシチョウバエで媒介される（第13項参照）

ヒトを吸血中の Anopheles 属の蚊
マラリアを媒介する（第20項，第90項参照）　　（Dr. Seitz の厚意による）

78 衛生動物 総論

衛生動物とはどのような動物をいうのか．またその医学的重要性について概説する．

すでに総論（3頁）で述べたように**医動物学**は大きく2つの部門に分けることができる．その1つは**人体寄生虫学**で，主としてヒトの体内に寄生する単細胞（原虫）ならびに多細胞（蠕虫）の動物を取扱う．もう1つは**衛生動物学**で，ヒトの体表に寄生したり，ヒトの伝染病を媒介したり，寄生虫の中間宿主になったり，またはその体内に保有する毒物によってヒトに危害を及ぼしたりする動物を研究対象として取扱う．

日本の医学会には日本寄生虫学会と日本衛生動物学会とがあり，さらにこの両者を含め熱帯病に関する日本熱帯医学会があり，互いに密接に連携して研究を進めている．

Ⅰ．衛生動物の分類

衛生動物はおよそ次のような領域に分けることができる．

a）医学上重要な軟体動物

種々の寄生虫の中間宿主となっている貝類，旋尾線虫の中間宿主のホタルイカやアニサキスの待機宿主となっているスルメイカなど．

b）医学上重要な節足動物

（1）寄生虫の中間宿主となっているケンミジンコ，カニ，エビ，オキアミなどの**甲殻類**．

（2）リケッチア性，ウイルス性，細菌性の感染症を媒介するツツガムシその他の**ダニ類**．

（3）ウイルス性，細菌性，リケッチア性および寄生虫性感染症を媒介する蚊，ノミ，シラミ，ブユその他の**昆虫類**．

（4）ヒトに寄生または刺咬して被害を与えるヒゼンダニ，ニキビダニ，ハチやヒアリなど．

c）医学上重要な魚類

寄生虫の中間宿主となっているマス，サバ，モツゴ，アユ，ドジョウその他の魚類，またフグなど有毒魚類．

d）医学上重要な蛇類

ハブ，マムシなど毒蛇．

e）医学上重要な哺乳類

種々の病原体を保有し，ヒトの近辺に棲息しているネズミ，イヌ，ネコ，キツネなど．

f）その他

寄生虫の中間宿主になっている鳥類や両生類，またヒトを刺すクラゲなど．

Ⅱ．衛生動物の病害分類

1．寄生または刺咬による直接の病害

（1）機械的病害

（2）毒物の注入による病害

（3）アレルギー症状の発現

（4）二次感染

多くの場合，上記のいくつかが合併する．例えばハチ，蚊，アブ，ブユなどに刺された場合，機械的病害は小さいが毒物の注入によって痒く，アレルギー反応が起こり，ハチなどではショックを起こし死亡する例が日本で毎年20〜40例ほどある．また刺口から化膿菌の二次感染もある．毒蛇咬傷は(1)と(2)による被害の典型であり，チリダニなどによる喘息は(3)の例である．

2．有害食品として直接の病害

有毒貝，有毒魚摂取による直接の病害．

3．疾病の伝播者としての間接の病害

a．機械的伝播　例えばハエやゴキブリがその体表や脚に種々の病原体を付着させ，それをヒトの食品の上に運んでくるごとく純機械的な伝播方法で，その病原体はその伝播者の体内で一定の発育や増殖をとげる必要のない場合をいう．

b．生物学的伝播　例えばフィラリアでは蚊に吸われたミクロフィラリアが蚊の体内で感染幼虫にまで発育し，それが次の感染を起こす．また肝吸虫では虫卵が第1中間宿主であるマメタニシに摂取され，その体内で多数のセルカリアに発育し，これがさらに貝を離れ第2中間宿主の淡水魚に入ってメタセルカリアとなり，これをヒトが食べてはじめて感染し成虫となる．このように病原体が伝播動物の体内で一定の発育，あるいは増殖を行うことが，その病原体の生活史上不可欠の場合を生物学的伝播という．

Ⅲ．衛生動物学の重要性

衛生動物が関与している感染症を撲滅あるいはコントロールするためには，その動物の生態を十分研究し弱点を攻撃しないと成功はおぼつかない．

79 医学上重要な貝の分類と形態

貝は食中毒や刺傷を起こすものがあるほかに，多くの淡水産，汽水産，陸産の貝が寄生虫の中間宿主になっている．

軟体動物の中で医学上重要なものは頭足類，腹足類，斧足類に含まれる．まず**頭足類**ではイカ（アニサキス症，旋尾線虫症），タコ（食中毒）などがあげられる．**腹足類**は巻き貝の類で，あらゆる吸虫類および一部の線虫類の第1中間宿主となっており重要である．**斧足類**はアサリのような二枚貝の類で時に食中毒の原因になる．

I．医学上重要な貝類の分類

貝の分類は主に**殻 shell** の形態によって行われている．

腹足綱 Class Gastropoda
 前鰓目 Order Prosobranchiata
  キバウミニナ科　Family Pomatididae
   ヘナタリ　*Cerithidea cingulata*
  カワニナ科　Family Pleuroceridae
   カワニナ　*Semisulcospira libertina*
  カワザンショウガイ科　Family Assimineidae
   ムシヤドリカワザンショウ
    Angustassiminea parasitologica
   ヨシダカワザンショウ
    Angustassiminea yoshidayukioi
  ヌマツボ科　Family Amnicolidae
   マメタニシ　*Parafossarulus manchouricus*
   ミヤイリガイ　*Oncomelania hupensis nosophora*
   ホラアナミジンニナ　*Bythinella nipponica*
 有肺目 Order Pulmonata
  基眼亜目 Suborder Basommatophora
   モノアラガイ科　Family Lymnaeidae
    モノアラガイ　*Radix auricularia japonica*
    ヒメモノアラガイ　*Austropeplea ollula*
   ヒラマキガイ科　Family Planorbidae
    ヒラマキガイモドキ　*Polypylis hemisphaerula*
   サカマキガイ科　Family Physidae
    サカマキガイ　*Physa acuta*
  柄眼亜目 Suborder Stylommatophora
   オナジマイマイ科　Family Bradybaenidae
    オナジマイマイ　*Bradybaena similaris*
   アフリカマイマイ科　Family Achatinidae
    アフリカマイマイ　*Achatina fulica*
   コウラナメクジ科　Family Limacidae
    チャコウラナメクジ　*Lehmannia valentiana*

II．貝の形態

巻き貝の外部形態をカワニナを例にとって説明すると図358 に示す如く，殻の高さを**殻長**（**殻高**）(1)，幅を**殻幅**（**直径**）(2)という．**殻頂**(4)から**殻口**(9)までを**螺塔**(3)，各階を**螺層**(6)，各階の境界を**縫合**(5)，殻口の外縁を**外唇**(11)，内縁の肉厚の部分を**殻軸**(10)という．殻の表面には種々の彫刻があるが，横に巻いて走っているのを**螺肋**(8)といい，縦の彫刻を**縦肋**(7)という．縦肋は殻の成長によって刻まれるので**成長線**とも呼ばれる．**臍孔**(12)は殻軸の基部にある小さい孔で殻の中軸に向かって通じている．臍孔の有無は分類上役に立つことがある．カワニナには臍孔はない．

貝を殻頂を上にして観察すると殻口が向かって右に開くもの（**右巻き**）（**A**，**B**）と左に開くもの（**左巻き**）（**C**）とがある（図359）．また殻口に**ヘタ**を有する種（**A**）と有しない種（**B**）がある．さらに殻高が縮まって円盤状（**D**）のもの，殻の退化したもの（ナメクジの類）もある．

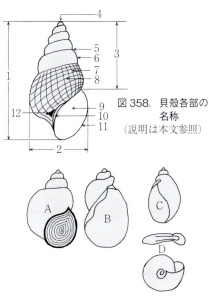

図358．貝殻各部の名称
（説明は本文参照）

図359．巻貝の模型
A．ヘタあり，右巻き（マメタニシ），B．ヘタなし，右巻き（モノアラガイ），C．ヘタなし，左巻き（サカマキガイ），D．ヘタなし，平巻き（ヒラマキガイモドキ）

医学上重要な軟体動物

寄生虫の中間宿主となったり食中毒の原因になる軟体動物についてここにまとめて述べる．

和名と種名	医学的重要性	形態・生態・棲息地など
ヘナタリ（図360-A） *Cerithidea cingulata*	有害異形吸虫の第1中間宿主	殻長15～25mm，本州中部以南の河口に棲息
カワニナ（B） *Semisulcospira libertina*	ウェステルマン肺吸虫および横川吸虫の第1中間宿主	殻長20～30mm，形態変異あり，全国の河川，湖沼に棲息
マメタニシ（C） *Parafossarulus manchouricus*	肝吸虫の第1中間宿主	殻長約10mm，本州・四国・九州の湖沼，灌漑用水路などに棲息
ムシヤドリカワザンショウ（D） *Angustassiminea parasitologica*	大平肺吸虫および小形大平肺吸虫の第1中間宿主	殻長2～3mm，本州中部以南および韓国の河口付近の泥土上に棲息
ヨシダカワザンショウ（E） *Angustassiminea yoshidayukioi*	大平肺吸虫の第1中間宿主	ムシヤドリカワザンショウに類似するがやや小さく光沢あり，臍孔が開く
ホラアナミジンニナ（F） *Bythinella nipponica*	宮崎肺吸虫の第1中間宿主	殻長約1.5mmの微小な貝，本州中部以南の洞窟内または山間渓流に棲息
ミヤイリガイ（G） *Oncomelania hupensis nosophora*	日本住血吸虫の中間宿主	殻長約8mm，日本では広島県片山地方，筑後川流域，甲府盆地，沼津，利根川，小櫃川流域に限って分布した
ヒメモノアラガイ（H） *Austropeplea ollula*	肝蛭および浅田棘口吸虫の第1中間宿主	殻長5～7mm，全国の湖沼，河川，下水などのやや汚い水に棲息
サカマキガイ（I） *Physa acuta*	肝蛭の中間宿主	殻長10～12mm，他の貝と異なり左巻きである，全国の湖沼・河川に棲息
モノアラガイ（J） *Radix auricularia japonica*	浅田棘口吸虫の第1中間宿主，鳥類住血吸虫の中間宿主（水田皮膚炎）	殻長15～25mm，全国の湖沼，河川，水田に棲息
ヒラマキガイモドキ（K） *Polypylis hemisphaerula*	ムクドリ住血吸虫の中間宿主および2,3の棘口吸虫の第1中間宿主	殻長1～2mm，幅6～7mmの扁平な貝，本州・四国・九州の水田などに棲息
アフリカマイマイ（L） *Achatina fulica*	広東住血線虫の中間宿主	殻長10cmに達する大形貝，陸産，わが国では奄美，沖縄，小笠原に棲息
オナジマイマイ *Bradybaena similaris*	広東住血線虫の中間宿主，膵蛭の第1中間宿主	カタツムリの類，陸産貝，全国に分布
チャコウラナメクジ *Lehmannia valentiana*	広東住血線虫の中間宿主，この他，ノハラナメクジ，アシヒダナメクジも中間宿主となる	全国各地の人家，下水，畑地などに棲息
アサリ　*Raditapes philippianum*	時に食中毒の原因となる	全国各地
マガキ　*Crassostrea gigas*	時に食中毒の原因となる	全国各地
スルメイカ　*Tarodes* sp.	アニサキスの待機宿主	全国各地
ホタルイカ　*Watasenia* sp.	旋尾線虫の中間宿主	全国各地（第51項，図223）

医学上重要な軟体動物 147

図360. 中間宿主として医学上重要な日本産淡水，汽水および陸産貝
A. ヘナタリ，B. カワニナ，C. マメタニシ，D. ムシヤドリカワザンショウ，E. ヨシダカワザンショウ，F. ホラアナミジンニナ，G. ミヤイリガイ，H. ヒメモノアラガイ，I. サカマキガイ，J. モノアラガイ，K. ヒラマキガイモドキ，L. アフリカマイマイ

81 医学上重要な甲殻類

ケンミジンコ，カニ，ザリガニ，オキアミ，エビなど甲殻類の中に寄生虫の中間宿主として重要なものがある．

I．橈脚類　Order Copepoda

小形で背甲がなく，4～5対の遊泳肢をもっている．湖沼，水田などあらゆる水域に棲息し，プランクトンの主要素をなしている．

1. ロイカルトケンミジンコ
   Mesocyclops leuckarti
   有棘顎口虫，ドロレス顎口虫，日本顎口虫，マンソン裂頭条虫，メジナ虫などの第1中間宿主となっている．
2. *Cyclops strenuus*
   上記3種顎口虫および広節裂頭条虫の第1中間宿主．
3. *Diaptomus gracilis*（図361）
   広節裂頭条虫の第1中間宿主．

II．十脚類　Order Decapoda

カニ，ザリガニ，エビの類で，通常胸部は背甲で覆われ第1脚は大きく鋏をもつ．

1. モクズガニ *Eriocheir japonica*（111頁，図256参照）
   ウェステルマン肺吸虫の第2中間宿主である．大形で背甲の横径が10cmに達する．螯脚の外側に苔のような毛が密生しているのが特徴である．美味で食用に供される．
2. サワガニ *Geothelphusa dehaani*（111頁，図255参照）
   ウェステルマン肺吸虫，宮崎肺吸虫，佐渡肺吸虫の第2中間宿主である．わが国で唯一の淡水産のカニで北海道を除く各地の山間渓流に棲む．背甲は丸味を帯び，横径は大体3cmくらいで，黄褐色ないし赤褐色を呈する．
3. クロベンケイガニ *Chiromantes dehaani*
   （116頁，図271参照）
   大平肺吸虫および小形大平肺吸虫の第2中間宿主である．ベンケイガニ，アカテガニ，ハマガニ，アシハラガニなども第2中間宿主となる．これらは河口などの汽水域に棲息する．
4. アメリカザリガニ *Procambarus clarki*（図362）
   ウェステルマン肺吸虫の第2中間宿主となるが実際上の重要性は低い．これは外来種であるが現在全国の湖沼や水田や川に棲息している．

図361．ケンミジンコの1種の
Diaptomus gracilis
広節裂頭条虫の第1中間宿主．

図362．アメリカザリガニ
ウェステルマン肺吸虫の第2中間宿主．

82 ダニ 総論

ダニ類は蛛形綱に属する．ダニは世界で約5万種，日本で約1,000種知られ，そのうちのかなりの種が動物に寄生する．それらは吸血によって宿主に皮膚炎を起こすだけでなく，ウイルス，リケッチア，細菌，原虫などを媒介してヒトに疾病を起こしたり，ある種はアレルゲンとなってアレルギー性疾患の原因となる．

【蛛形綱の分類】

医学的に重要な種は次の3目に含まれる．

1. ダニ目 Order Acarina
2. クモ目 Order Araneida
3. サソリ目 Order Scorpionida

上記のうち，わが国では数種の疾患を媒介するダニ類が重要である．クモ類では**セアカゴケグモ**のような有毒グモが外国から侵入し，定着して問題となったり，また時に**サソリ**が外来荷物と共にやってきて大騒ぎになることがある．

【ダニの一般形態】

ダニは体長が0.1mm前後の微小なものから，1cm以上の大きなものまである．欧米ではツツガムシ，コナダニなど微小なダニを一括して**mite**と呼び，マダニのように大きいものを**tick**と呼んでいる．tickの中でもヒメダニ科のものは体が囊状で軟らかいので**soft tick**，マダニ科のものは硬いので**hard tick**と呼んでいる．これらは分類学上の厳密な呼称ではないが大変便利な呼び方である．

昆虫の体は頭，胸，腹部に分かれているが蛛形綱のものは頭胸部と腹部に分かれる．しかしダニ目ではニキビダニ以外は頭・胸・腹部が融合して胴部を形成している．また多くの種はいろいろな形の**背甲板 scutum**を持っており，この形態や体表に生えている剛毛の形や配列が分類に役立つ（図363）．

昆虫の成虫は原則として3対の脚と2対の翅を有するが，ダニの成虫は4対の脚を有し，翅はない．しかしダニの幼虫の脚は3対で，若虫になると4対となる．ダニの脚は胴部の前の方から出て，各脚は6節から成り，先端に爪や吸盤や長毛を有するものもある．また生殖孔や肛門は腹面に開き，気門は側面に開いている．口器は体前端にあり，一見頭のように見える．この口器の部分を**顎体部 gnathosoma**という．その構造は図363，364に示すとおりである．

ダニの内部形態は**図365**に示す如くであるが排泄系は種によって数対の腺状器官をもつものもあれば，長い**マルピギー管**をもつものもある．これらは共に直腸に開いている．ある種のダニではこの排泄系によって病原体の運搬，移動が行われる．

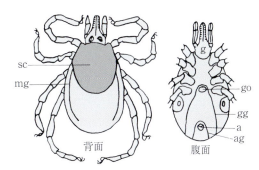

図363．マダニの外部形態（例：ヤマトマダニ雌成虫）
a. 肛門，ag. 肛門溝，sc. 背甲板，g. 顎体部，gg. 生殖溝，go. 生殖孔，mg. 中溝

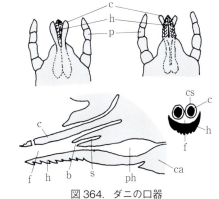

図364．ダニの口器
b. 口腔，c. 鋏角，ca. 顎体部，cs. 鋏角の鞘，f. 食物通路，h. 口下片，p. 触肢，ph. 喉頭，s. 唾液管

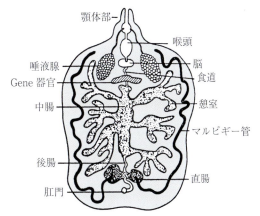

図365．ダニの内部構造
（図364，365はGordonら，1962による）

ダニの分類およびマダニ総論

わが国における医学上重要なダニ類の分類について述べ、その中のマダニについて概説する。わが国で数種類のマダニが日本紅斑熱、ライム病、野兎病などを媒介することが知られていたが、2013年に重症熱性血小板減少症候群（SFTS）という重篤な症状を示す新しいダニ媒介疾患が発生し、高い死亡率を示し、急遽4類感染症に指定された。

Ⅰ. 医学上重要なダニの分類

ダニ目　Order Acarina
　中気門亜目（トゲダニ亜目）　Suborder Mesostigmata
　　トゲダニ科　Family Laelaptidae
　　　ネズミトゲダニ
　　　ヒメトゲダニ
　　　ホクマントゲダニ
　　サシダニ科（ワクモ科）　Family Dermanyssidae
　　　イエダニ
　　　ワクモ
　マダニ亜目　Suborder Ixodides
　　ヒメダニ科　Family Argasidae
　　　Ornithodoros moubata
　　マダニ科　Family Ixodidae
　　　マダニ属：ヤマトマダニ
　　　　　　　　シュルツェマダニ
　　　　　　　　カモシカマダニ
　　　キララマダニ属：タカサゴキララマダニ
　　　チマダニ属：フタトゲチマダニ
　　　カクマダニ属：*Dermacentor andersoni*
　前気門亜目　Suborder Prostigmata
　　ツツガムシ科　Family Trombiculidae
　　　アカツツガムシ
　　　タテツツガムシ
　　　フトゲツツガムシ
　　ホコリダニ科　Family Tarsonemidae
　　ツメダニ科　Family Cheyletidae
　　ニキビダニ科　Family Demodicidae
　　　ニキビダニ
　無気門亜目　Suborder Astigmata
　　ヒゼンダニ科　Family Sarcoptidae
　　　ヒゼンダニ
　　コナダニ科　Family Acaridae
　　　ケナガコナダニ、アシブトコナダニ
　　チリダニ科　Family Pyroglyphidae
　　　コナヒョウヒダニ、ヤケヒョウヒダニ
　　ニクダニ科　Family Glycyphagidae
　　　サヤアシニクダニ
　　サトウダニ科　Family Carpoglyphidae
　　　サトウダニ

Ⅱ. マダニ総論

【分類】マダニ亜目はマダニ科とヒメダニ科に大別され、その主な区別点はマダニでは図367、368、369に示す如く顎体部が体前端から突出し、あたかも頭部のように見え、かつ雌雄とも背甲板を有する点である。背甲板は雄では大きく雌や若虫では小さい。一方ヒメダニでは図366、369に示すごとく顎体部は腹面にあり、背面からは見えず、かつ雌雄とも背甲板を欠く。ヒトに寄生する主なマダニの属までの検索表を図369に示す。

【生活史】雌成虫は吸血すると宿主を離れ地上に落ち、土中に潜み、300〜1,000個の卵を生み死ぬ。孵化した幼虫は宿主を求め、咬着して吸血した後、地上に落ち脱皮して若虫となる。若虫もまた宿主を求め吸血した後地上に落ち、脱皮して成虫となる。成虫はさらに別の宿主に咬着し吸血する。このように1匹のダニがその生涯において3度異なる宿主を吸血するが、このことが疾病媒介上重要な意義を持つ。

マダニ類は一般に雌雄成虫、若虫、幼虫いずれも吸血する。皮膚に咬着し数日ないし十数日にわたって吸血し、飽血すると見違えるように大きくなる。症状がほとんどないのでヒトは疣などと間違えやすい。

【疫学】わが国で報告されたマダニ刺咬例は表19に示す如く増加の傾向にある。その原因は山歩き、キャンプ、山菜取りなどの機会が増えたためと思われる。

【ヒトに寄生する主なマダニ】
　1. ヤマトマダニ（図372）：日本全土に分布し咬着症例が最も多い。野兎病を媒介する。
　2. シュルツェマダニ（図379）：北日本一帯、西日本では高地に分布。ライム病、野兎病を媒介する。
　3. フタトゲチマダニ：日本全土に分布。重症熱性血小板減少症候群（SFTS）、Q熱、極東ロシア脳炎などを媒介する。
　4. キチマダニ（図375）：日本全土に分布。日本紅斑熱を媒介する。最近SFTSウイルスが検出された。
　5. タカサゴキララマダニ：日本全土に分布、最近このダニからもSFTSウイルスが検出された。
　6. *Dermacentor andersoni*（図367）：わが国には分布しないがロッキー山紅斑熱の媒介者として有名である。
　7. *Argas persicus*（図366）：ヒメダニの一種、ニワトリなどに寄生、時にヒトを刺咬する。

表 19. わが国におけるヒト刺咬マダニの種類と症例数

		山口 (1989)	沖野 (2011)
Ixodidae マダニ科			
Ixodes マダニ属			
I. ovatus	ヤマトマダニ	111	256
I. persulcatus	シュルツェマダニ	90	248
I. nipponensis	タネガタマダニ	59	88
I. acutitarsus	カモシカマダニ	46	12
I. monospinosus	ヒトツトゲマダニ	15	32
I. asanumai	アサヌママダニ	1	
種不明		12	
Haemaphysalis チマダニ属			
H. longicornis	フタトゲチマダニ	30	101
H. flava	キチマダニ	18	57
H. companulata	ツリガネチマダニ	2	
H. japonica	ヤマトチマダニ	1	
H. hystricis	ヤマアラシチマダニ	1	
種不明		6	
Amblyomma キララマダニ属			
A. tetsudinarium	タカサゴキララマダニ	46	108
Rhipicephalus コイタマダニ属			
R. sanguineus	クリイロコイタマダニ	1	
Argasidae ヒメダニ科			
Argas ヒメダニ属			
A. vespertilionis	コウモリマルヒメダニ	5	
A. japonicus	ツバメヒメダニ	1	
属種不明		54	290
疑わしい種			23
Ixodes ricinus	イヌダニ, ウシマダニ	5	
I. s. simplex	コウモリマダニ	1	
I. turdus	アカコッコマダニ	1	8

山口は 1927 〜 1989 の間, 沖野は 1941 〜 2005 年の間に報告された症例を集計. 症例数は重複している.

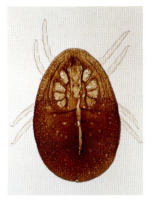

図 366. ***Argas persicus***
ヒメダニ科のダニは背甲板を欠き, 顎体部は腹面にかくれている.

図 367. ***Dermacentor andersoni***
マダニ科のダニは背甲板を有し, 顎体部は前方に突出している.

図 368. シュルツェマダニの体前方部と顎体部
(故近藤力王至教授の厚意による)

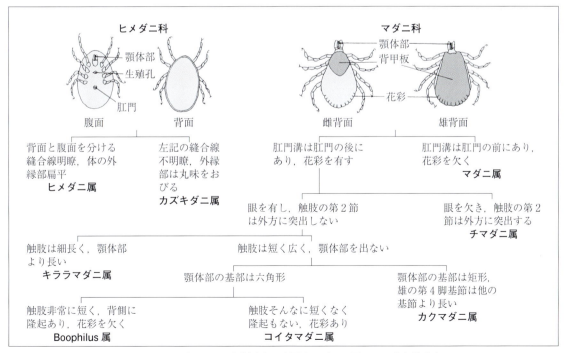

図 369. わが国でヒトを刺咬する主要なマダニの属までの主な検索表

マダニが媒介する疾患［A］日本紅斑熱，野兎病

日本紅斑熱は1984年にわが国で発見された新興感染症の一つで，その後，年々症例が増加している．本症はマダニが媒介するリケッチア性疾患で，高熱，皮膚の紅斑，ダニの刺し口などを特徴としている．野兎病は細菌性疾患でダニが媒介する場合がある．両疾患とも感染症法では4類に指定されている．

I. 日本紅斑熱 Japanese spotted fever

【歴史と疫学】 紅斑熱群リケッチア症はロッキー山紅斑熱など世界各地に存在するが，わが国では知られていなかった．ところが1984年，馬原[注1]は初めて徳島県で紅斑熱患者を発見し，1987年に**日本紅斑熱**と命名した．また内田ら[注2]（1986）は患者から病原体を分離し ***Rickettsia japonica***（図376）と命名した．

1984～1998年まで年間10～20数例，合計213例で関西以西の10県（徳島，高知，兵庫，島根，鹿児島ほか）に見られ，その後，宮崎，和歌山，三重，神奈川，千葉で確認された．日本紅斑熱は1999年に4類感染症に指定されて以降，2006年まで年間30～60例で推移し，その後増加して，2017年は337例，以降年間300例を越える．2007～2019年で2,726例の届出があった．その内訳は三重が一番多く（492例），次いで広島，和歌山，鹿児島，島根，熊本で，近年は福島，新潟，栃木，茨城，石川，滋賀，奈良等で新たに感染が広がる．1999～2019年で死者は44人となっている[注3]．

【症　状】 ヒトが藪や畑に入りダニに刺されてから2～8日の潜伏期の後，高熱をもって発病する．次いで皮膚に特徴的な紅斑が現れ，よく観察するとダニの刺し口がある．この**発熱・紅斑・刺し口**を本症の三大徴候とする．さらに症状の特徴を述べると次のごとくである．

1. 発熱：2～3日不明熱が続いた後，悪寒戦慄，頭痛，筋肉痛などを伴って高熱を発する．重症例では40℃以上の高熱が数日間も持続することがある．

2. 皮膚の紅斑 erythema：高熱と共に紅斑が現れる．これは米粒大～小豆大で，境界不鮮明で痛みや痒みはなく全身に現れるが，とくに四肢，なかでも手掌に顕著に現れるのが特徴である（図370, 371）．この紅斑はその後一部出血性となるが2週間くらいで消退する．

3. ダニの刺し口 eschar：患者の四肢や首などに1～2週間にわたって認められるが，やや小さく，数日間で消失することもあり見逃されやすい（図373, 374）．

4. 臨床検査所見：血液検査所見ではCRPは強陽性，血小板減少などがみられる．白血球数には著変はないが好中球の増加と核の左方移動がみられる．また尿蛋白陽性，肝機能障害を示すこともある．重症になると意識障害，播種性血管内凝固（DIC）などを起こす例もある．

5. 患者の年齢・性別：患者は両性の全年齢層にわたっているが，50歳以上の中高年層の女性に多い．これは仕事上，感染の機会が多いことによると思われる．

【診　断】 発病前の行動（山野への立ち入りなど）を注意深く問診する．上記の症状や検査所見に注意すると共に免疫血清診断を行う．間接蛍光抗体法（図376）や免疫ペルオキシダーゼ反応が行われている．しかし本症は急激に発症し免疫反応が陽性に出る以前に増悪する場合があるので，症状から本症が疑われれば直ちに治療を開始することが肝要である．

ツツガムシ病との鑑別診断　本症は種々の点でツツガムシ病と類似している．主な鑑別点は，①本症は主として関東以西の諸地域で4～10月の候に継続して発症するが，ツツガムシ病は東北・北陸では5月，関東以西では11月が発生のピークである．②本症では紅斑が四肢とくに手掌部に現れるがツツガムシ病では体幹が主で四肢には少なく手掌には見られない．③ダニの刺し口はツツガムシ病では顕著であるが本症では軽微である．④ツツガムシ病では所属ならびに全身のリンパ節腫脹や肝・脾腫が見られるが本症では稀である．

【感染経路】 本症がマダニによって媒介されることは推定されていたが，1999年，馬原ら[注4]は重症例の血液からR. japonicaを分離し，同時に本患者が感染したと思われる場所で採集された**キチマダニ** *Haemaphysalis flava*（図375）から病原体を分離した．この他フタトゲチマダニ，ヤマトマダニ（図372, 380），ヤマアラシチマダニ，タイワンカクマダニからも分離された．

【治　療】 テトラサイクリン系の抗生剤（ドキシサイクリンやミノサイクリン200～300mg/日，治癒まで投与）が著効を示す．ペニシリン系，βラクタム系，アミノ配糖体系などは無効．またツツガムシ病には無効の**ニューキノロン系**薬剤が本症に有効であることがわかり上記薬剤との併用が推奨されている．

II. 野兎病 Tularemia

本症は ***Francisella tularensis*** という細菌の感染によって起こる急性熱性疾患で世界に広く分布する．わが国では1924年に大原八郎が福島県で初めて発見し，以後，現在までに千数百例報告されたが最近は減少した．

感染経路はマダニの刺咬，野兎の屍体の処理，剥皮，調理，食用などの際の経皮感染による．

症状は頭痛・高熱・リンパ節腫脹で，これらの症状ならびに免疫反応により診断する．ストレプトマイシンやテトラサイクリンが有効である．

マダニが媒介する疾患 153

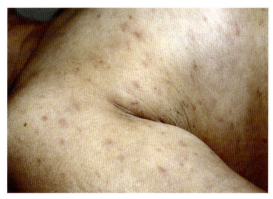

図370. 紅斑熱患者（43歳，女性，徳島県）の第3病日における紅斑

（図370，371，372，374は馬原文彦博士の厚意による）

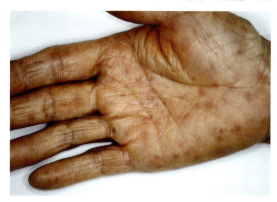

図371. 紅斑熱患者（70歳，女性，徳島県）の手掌部の紅斑
初期の重要な所見．

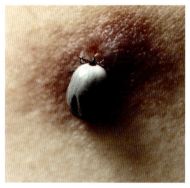

図372. 紅斑熱患者に咬着していたヤマトマダニ

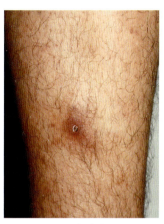

図373. 紅斑熱患者におけるダニの刺し口

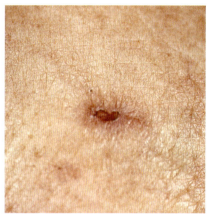

図374. 別の紅斑熱患者におけるダニの刺し口

図375. 紅斑熱を媒介することが証明されたキチマダニの雄成虫
（京都府保健環境研究所，中嶋智子氏撮影提供）

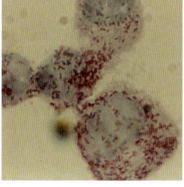

図376. 患者から分離しVero細胞で増殖した紅斑熱リケッチア
（左　ヒメネス染色，右　蛍光抗体法）

（図373，376は徳島大学，内田孝宏教授の厚意による）

註1．馬原文彦（1984）：阿南医報，68：4-7．
註2．Uchida T et al.（1986）：Microbiol. Imm. 30：1323-1326．
註3．日本紅斑熱 1999〜2019年（2020）：IASR, 41：133-135．
註4．馬原文彦（2003）：日本臨牀，61（増3）：823-828．

マダニが媒介する疾患［B］ライム病，重症熱性血小板減少症候群

ライム病はわが国では1987年に最初の患者が発見された新興感染症の一つで，毎年数例～十数例の報告がある．病原体はBorrelia属のスピロヘータで主にシュルツェマダニによって媒介される．症状は特異な遊走性紅斑で，患者は本州中部以北，とくに北海道に多い．一方，重症熱性血小板減少症候群は2013年に突如現れたダニ媒介性ウイルス性疾患で，目下，西日本で266例確認され高い死亡率を示す．共に4類感染症に指定されている．

I．ライム病　Lyme disease, Lyme borreliosis

【歴史と疫学】

ライム病は1975年，北米コネチカット州ライム地方で発見された感染症で，病原体は1982年に発見され**Borrelia burgdorferi**（スピロヘータの1種）と命名された．わが国では1987年に川端，馬場らにより長野県の患者が最初の例として報告された[注1,2]．

本症は世界に広く分布しているが，症状は地域により異なる．最近の分子遺伝学的研究によると上記の*Borrelia burgdorferi*は北米型ライム病の原因菌で，ヨーロッパや日本での原因菌は*B. garinii*と*B. afzelii*であると報告された．日本ではこの両種が**シュルツェマダニ** *Ixodes persulcatus*（図379）によって媒介されているという．一方，**ヤマトマダニ** *I. ovatus*（図372，380）から分離されるのは*B. japonica*という種で，ヒトに対する病原性はない．図381はキチマダニから分離された*Borrelia sp.*で，長さ20～30μm，螺旋状をしている．

わが国におけるライム病症例は宮本ら（1999）[注3]の報告以来，2018年までの20年間で231例報告されている．本州中部以北（特に北海道）に多く見られ，その他，東京，長野，新潟，神奈川，兵庫，群馬などで見られている．野鼠やマダニの病原体保有率は欧米並みであることから潜在的にライム病が蔓延している可能性が指摘されている．一般住民の抗体陽性率は56～80％を示し，*Borrelia*の不顕性感染が考えられ，症状が不定なために他の疾患として処理されている可能性がある．

【症状】

第1期：マダニに刺されてから7～10日後，刺咬部を中心に紅斑を生じ，遠心性に拡大する．周辺部は鮮紅色・浮腫状で中心部は退色傾向を示す．これを**遊走性紅斑**（erythema migrans：EM）という（図377，378）．同時に頭痛や発熱などインフルエンザ様症状を示す．

第2期：感染が全身に及び，各種神経炎，脳炎，髄膜炎，心臓障害，関節痛，筋肉痛など多彩な症状を示し，皮膚に二次性紅斑（図378）を生ずることがある．

第3期：数カ月～数年後，慢性関節炎などを生ずることがある．

わが国の症例は欧米と異なり比較的軽症で，第1期のみに止まる場合が多い．これはわが国のBorrelia株の病原性が低いためと考えられている．

【診断】

①本症の地理的分布，好発時期（5～7月），発症前の行動（山野跋渉など），ダニ刺咬の有無，などを参考にする．②遊走性紅斑などの臨床症状（紅斑が現れない場合もある）．③紅斑付近の皮膚を切除しBorreliaの分離培養（BSH-H培地）．④蛍光抗体法，酵素抗体法，Western blot法などによる抗体検査．⑤PCR法による抗原DNAの検出，などにより総合的に診断する．

【感染経路】

本症の病原体はおそらく多くの野生動物に寄生しており，マダニを媒介者としてヒトに感染するものと思われる．わが国では目下シュルツェマダニのみが媒介者とされる．このダニは北海道では平地にも分布するが本州では海抜800m以上の高地に棲息する．北海道ではこのダニの16.9％から病原体が分離されたという．

【治療と予防】

本症はペニシリン系，テトラサイクリン系，マクロライド系抗生剤が有効である．マダニ棲息地帯に入るときはダニ付着防止用の長袖，長ズボンを着用する．

II．重症熱性血小板減少症候群[注4] Severe fever with thrombocytopenia syndrome（SFTS）

2012年に山口県で死亡した症例が2013年1月に初めて本症と診断され，その後，遺伝子検査で遡行的に診断された8例を含め，国立感染症研究所の発表によると，2022年7月31日までに763例の報告がある．西日本中心であり，男性377人，女性386人であった．死者は92人（男性51人，女性41人）である．60歳以上が多い．本症はSFTSウイルスを有するマダニに刺されて感染するので，発症はダニの活動時期である春から秋にかけて多く，患者は50歳代以上に集中している．最近，本症に感染している野良猫にかまれて発症し死亡した1例が報告された．

症状は高熱，激しい消化器症状，白血球・血小板の減少，リンパ節腫脹，血尿，血便，神経症状などを示し予後不良である．診断は間接蛍光抗体法や遺伝子診断による．有効な治療薬はなく，専ら対症療法に頼る．

病原体はブニヤウイルス科フレボウイルス属の新しいSFTSウイルスとされ，患者に咬着していたフタトゲチマダニ，タカサゴキララマダニ，キチマダニなどからウイルスが分離され，媒介者と考えられている．本症は2006年に中国で発見され，2,000人以上の感染者が出ているという．

マダニが媒介する疾患　155

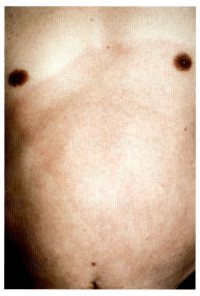

図377. ライム病患者（64歳，男性）の
　　　ダニ咬着6週後の巨大な遊走性
　　　紅斑

（図377, 379は馬場俊一博士の厚意による）

図379. 図377の患者に咬着していた
　　　シュルツェマダニ

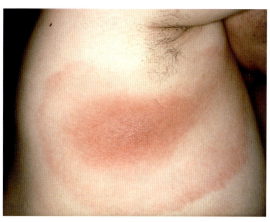

図378. ライム病患者（49歳，女性）の遊走性紅斑
外側が一次性紅斑で，その内側に二次性紅斑が生じている．
（橋本喜夫博士の厚意による）

図380. ヤマトマダニ
福井県の14歳の女性の左眼瞼寄生例．
（金沢大学医学部眼科症例，故近藤力王至教授の厚意による）

表20. 世界における主なマダニ媒介ヒト感染症

病原体	感染症
リケッチア	**日本紅斑熱**，エーリキア症，Q熱，ロッキー山紅斑熱
ボレリア	**ライム病**，回帰熱
細　菌	**野兎病**
原　虫	**バベシア症**
ウイルス	**重症熱性血小板減少症候群** ダニ脳炎，コロラドダニ熱 クリミヤ・コンゴ出血熱

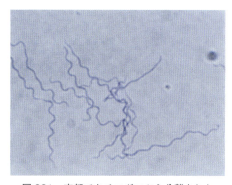

図381. 京都でキチマダニから分離された
　　　Borrelia sp.
（中嶋智子氏の厚意による）

註1. Kawabata H et al.（1987）：J. Inf. Dis. 156：854.
註2. 馬場俊一ら（1987）：日皮会誌，97：1133-1135.
註3. 宮本健司ら（1999）：皮膚科の臨床，41：1053-1061.
註4. 西條政幸（2013）：感染症，43：213-216.

86 ツツガムシおよびツツガムシ病［A］歴史・形態・生活史

ツツガムシはダニ目に属する微小なダニで，世界で約1,200種，わが国で29属109種程記載されている．幼虫は野鼠やヒトに吸着寄生し，ある種のツツガムシはリケッチア症であるツツガムシ病を媒介する．その病原体は *Orientia tsutsugamushi* である．

【わが国でツツガムシ病を媒介するツツガムシ】
1. アカツツガムシ　*Leptotrombidium akamushi*（図382，385）
2. タテツツガムシ　*L. scutellare*（図386，387）
3. フトゲツツガムシ　*L. pallidum*（図388）

【ツツガムシ病の病原体】
ツツガムシ病リケッチア　*Orientia tsutsugamushi*

【歴　史】
ツツガムシ病はパキスタン，インドネシアおよびカムチャツカ半島を結ぶ広大な三角形の地域に存在する疾患で，わが国にも古くから各地に存在していたと思われる．とくに秋田県雄物川，山形県最上川，新潟県信濃川および阿賀野川の流域でアカツツガムシの媒介によって起こるツツガムシ病は有名で，毎夏，多くのヒトが本症で死亡していた．住民は小さなダニ（新潟では恙虫，赤虫，山形では毛蟲，沙蝨などと呼んでいた）に刺されて発病することに気づいており，針でダニを掘り起こしたり，毛蟲神社や恙虫明神などを建てて神頼みにより疫病を逃れようとしていた．Baelzと川上は明治初年に流行地を訪れ，本症を日本洪水熱と称して世界に紹介した．

本格的な研究が始まったのは19世紀の終わり頃で，多くの学者が競って研究し，遂に1927年，緒方規雄は本症の病原体を発見し，*Rickettsia tsutsugamushi*（ツツガムシ病リケッチア）と命名した．最近，属名が *Orientia* に変更された．

第二次大戦後になって，上記のようなツツガムシ病は東北3県に限られた疾患ではなく，全国各地に存在し，七島熱とか丹後熱とか，その地方の名を冠して呼ばれていたことが佐々らの研究で明らかとなってきた．そしてそれらはアカツツガムシ以外のダニ，すなわちタテツツガムシあるいはフトゲツツガムシによって媒介されていることも明らかになってきた．便宜上，東北3県のアカツツガムシによるものを**古典型ツツガムシ病**，その他のものを**新型ツツガムシ病**と呼んでいる．しかし病原体も症状も同じである．以前は古典型ツツガムシ病のみ知られていたが，1980年代以降は古典型は姿を消し，ほとんどすべて新型ツツガムシ病のみが報告されている（次項参照）．

【幼虫の形態】
ツツガムシは主としてネズミの耳介などに寄生している幼虫を採取し，その形態によって分類されている．幼虫は一般に体長0.2～0.4mmと小さく，図382に示す如く3対，6本の脚を持ち，体表には多数の剛毛が生えている．背面の前方には**背甲板 scutum**があり，その形態や，そこに生えている剛毛の数，配列などが分類に役立つ．アカツツガムシの背甲板を図383に示す．

【ツツガムシの生活史とリケッチア媒介のメカニズム】
ツツガムシは図384に示す如く幼虫だけが動物に吸着して組織液を吸い，若虫や成虫は外界で昆虫の卵などを食べて生活している．このように一生に一度だけしか吸血しないツツガムシが病原体を媒介するメカニズムについて，従来の考え方は，野鼠がリケッチアを保有しており，ツツガムシ幼虫は野鼠に吸着することによって感染し，このリケッチアは若虫，成虫，さらに経卵感染して次の世代の幼虫に引き継がれ，この有毒幼虫がヒトを刺したときに感染するというものであった．ところが最近の説は，ツツガムシ病リケッチアはネズミからツツガムシに移行するのではなく，ある地域のツツガムシ集団はその体内に共生細菌としてリケッチアを保有し，成虫→卵→幼虫→若虫→成虫と，ネズミとは無関係に代々受け継がれ，幼虫が吸着したときにネズミやヒトにリケッチアを与え感染させるというものである．ネズミは感染しても発病しない模様である．

【わが国で重要な3種のツツガムシの生態】
1. アカツツガムシ（図382，385）

体は赤色，体長約0.2mm，満腹時には0.45mmとなる．新潟，秋田，山形，福島の大河の中流～下流に分布するが，沖縄，台湾，東南アジアに類似種が見られる．本種はいわゆる古典型ツツガムシ病の媒介者として有名である．幼虫は夏に多発するので患者は夏に発生する．しかし最近，本種の媒介による古典型ツツガムシ病は激減したが時々発生する（次項参照）．

2. タテツツガムシ（図386，387）

東北中部，北陸，東海，南日本などに多いがその他の地方にも分布する．本種はいわゆる新型ツツガムシ病の媒介者で，主として秋から冬にかけて幼虫が発生し，患者もその頃多発する．

3. フトゲツツガムシ（図388）

北海道から九州まで広く分布し，新型ツツガムシ病を媒介している．東北地方では春と秋に多発し，関東以西では秋から冬にかけて多く発生する．

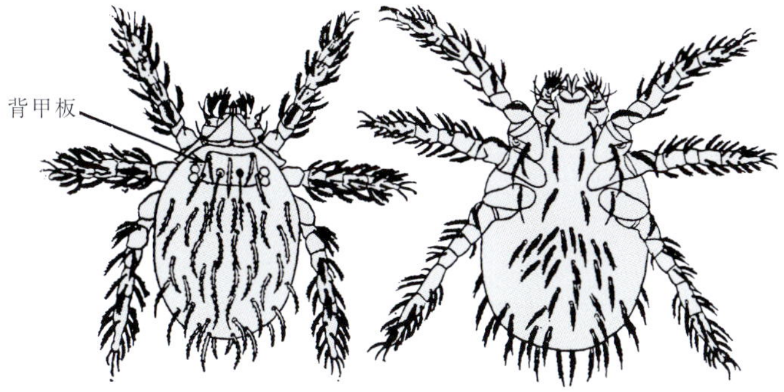

ツツガムシおよびツツガムシ病

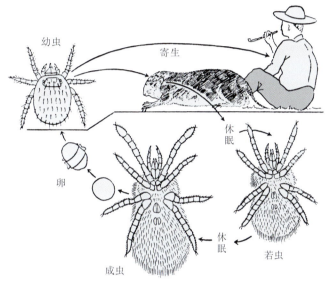

図382. アカツツガムシの幼虫
（故佐々 学博士による）

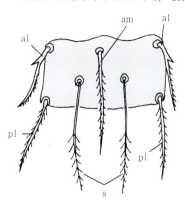

図383. アカツツガムシ幼虫の背甲板
al. 前側毛，am. 前中毛，pl. 後側毛，
s. 感覚毛　　（故佐々 学博士による）

図385. アカツツガムシの幼虫
（図385，386，388は福井大学，高田伸弘
博士の厚意による．微分干渉顕微鏡像）

図384. ツツガムシの生活史
若虫，成虫は土中で生活し，幼虫だけが動物に吸着する．
ツツガムシ病リケッチアの伝播ルートについては本文参照．
（故佐々 学博士による）

図386. タテツツガムシの幼虫

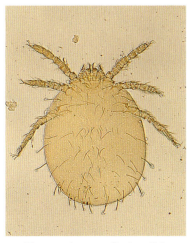

図387. タテツツガムシの幼虫
（通常顕微鏡による所見）

図388. フトゲツツガムシの幼虫

ツツガムシおよびツツガムシ病 [B] 臨床・疫学

ツツガムシ病の主症状は，特有のダニの刺し口，高熱，所属リンパ節腫脹，発疹などで，このような患者を診たときはツツガムシ病を疑い，直ちにテトラサイクリンなど有効な抗生剤を用い治療する．適切な治療が遅れると死亡する場合がある．血中抗体はダニ刺咬後10〜14日頃から上昇するので免疫血清診断を行い，後で診断を確定する．本症は現在もなお年間数百例発生し，感染症法では4類に指定されている．

【疾病名】 ツツガムシ病 Tsutsugamushi disease, scrub typhus

【症　状】 古くから東北3県で知られていたいわゆる古典型ツツガムシ病は高い死亡率を示したのに対し，戦後発見されたいわゆる新型ツツガムシ病は一般に軽症であるといわれた．しかし病原体も同じで原則的に両者の間に差はなく，新型でも治療を誤ると死亡する例がある．

典型的な症状は以下の如くである（図389参照）．

1. **ツツガムシ幼虫の刺し口**（図390, 392） 刺し口は陰部，乳房，腋窩，臍周囲などに多い．ツツガムシに刺された部位は2〜3日すると紅色丘疹を生じ，次いで水疱から膿疱となり，周囲に紅暈を生ずる．次にその表面は黒褐色の痂皮で覆われ，さらに痂皮がはがれて潰瘍となる．

2. **発熱**（図389） ダニに刺されてから7〜12日後から発熱が起こる．初めはインフルエンザ様で全身倦怠，頭痛，関節痛などを示す．熱型は図389に示す如くで，39〜40℃に達する．本症はβラクタム系抗生剤が無効で，後述のような抗生剤を投与すれば熱は直ちに下がるが，治療を誤れば高熱が続き死亡する場合もある．

3. **発疹**（図391） 第3病日頃より帽針頭大の淡赤色の丘疹が現れ全身に広がる．発疹は独立し，ほとんど融合せず，痛みも痒みもなく，出血性でもない．

4. **リンパ節腫脹** ダニ刺咬部の所属リンパ節が腫脹し圧痛がある．重症例では全身に及ぶ．

5. **その他** 肝・脾腫大．重症化すると肺炎，脳炎症状を発する．

6. **臨床検査所見** 症状の程度にもよるが，よく見られる検査所見は次の如くである．①CRP強陽性，②血液所見：白血球数の減少，好酸球の消失，異型リンパ球の出現，好中球の核の左方移動，肝機能異常：GOT, GPT, LDHなどの上昇，④尿異常所見：蛋白，ウロビリノーゲン，赤血球，円柱の出現などである．

【診　断】 上記のような症状を呈する患者を診たときはまず本症を想起し，野外行動など感染の機会について詳しく問診し，疑わしいときは直ちに治療に踏み切る．確定診断は次の如く行う．

1. **リケッチアの分離** 患者の血液，リンパ節などの材料をヌードマウスに接種し，リケッチアを検出する（図393）．診断に10日以上の期間を要する．

2. **免疫血清診断** 間接蛍光抗体法（図394）あるいは間接免疫ペルオキシダーゼ法が用いられる．共に約3時間以内に結果が得られる．後者を用いれば普通顕微鏡で検査ができ，退色しない標本の作成が可能で，保存や輸送も容易などの点で優れている．

わが国の病原リケッチアはKarp, Gilliam, Kato, Kawasaki, Kuroki, Shimokoshiの6つの血清型に大別されている．

【治　療】 βラクタム系抗生剤（ペニシリンやセファロスポリン）は無効で，**テトラサイクリン系やクロラムフェニコール系抗生剤**が有効である．例えば**ミノサイクリン**または**ドキシサイクリン**なら200mg/日，分2，**クロロマイセチン**なら2g/日，分4，共に3〜5日の投与で治癒する．また**リファンピシン**450mg/日，分3，3〜5日の投与も有効．とにかく早期診断，早期治療が要諦である．

【疫　学】 わが国のツツガムシ病は，以前は東北3県のアカツツガムシによる古典型ツツガムシ病を指していたが，これは次第に減少し，今やタテツツガムシやフトゲツツガムシによる新型ツツガムシ病がほとんどである．とくに毎年患者の多発する県は，鹿児島，宮崎，千葉，秋田，新潟，群馬などで，北海道，沖縄では発生していない．大体において，東北，北陸など寒冷地では4〜6月と11〜12月に，主にフトゲツツガムシの媒介により発生し，関東以西，九州など温暖地では10〜12月に主にタテツツガムシの媒介により多発する．

ツツガムシ病発生の年次推移を見ると図395に示す如く1965〜1975年に著明な低下を示している．この理由はこの頃は本症に有効なテトラサイクリン系やクロラムフェニコール系抗生剤が全盛の時代で，ツツガムシ病と診断されなくても発熱患者には本剤が投与されたためと思われる．ところがこれらが副作用のため規制され，以降は本症に無効のβラクタム系抗生剤の全盛期となった．そのため患者が増加してきたと思われる．医薬品の世代交代が疾病の流行を左右した興味ある事例といえよう．しかし21世紀に入り患者は図395に示すように減少傾向を示しているが，なお年間300〜500例発生している．

また最近の情報（佐藤ら，2010）によると，秋田県で15年ぶりにアカツツガムシ媒介による古典型ツツガムシ病が発生したという．

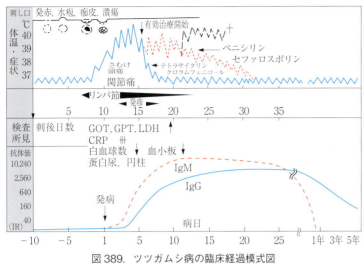
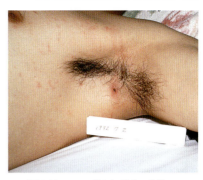

図 389. ツツガムシ病の臨床経過模式図
これは臨床経過と抗体価の推移を示したものであるが，とくに早期治療の重要性とその効果に注目されたい．
（須藤，1986 による）

図 390. ツツガムシ幼虫の刺し口
（岩手県，41 歳，男性）
（宮古病院，橋本信夫院長の厚意による）

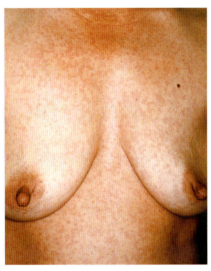
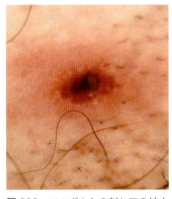
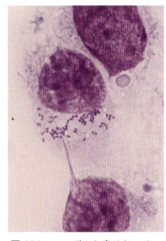

図 391. ツツガムシ病の発疹
（福井県，46 歳，女性）
（福井大学，高田伸弘博士の厚意による）

図 392. ツツガムシの刺し口の拡大図
（宮古病院，橋本信夫院長の厚意による）

図 393. ツツガムシ病リケッチア
（ギムザ染色）
（高田伸弘博士の厚意による）

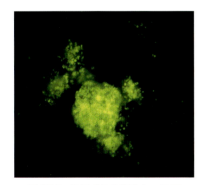
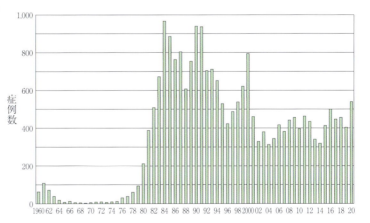

図 394. ツツガムシ病リケッチア
（間接蛍光抗体法によるリケッチアの蛍光像）
（高田伸弘博士の厚意による）

図 395. わが国における古典型ならびに新型ツツガムシ病の発生状況
（1960〜2020）
（川上，1981 の報告にその後の成績を追加，感染症発生動向調査による）

ヒゼンダニ，イエダニ

ヒゼンダニは疥癬虫ともいわれ，世界に広く分布し，ヒトの皮膚に寄生して疥癬を起こす．最近わが国で増加の傾向にある．感染は性交，同衾などヒトとヒトとの接触，または寝具などを介して起こる．最近，問題になっているのは養護老人施設などでの集団発生で，感染者の入所により施設内に流行が起こり介護者やその家族にまで感染が及ぶことがある．イエダニは通常，家鼠に寄生し時に多数発生してヒトを刺す．最近わが国では減少している．

I．ヒゼンダニ（疥癬虫）*Sarcoptes scabiei*

【疾病名】　疥癬　scabies

【形　態】　ヒゼンダニの成虫は図396に示す如く，ほぼ卵円形で，大きさは雌は体長0.33～0.45mm，体幅0.25～0.35mm，雄は体長0.20～0.24mm，体幅0.15～0.20mmと雄の方が小さい．前の2対の脚と後の2対の脚とはかなり離れており，前の2対の脚の先端には柄を有する円盤が付いており，後の2対の脚の先端には，雌では共に長い毛が生え，雄では第3脚には長い毛，第4脚には円盤が付いている．

【生活史】　雌成虫はヒトの皮膚の上で交尾した後，角皮内にトンネルを掘って前進し，トンネル内に産卵する（図397）．3～4日すると卵は孵化し3対6脚の幼虫が皮膚の表面に現れ，毛包内に寄生し，脱皮して若虫となる．若虫はさらに発育・脱皮して成虫となる．孵化から成虫になるまでの期間は約1週間である．雌虫の寿命は約2か月といわれ，その間，毎日2～3個の卵を産む．雌虫の体内にはほぼ常に1個の卵が見られ，虫体の周囲には産下された卵が数個見られる（図396）．

【寄生部位】　顔面以外のどこにでも寄生するが，皮膚の柔らかいところを好む．すなわち指の間（図401，403），陰茎，陰囊（図398，399，400），腋窩，胸・腹部，肘部，背部などが多い．

【症　状】　寄生部位には図398～402に示すような赤色の丘疹ないし水疱を生じ，極めて痒く，とくに夜間や，皮膚が温まると増強し，掻くことによって化膿菌の二次感染を生ずる．また症状が進むと図403に示すような白く厚い角質増殖が起こり難治性となる．

疥癬の中でとくに免疫抑制剤投与中の患者，免疫力の低下した老人，HIV感染者などにおいて全身に及ぶ重症感染が見られる．これを**角化型疥癬**（従来**ノルウェー疥癬**と称されてきた）と呼んでいる（図402）．

【診　断】　皮膚の病変部をかなり強く掻き取ってスライドグラス上にのせ，20～30％KOH 1～2滴をたらしカバーグラスをかけて鏡検しダニを検出する．

【治　療】　疥癬の治療には専ら次のような塗布剤が用いられてきたが，最近，有効な内服薬が現れた．併用するとよい．

（1）10％クロタミトン（オイラックス®軟膏，ステロイド非含有製剤）：毎日1回全身塗布・洗浄を繰り返す．

（2）5％フェノトリン（スミスリン®ローション）：1回30g，1週間間隔で2回塗布する．最近発売された保険適用の薬剤である[註1]．

（3）5～10％安息香酸ベンジル・エタノール液塗布．

（4）γBHCを1％の割にワセリンに混じ塗布する．6時間後洗浄．塗布剤の中では最も有効とされているがやや毒性があり，月2回塗布を限度とする．

（5）**イベルメクチン Ivermectin**（商品名：**ストロメクトール**）：大村智によって発見された抗生剤で，回旋糸状虫や糞線虫に対する有効薬であるが疥癬にも卓効を示す．用法は200μg/kgを空腹時に水で服用，1週間後にもう1回服用で十分有効とされる．幼小児，妊婦には投与しない．

【疫　学】　疥癬は戦争など社会の混乱，貧困時に流行する．わが国でも第二次大戦後大いに蔓延し，各地病院の皮膚科外来の半数を疥癬患者が占めたといわれるが数年で終息した．ところが1975年頃から徐々に増え始め，現在も増え続けている．この原因は，初めの頃は，海外での感染，性交による蔓延，免疫抑制剤の濫用などが考えられたが，最近は養護老人ホームなどの急増に伴い，このような閉鎖環境における集団発生が顕著になってきた．大滝（1998）[註2]の，関東の506施設の調査によると44.6～78.5％の施設で疥癬の流行を経験したという．今後の高齢化社会における大きな問題である．

II．イエダニ　*Ornithonyssus bacoti*

全世界に分布し，主としてネズミに寄生している．体長は雌0.7mm，雄0.5mm，図404に示すような形態をしている．幼虫，第1若虫，雌雄成虫が吸血する．

時に人家内で異常に発生し，ヒトを吸血し，強い掻痒感のため掻爬して皮膚炎を招く．とくに乳幼児に被害が大きい．腹部や鼠径部がよく咬まれる．患部は温湿布などをして，なるべく掻かないようにし，抗ヒスタミン軟膏やステロイド軟膏を塗布する．わが国ではイエダニが媒介する疾病は知られていない．

駆除法：発生場所は天井裏や押入のネズミの巣であるから，よく掃除をし殺虫剤を散布しておく．

註1．谷口裕子ら（2015）：モダンメディア，61：135-139．
註2．大滝倫子（1998）：衛生動物，49：15-26．

ヒゼンダニ，イエダニ　161

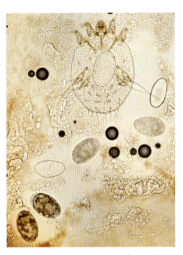

図 396. ヒゼンダニの雌成虫と周囲の卵（図 399 の患者より）

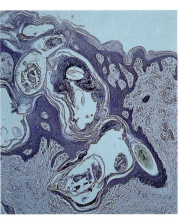

図 397. 疥癬患者の皮膚組織切片像　虫道，虫体および卵の断面がみえる．

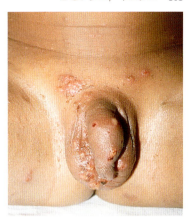

図 398. 小児の陰茎，陰嚢およびその周辺の疥癬
（Dr. Zaman の厚意による）

図 399. 陰茎および陰嚢の疥癬

図 400. 陰嚢および陰茎の疥癬
（図 399 と同一患者）

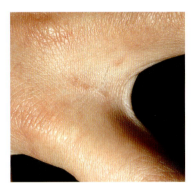

図 401. 手指の根部の軽症の疥癬
（図 396, 399, 400, 401 は福井大学，上田恵一教授の厚意による）

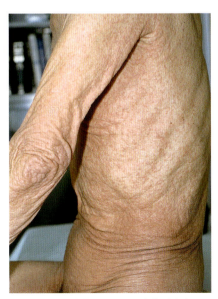

図 402. 老人にみられた角化型疥癬
（滋賀県，荻野賢二博士の厚意による）

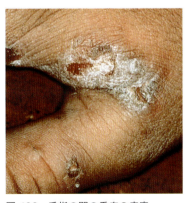

図 403. 手指の間の重症の疥癬　白色の角質増殖を来たしている．
（Dr. Zaman の厚意による）

図 404. イエダニの成虫

ニキビダニ，屋内塵ダニおよびダニアレルギー

ニキビダニはヒトの顔面の毛包や皮脂腺に寄生し，いわゆるニキビのような皮疹を生ずる．わが国でもかなり感染者が多い．一方，家屋内には微小なダニが棲息しており，これがアレルゲンとなって喘息やアトピー性皮膚炎などアレルギー疾患を起こしていることが明らかとなってきた．最近の増加の原因は，コンクリート住宅に畳や絨毯を敷き，掃除が不十分な上に温度，湿度がダニにとって好適なためと考えられる．

I．ニキビダニ *Demodex folliculorum*

ニキビダニは世界に広く分布し，*D. folliculorum* と *D. brevis*（コニキビダニ）の2種があり，共にわが国に存在し，**ニキビダニ**または**毛包虫**，あるいは**毛嚢虫**と呼ばれている．

【形　態】　成虫は図405，408，410に示す如く特異な棍棒状の形態をし，体前方1/3の所に4対8本の短い脚がある．*D. folliculorum* の体長は雌成虫0.3〜0.4mm，雄成虫はやや小さい．*D. brevis* はその名の示す如く体長が短い．

【生活史】　*D. folliculorum* は主としてヒトの顔面の毛包内に寄生し，*D. brevis* は皮脂腺内に寄生するといわれる．卵は産下後2〜3日すると孵化して幼虫が現れ，前若虫，後若虫の時期を経て約2週間で成虫になる．

【症　状】　主に顔面に散在性の紅色丘疹を生じ，軽度の搔痒感を伴う（図406，407，409）．微小血管の拡張など酒皶を示す．とくに副腎皮質ステロイド軟膏を使用している者に多い．

【診　断】　面皰圧子で病変部を圧迫して得た材料を鏡検しダニを見い出す．伯川[註1]は長崎で，本虫が疑われた979例の患者を検査したところ665例（67.9％）にニキビダニを見い出したという．また *D. folliculorum* は幼児から高齢者にまで広く見られたが，*D. brevis* は幼児や若者には見られなかったという．

【治　療】　伯川によれば面皰圧子で虫を押し出すのがよいという．外用薬としては硫黄華軟膏，フェニトロチオン軟膏などを用いるがなかなか根治し難い．全身感染を示したエイズ患者でイベルメクチンの有効性が示されている．

II．屋内塵ダニ　House dust mites

自然界には殆ど目にとまらないような微小なダニが無数に存在する．人家内でも屋内塵，寝具，穀類，貯蔵食品，菓子類，さらには粉末薬品の中までもこのようなダニが侵入し，棲息していることがある．これらを総称して屋内塵ダニと呼んでいる．

医学上問題となるのは，これらのうちのある種が人体内寄生をする場合（**人体内ダニ症**）と，これらがアレルゲンとなって喘息などの原因になっている場合である．

III．人体内ダニ症

ヒトの糞便，尿，胆汁，腹水などを検査していると微小なダニを見い出すことがある．真の寄生の場合は下痢・腹痛（消化系ダニ症），血尿・浮腫（尿路系ダニ症），咳・血痰（呼吸器系ダニ症）などの症状が起こるが大抵の場合はその周辺に無数に存在しているダニが尿コップなど器具に付着していた場合が多い．したがって清浄な器具を用い検査を反復する必要がある．よく検出されるダニは次のような種である．

1. ケナガコナダニ　*Tyrophagus putrescentiae*
 わが国で最も普通の種で，穀類，菓子，乾魚，チーズ，粉乳などに発生する（図411）．
2. アシブトコナダニ　*Acarus siro*
 欧米で最も普通の種，輸入食品などに見られる．
3. サヤアシニクダニ　*Glycyphagus destructor*
 主として乾魚，鳥獣の屍体などに発生する．
4. サトウダニ　*Carpoglyphus lactis*
 砂糖や味噌などに発生する．

IV．屋内塵ダニアレルギー

上記の食品に発生するダニの他に**屋内塵 house dust** 中にも微小なダニが存在し，喘息などアレルギー疾患の原因になっている．主な種は次の2種である．

1. コナヒョウヒダニ　*Dermatophagoides farinae*（図414）
2. ヤケヒョウヒダニ　*D. pteronyssinus*（図412，413）

これらのダニは体長約0.3mmで，畳や絨毯の中に棲息している．卵から成虫になるには約1か月を要する．このダニ自体および糞が吸入性のアレルゲンとなる．喘息患者やアレルギーの患者にこのダニから抽出した抗原で皮内反応を行ってみると80〜90％に陽性を示す．

一方，フトツメダニ *Cheyletus fortis*（図415）などツメダニ類は上記の微小なダニを捕食しており，時に人を刺して皮膚炎を起こす．

註1．伯川貞雄（1978）：西日本皮膚科．40：276-284．

ニキビダニ，屋内塵ダニおよびダニアレルギー 163

図405. ニキビダニ成虫

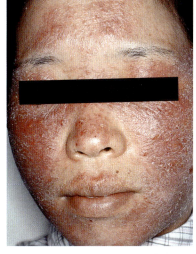

図406. ニキビダニ感染症患者

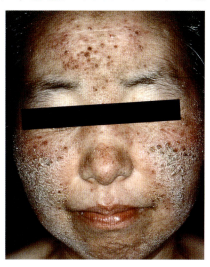

図407. ニキビダニ感染症患者

（図406, 407, 410は川崎医科大学，三好　薫教授の厚意による）

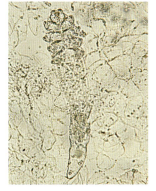

図408. ニキビダニ成虫
（図409の患者より採取）

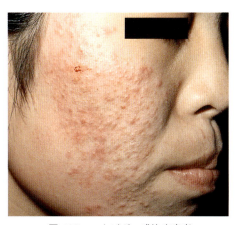

図409. ニキビダニ感染症患者
（図405, 409は福井大学，上田恵一教授の
厚意による）

図410. 図407の患者から見い出された多数のニキビダニ

図411. ケナガコナダニ成虫

図412. ヤケヒョウヒダニ
雌成虫
（Dr. Zamanの厚意による）

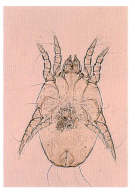

図413. ヤケヒョウヒダニ
雄成虫

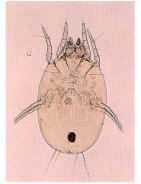

図414. コナヒョウヒダニ
雌成虫

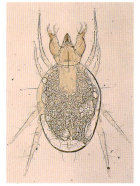

図415. フトツメダニ

（図413, 414は岡林加枝博士，図415は吉川尚男博士標本作製）

蚊

蚊は双翅目に属する吸血昆虫である．マラリア，糸状虫，デング熱，日本脳炎，黄熱，ジカ熱などヒトの重要な伝染病を媒介する医学上もっとも重要な昆虫である．

I．蚊の一般形態

1．成虫の形態（図416, 417, 418）

頭部は球状，1本の吻，1対の触角，触鬚，複眼を有し単眼はない．吻の構造は複雑である（図417）．触角は雄では長毛が生え羽毛状であるが雌では短毛で，一見して雌雄の区別ができる．触鬚はナミカ類（イエカ類とヤブカ類を合わせナミカ類と呼ぶ）では雄は長く雌は短いので区別できるが，ハマダラカでは雌でも長い．

胸部は前から前胸，中胸，小楯板，後小楯板に分かれる．中胸の背面には多数の毛が生え，一定の模様をなしており種の鑑別に役立つ．3対の脚は5節に分かれ，跗節はさらに5節に分かれる．脚の表面にも毛が生え，種により白帯を形成し種の鑑別に役立つ．跗節の先端は図418のような構造を示し，イエカ属とヤブカ属とでは形態が異なる．翅は一対で，他の一対は平均棍となっている．翅の表面には鱗片が配列し，ハマダラカでは特有の模様を示す．

腹部は10節からなり，最後の2〜3節は変形して外部生殖器となる．この形態も分類上重要である．

2．卵の形態（図419-A）

イエカ属では100〜200個の卵が卵塊をなして水面に浮遊する（卵舟という）．ヤブカ属ではばらばらに産下され湿った葉などに付着する．ハマダラカ属の卵には浮袋があり水面にばらばらに産下される．

3．幼虫の形態（図419-B）

構造は図に示したとおりであるがナミカ類は呼吸管を有し，これを水面に出して呼吸し幼虫は水中に懸垂する．一方ハマダラカ属は呼吸管を欠き幼虫は水面に平行に静止する．また掌状毛という特殊な剛毛を有する．

4．蛹（図419-C）

コンマ状で水面に呼吸角を出して呼吸する．運動はするが摂食はしない．

II．蚊の生活史

蚊は雌のみが吸血する．吸血するときナミカでは体をほぼ水平に保つがハマダラカでは腹部を上げた体位をとる（図419-D）．

蚊の吸血活動の時間は，夜間，昼間，両方と蚊の種によって異なる．また種によって動物嗜好性も異なる．

雌は交尾後，吸血すると卵が熟し産卵する．そして再び吸血して産卵する．一生の間にこれを3〜4回繰り返すが，これが伝染病媒介上意味がある．卵は1〜2日で孵化し，幼虫は1齢から4齢まであり，7〜10日で蛹となる．蛹は3〜4日で羽化し成虫となる．

蚊の発生場所は種によって異なり，アカイエカはドブなど汚い溜水，ヤブカ類は竹の切株，墓石，空缶など小さい水域，ハマダラカやコガタアカイエカは水田，湖沼など大きくてきれいな水域，トウゴウヤブカは海岸の岩などの塩水の混じった溜水にも発生する．最近アカイエカは減少し，庭園などからのヤブカ類が増えている．

III．医学上重要な蚊

a）シナハマダラカ *Anopheles sinensis* ハマダラカは世界で370種以上知られ，マラリアを媒介する種を含んでいる．わが国の**三日熱マラリア**はこのシナハマダラカが主に媒介した．**バンクロフト糸状虫**をも媒介する．

b）アカイエカ *Culex pipiens pallens* やや小さく灰褐色で白帯などなく平凡な蚊である．暖期に長期間活動する．**イヌ糸状虫**と**日本脳炎**を媒介する．

c）コガタアカイエカ *Culex tritaeniorhynchus* 小形で体色は黒く，吻の中央と脚の関節部に白帯がある．盛夏に集中して発生し，**日本脳炎**媒介の主役を演じる．

d）トウゴウヤブカ *Aedes togoi* **イヌ糸状虫**，**マレー糸状虫**，**バンクロフト糸状虫**を媒介する．

e）ネッタイシマカ *Aedes aegypsi* 世界の熱帯，亜熱帯に分布し，わが国には本来分布しない．**黄熱**，**デング熱**の媒介蚊として有名であるが，最近ジカ熱の媒介蚊として注目されている．ジカ熱は2013年以来，中南米，東南アジアを中心に数百万人規模の世界的な流行が生じている．ジカ熱の症状そのものは軽いが，妊婦が感染すると小頭症の胎児を出産するリスクがある．2017年7月現在わが国では東京，神奈川，千葉，群馬，愛知，大阪で合計14例のジカ熱の輸入症例が報告されている．

f）ヒトスジシマカ *Aedes albopictus* 胸背正中に一筋の白帯があり，その後方に逆M字形の白斑がある．**イヌ糸状虫**，**デング熱**を媒介する．2014年に東京で69年ぶりに，この蚊によるデング熱の国内流行が発生し，162名の患者が出た．また，この蚊はジカ熱をも媒介可能なので注意を要する．

蚊　165

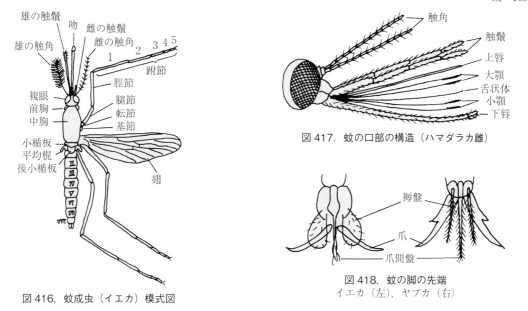

図 416. 蚊成虫（イエカ）模式図

図 417. 蚊の口部の構造（ハマダラカ雌）

図 418. 蚊の脚の先端
イエカ（左），ヤブカ（右）

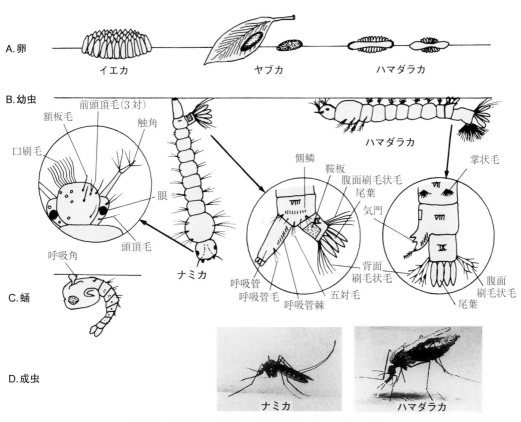

図 419. ナミカおよびハマダラカの卵，幼虫，蛹，成虫
　卵：イエカは卵塊をなす．ヤブカ，ハマダラカはばらばら，ハマダラカには浮袋がある．
　幼虫：ナミカは水面に懸垂して止まる．ハマダラカは水面に平行に止まる．
　成虫：吸血時ナミカは体を水平にする．ハマダラカは腹部をもち上げ斜めになる．

ブユ，アブ

ブユは双翅目に属する吸血昆虫で，世界で約1,700種，日本で64種が知られている．ブユはきれいな流水に発生する．医学的重要性はアフリカおよび中南米で回旋糸状虫を媒介することであるが，わが国ではヒトの疾病を媒介する事実はないとされてきた．ところが最近イノシシに寄生している回旋糸状虫のヒト寄生が報告されている．アブは同じく双翅目の吸血昆虫でアフリカでロア糸状虫を媒介する．日本には分布しないが時々輸入例がある．

I．ブユ　black fly

【形態と生活史】

成虫（図420）は体長2〜3mmで雌は動物を吸血する．ブユの種類により動物嗜好性が異なる．わが国でヒトを吸血する主なブユは次のごとくである．

(1) クロオオブユ
(2) キタオオブユ
(3) ミヤコオオブユ
(4) ツバメハルブユ
(5) アオキツメトゲブユ
(6) キアシツメトゲブユ
(7) ニッポンヤマブユ
(8) ヒメアシマダラブユ
(9) アシマダラブユ
(10) アカクラアシマダラブユ

ブユは昼間に吸血活動を行う．雌は山間の渓流や流れの速い川の植物の葉，枝，石などの表面に一度に200〜300個の卵を産みつける．孵化した幼虫は水中で発育する．その形態は図421のごとくである．幼虫は6齢を経て蛹となる．蛹はやはり水中でマユの中に存在する．好適な季節であると産卵後5〜6週間で成虫となる．

【医学的重要性】

アフリカや中南米で回旋糸状虫を媒介している．日本にはこの寄生虫は分布しないが近縁の *Onchocerca japonica*（終宿主はイノシシ，キアシツメトゲブユが媒介）のヒト寄生例が報告されている（第48項参照）．ブユの被害は主に刺咬掻痒症である．

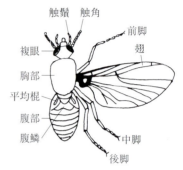

図420．ブユ成虫の模式図
(森下・加納)

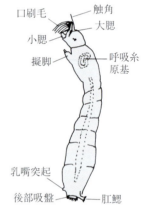

図421．ブユ幼虫の模式図
(森下・加納)

II．アブ　horse fly

大形の吸血昆虫で刺されると強い痛みを感ずる．ヒト，ウマ，ウシなどを襲う．わが国で約70種知られているが，重要種はメクラアブ，ゴマフアブ，イヨシロオビアブ（図422）などである．アブは木の葉の裏などに数百個の卵を産み，幼虫は湿土内に住みハエ蛆様で数か月から2年の長い経過の後に蛹となり成虫となる．この幼虫が水田などでヒトを刺すことがある．

【医学的重要性】

アフリカではロア糸状虫（第48項参照）を媒介する．わが国ではヒト，家畜に対する刺咬症である．

図422．アブの1種イヨシロオビアブ
(高橋，1962)

92 ハエ

ハエはヒトの生活環境に密接して発生する．ゴミ溜，便所が主な発生源であるが，都市ではゴミ箱の代わりにビニール袋となり，便所が水洗化してハエは少なくなった．しかし飼畜場，養鶏場，漁港，ゴミ集積場などではなお大発生して付近の住民を悩ますことがある．またハエ幼虫の人体寄生例（ハエ症）が時々見られる．皮膚ハエ症を起こすヒトクイバエ幼虫による輸入感染例（アフリカから帰国）が認められている．

I．一般形態（図423～428）

成虫の外形および各部の名称は図423に示すとおりであるが若干の特徴を述べると，複眼の間隔は雄では狭く，雌では広いので一見して雌雄の区別がつく．しかしニクバエでは雄でも広い．ハエの口器は多数の溝を有する唇弁で，食物を舐めるようにできている（図424）．脚の先端には褥盤がある．これは粘着物を分泌してハエがものにとまるのに便利であるが，病原体などが付着し伝播されやすい（図426）．

II．生活史

ハエは　卵→幼虫（3齢）→蛹→成虫へと発育し，暖期では10～14日で成虫となる．卵は長さ1mmくらいのバナナ形，幼虫（蛆）は図427のごとき外形を示し，前後に図428に示すような気門をもつ．蛹は米俵状で外側は3齢幼虫の角皮で覆われており，これを**囲蛹 puparium** という．

III．医学上重要なハエ

1) **イエバエ科**　イエバエ，ヒメイエバエなど．
2) **クロバエ科**　オオクロバエ，ミドリキンバエ，ヒロズキンバエ，ケブカクロバエなど．
3) **ニクバエ科**　センチニクバエなど．
4) **ショウジョウバエ科**　オオメマトイなど．
5) **ツェツェバエ科**　ツェツェバエ．

IV．医学的重要性

(1) 病原微生物を体や脚につけ機械的に伝播する．
(2) 寄生虫の中間宿主：ツェツェバエ（アフリカのトリパノソーマ），オオメマトイ（東洋眼虫）など．
(3) **ハエ症（蠅蛆症）myiasis**：ハエ幼虫がヒトの消化管，耳，尿路，腟，肺などに寄生することがある．末吉（2015）はわが国で見出された人体ハエ症259例について精細な分析を行った．一方，糖尿病性壊疽の治療に蛆を用いる研究もある．**マゴットセラピー**という．

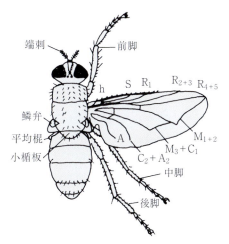

図423．ハエ成虫模式図（森下，加納）

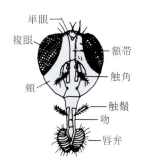

図424．ハエ成虫頭部正面図（森下，加納）

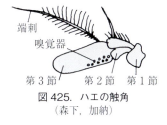

図425．ハエの触角（森下，加納）

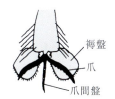

図426．ハエの蹠節末端（森下，加納）

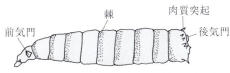

図427．クロバエ科幼虫側面図（森下，加納）

図428．クロバエ科3齢幼虫の気門（森下，加納）

168 衛生動物

ノミ

ノミは世界で約 1,500 種．わが国でも約 76 種知られている．ノミはペストを媒介し世界で過去に悲惨な大流行の歴史がある．最近わが国ではヒトノミは減少しているが，イヌやネコ，特に野良猫のノミによる被害が発生している．

Ⅰ．一般形態（図 429）

ノミ flea は体が縦に平たく，翅はないが脚がよく発達し，垂直および水平方向に約 10cm は跳ぶ．触角は触角溝という溝の中に収まっている．眼を有する種と有しない種がある．頭部の下縁に**頬棘櫛 genal comb** をもつ種ともたない種がある．また前胸後縁に**前胸棘櫛 pronotal comb** をもつ種ともたない種がある．生殖器の構造は複雑でその形態は分類上のポイントとなる．

本来ヒトを吸血するのはヒトノミであるが，イヌ，ネコ，ネズミのノミもしばしばヒトを吸血する．ノミは雌雄とも吸血する．われわれの周辺で普通にみられるノミの種類と，その簡単な見分け方を図 431 に示した．

ノミは畳の下の塵などに産卵し，孵化した幼虫は図 430 に示すような形をし，これが蛹となり，次いで成虫となる．

Ⅱ．医学的重要性・駆除

1）**刺咬症**：ノミに刺されて起こる皮膚症状および子供などにおいては神経症状．

2）**ペスト**：ペスト菌によって起こる伝染病．モンゴル，チベット，アフリカなど世界の僻地の野生ゲッ歯類の間で流行しており，それが何らかの原因で住家性ネズミに移るとヒトの流行が発生する．ペストを媒介するは**ケオプスネズミノミ**（図 429）が最も重要であるが，その他のノミも感受性がある．わが国では 1930 年以後患者は出ていない．

3）**発疹熱**：病原体はリケッチア．ネズミが病原体を保有しており，各種のノミがヒトに伝播する．

4）**寄生虫の中間宿主**：縮小条虫や瓜実条虫（第 76 項参照）の中間宿主となる．

5）**ノミの駆除**：畳をあげて掃除し殺虫剤を散布しておく．また部屋を閉め切ってバルサン燻蒸を行う．

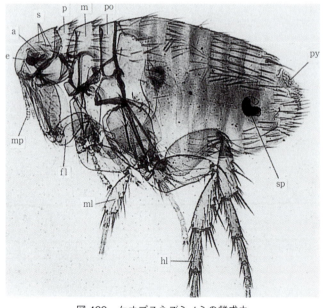

図 429．ケオプスネズミノミの雌成虫
a．触角，e．眼，fl．前脚，hl．後脚，m．中胸，ml．中脚，mp．小顎鬚，p．前胸，py．pygidium，po．後胸，s．鑑別上重要な剛毛，sp．受精嚢（Tulane 大学標本）

図 430．ノミの幼虫
（Tulane 大学標本）

A 眼を有する
　Aa 前胸棘櫛・頬棘櫛ともに有する
　　Aaa 頭部短く頬棘櫛は7〜8本，第1棘および最後の棘は他に比して短小
　　　Ctenocephalides canis
　　　イヌノミ

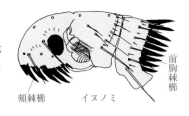

　　Aab 頭部長く，頬棘櫛は8本，第1棘は第2棘の2/3以上または同長
　　　Ctenocephalides felis
　　　ネコノミ

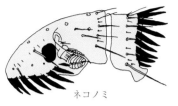

　Ab 前胸棘櫛はあるが頬棘櫛を欠く
　　Aba ♂の把握器の可動指は長大で斧状
　　　♀の受精嚢は頭部が長楕円形で尾部は短小
　　　Monopsyllus anisus
　　　ヤマトネズミノミ

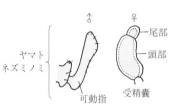

　　Abb ♂の把握器の可動指は短い，♀の受精嚢の頭部は球状で尾部はバナナ形
　　　Nosopsyllus fasciatus
　　　ヨーロッパネズミノミ

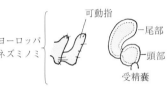

　Ac 前胸棘櫛・頬棘櫛ともに欠く
　　Aca 触角溝後方の剛毛は3列で第1，第2列は各1本，第3列は長短それぞれ5本と4本，中胸側板に縦の画条（＊）を有する
　　　Xenopsylla cheopis
　　　ケオプスネズミノミ

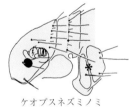

　　Acb 触角溝後方の剛毛は1本
　　　Pulex irritans
　　　ヒトノミ

B 眼を欠如する
　頭端は尖り，頬棘櫛は4棘で触角溝の下にある．左右の触角溝は頭頂部で互いに連絡する．前胸棘櫛は約10本．頬および後頭部に多数の小毛を有す
　　Leptopsylla segnis
　　メクラネズミノミ

図 431．日本における医学上重要なノミの簡単な検索図

94 アタマジラミおよびコロモジラミ（ヒトジラミ）

シラミは微翅目（シラミ目）に属する昆虫で，医学上重要な種は3種ある．すなわち頭髪に寄生するアタマジラミ，肌着に棲み体躯から吸血するコロモジラミ，主として陰毛に寄生するケジラミである．コロモジラミは発疹チフスを媒介する．これらシラミは最近わが国で増加の傾向にある．

Ⅰ．アタマジラミ
Pediculus humanus capitis（head louse）

【形態と生活史】

体はゴムのような弾力性があり，体長は雄2～3mm，雌3～4mm，背腹に扁平で灰白色を呈する．構造は図432に示す如くであるが，胸部に3対の強力な脚があり，それらがほぼ同じ大きさである．脚の先端には丈夫な爪があり頭髪をしっかりと掴む．雄の尾端は紡錘形で偽陰茎を有するが（図432），雌は尾端が2分している（図433）．

卵は頭髪に産み付けられ，乳白色で長さ約1mm，上部の蓋に気孔突起がある（図434）．卵は約1週間で孵化し1齢幼虫が現れる（図438）．幼虫の期間は1～2週間，その間，盛んに吸血し，3回脱皮したのち成虫となる．成虫は雌雄とも吸血を行い，雌は1日に8～10個，一生で100～200個の卵を生む．成虫の寿命は約1か月である．

【症状・診断・検査】

アタマジラミは発疹チフスなどの媒介はしないとされ，病害は専ら吸血による掻痒症である．

診断は頭髪に寄生している虫体，および頭髪に糊付けされている卵の検出による（図437）．頭髪の先端より根元付近の方が多く，また側頭部から後頭部に比較的多い．検出に際して注意すべきは，卵が頭髪のフケやいわゆる毛垢塊（hair cast）と間違いやすいことである．

【治　療】

学校などで集団発生しているときは一斉に駆除を行う．方法は**フェノトリン**0.4％含有粉剤（商品名スミスリンパウダー）7gを頭髪に撒布し，1時間後に洗髪する．これを1日1回，2日おきに3～4回繰り返し，次々孵化してきた幼虫を殺す．また梳き櫛で丁寧に髪を梳いて虫体や卵を除去するのもよい．

【感染と疫学】

アタマジラミはヒトのみに寄生し，中国で発掘された約六千年前の少女のミイラの頭髪からも見い出されている．表21はわが国での報告数である．1981年に人用のシラミ駆除剤が発売され，1983年以降，アタマジラミ症の患者数は減少した．しかし，1989年から患者数は増加に転じ，統計が取られている1997年まで増加し続けた．現在アタマジラミ症に関する公的報告義務がないことから，その発生状況を正確に把握することはできないが，年に約83万世帯で発症していると推測する報告もある（金沢大 所 正治博士による）．感染は主に幼稚園や小学校で児童の頭同士の接触によると思われる．しかしプールで水泳中の感染はないとされている．

Ⅱ．コロモジラミ
Pediculus humanus humanus（body louse）

【形態と生活史】

形態はアタマジラミと殆ど差はないが，コロモジラミの方がやや大きく，色が白い（図435）．卵は肌着の繊維に産み付けられるが，コロモジラミの方がやや大きく，気孔突起の数もやや多い（図436）．

大きな違いはコロモジラミはヒトの肌着の襞などに潜み，吸血するとき皮膚に移動してくることで，その他の生活史はアタマジラミとほとんど同じである．

【媒介疾患】

コロモジラミは掻痒症を起こすほかに次のような感染症を媒介することが世界で知られている．

1. **発疹チフス**（4類感染症）：病原体は***Rickettsia prowazekii***で，激しい発疹性熱性疾患である．第二次世界大戦後，わが国で大流行し，多くの犠牲者が出たが，その後終息した．

2. **回帰熱**（4類感染症）および**塹壕熱**：病原体はそれぞれ*Borrelia recurrentis*，*Bartonella quintana*である．ヨーロッパにおける過去の2回の大戦時に流行したが，その後はほとんど終息している．

【治　療】

コロモジラミの駆除は肌着を取り替え，熱湯に入れるかアイロンで虫体や虫卵を殺すのがよい．

【感染と疫学】

コロモジラミは非衛生的な環境で生活し，肌着を取り替えないヒトの間で蔓延する．やはり接触，汚染したベッド，ロッカーなどで感染する．わが国では戦後の大発生以後，終息していたが，最近，路上生活者，独居老人などに感染が認められるようになった．

アタマジラミおよびコロモジラミ（ヒトジラミ）　171

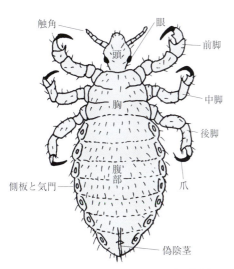

図432．アタマジラミの模式図（雄成虫）
前・中・後脚の大きさはほぼ同じ．各脚は根元より基節，転節，腿節，脛節，跗節よりなる．

図433．アタマジラミの雌成虫

図434．アタマジラミの卵
頭髪に糊付けされる．上部の蓋の気孔突起（矢印）の数は7〜11個．

図435．コロモジラミの雌成虫

図436．コロモジラミの卵
肌着の繊維に糊付けされる．蓋の気孔突起（矢印）の数は12〜21個．

図437．頭髪にアタマジラミの成虫と多数の卵（矢印）を検出した少女（筆者経験例）

表21．日本のアタマジラミ寄生者数の推移

年次	寄生者数
1981	20,217
1982	23,700
1984	6,907
1985	3,714
1986	2,972
1987	1,950
1988	1,900
1990	2,600
1991	6,280
1992	7,477
1993	5,918
1994	4,918
1995	5,262
1996	5,706
1997	8,641

（厚生省）

図438．毛髪上で卵から孵化しているアタマジラミの幼虫

ケジラミ，トコジラミ

ケジラミはアタマジラミ，コロモジラミと同様，ヒトのみを固有宿主とするシラミであるが，その形態および寄生部位が大いに異なる．すなわちケジラミは体が前後に短く，カニの様な形をしている．また寄生部位は陰毛を主とし，時に腋毛などその他の体毛に寄生する．伝播は主に性交によるので性感染症の一つとなっている．わが国を含め世界的に増加の傾向にある．一方，トコジラミはシラミという名が付いているがシラミ類ではなく半翅目に属し，ヒトや動物を吸血して激しい痒みを起こす．最近，先進国のホテルで被害が頻発しているという．

I．ケジラミ
Phthirus pubis（pubic louse, crab louse）

【形態と生活史】

成虫は前項のアタマジラミより小形で，雌雄とも体長1.0～1.5mm，体幅0.8mm程度である．幅広い胸部に3対の脚があり，それぞれに丈夫な爪があるが，前脚に比し中脚，後脚が著しく強大なのが本種の特徴である．腹部第1節から第4節までは融合し，3対の気門が並び，体表には多数の剛毛が生えている（図439, 440）．

卵は長さ約1mm，長楕円形で，膠様物質で毛にしっかりと糊付けされている．卵の上端には蓋があり，9～16個の気孔突起があるが前項のアタマジラミなどに比べやや大きいのが特徴である（図441）．

卵は産み付けられてから約1週間で孵化し，1齢幼虫が現れる．幼虫は3齢までで，各齢4～5日を要し，約2週間で成虫となる．幼虫の形態は成虫に似ている．蛹の時期はない．

幼虫・成虫は共に毛をしっかりと把握し渡り歩いて吸血する（図443）．幼虫・成虫・雌雄ともに吸血するが，毛の根元付近の皮膚に口器をしっかり差し込んで吸血して動かず，一見，小さな黒子のように見える（図445）．成虫の寿命は約3週間とされ，その間，雌は毎日1～4個，一生で約40個の卵を生むとされている．

【寄生場所】

主な寄生場所は陰毛であるが，時に胸毛，腋毛，臑毛，眉毛，睫，頭髪などにも寄生する．寄生数が多くなると寄生場所が拡大しやすい．感染している親と同衾した幼児の睫に感染したという報告がかなりある（図444）．

【感染方法】

ほとんどの場合，性交の時に成虫あるいは幼虫が相手から渡来して感染する．したがって性感染症（STD）の1つにあげられている．しかし上記のように感染者との同衾，接触によって感染することもある．

【症状】

症状は強い掻痒感で，局所を強く掻くため皮膚を損傷し，二次感染を起こして毛嚢炎，湿疹，膿疱などを生ずることがある．しかしケジラミが媒介する伝染病は知られていない．

【治療】

寄生部位の剃毛を行い，かつ皮膚に吸着している虫体をピンセットでつまみとる（図442）．剃毛するのは虫体・虫卵を完全に除去するとともに，虫の生活の場を奪うためである．剃毛後は皮膚保護のための軟膏を塗る程度でよい．剃毛しない場合はフェノトリン製剤1回2gをアタマジラミの場合と同様の方法で用いる．また70％エタノールを塗布する方法もある．

【疫学】

性の自由化と国際化などによってケジラミの蔓延は世界的に拡大している．売春婦における寄生率は極めて高く，外国で感染し，家族にうつす例が後を絶たない．現在，国内で蔓延している．

II．トコジラミ
Cimex lectularius（bed bug）

トコジラミは世界中に分布し，俗名を**南京虫**という．わが国では幕末の頃，オランダから購入した船に見い出されたのが最初の記録とされる．

成虫は体長5～9mmと大形，楕円形で平たく，色は赤褐色である（図446）．特有の油臭い臭いがある．卵は1～2週間で孵化し，幼虫は吸血と脱皮を繰り返し，5齢を経て約1か月で成虫となる．成虫の寿命は長く，1年以上生きた例がある．雌雄とも吸血する．

トコジラミは夜間活動性で，昼間は木製のベッドや柱の割れ目，壁の隙間，畳の間，天井などに潜んでおり，夜になると出てきて吸血する．ヒトは主に睡眠時に襲われる．主として手足，首，顔など露出部が刺される．刺されると強い痛みと痒みがあり睡眠できない．本虫の刺し口は常に2つずつあるといわれてきたが，教室の川平の自体実験によると80％は1つであった（図447）．幸いトコジラミが媒介する伝染病は知られていない．昔は軍隊，収容所などでトコジラミがはびこったがその後少なくなっていた．ところが最近の情報（2010）によると2000年頃から米国，カナダ，EU諸国，オーストラリア，東京などのホテルで本虫による被害が報告されるようになった．

治療は掻いて二次感染を起こさぬようかゆみ止めと抗生剤含有軟膏などを塗布する．

ケジラミ，トコジラミ

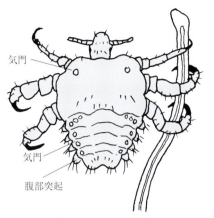

図439. 陰毛を把握して生活している
　　　ケジラミ（雌成虫）の模式図
前脚に比し中脚・後脚が著明に大きい．

図440. ケジラミの成虫

図441. ケジラミの卵
上部の蓋の気孔突起の部分が大きい．

図443. 図442の患者から採取した陰毛に寄生する多数のケジラミの一部

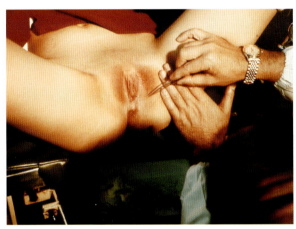

図442. ケジラミ患者の治療
完全に剃毛して虫の棲息部位を奪い，毛根部の虫をピンセットで摘出する．（京都の23歳の患者，筆者経験例）

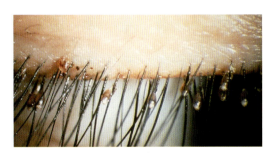

図444. 4歳男児の睫に寄生しているケジラミ
（金沢大学，故近藤力王至教授の厚意による）

図445. 上とは別の患者の陰部の
　　　ケジラミによる皮膚病変
（福井大学，上田恵一教授の厚意による）

図446. トコジラミの
　　　成虫

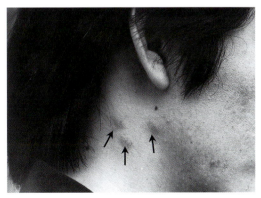

図447. トコジラミの刺し口（矢印）
（京都の某病院の当直室での被害例，筆者経験例）

ハチ

わが国における医動物学の領域で，現今，最も死亡者数の多いのはハチ刺傷である．最近の30年間の統計によると毎年平均24人，合計726人が死亡している．わが国でヒトに被害を与える主要なハチはオオスズメバチ，キイロスズメバチ，アシナガバチ，ミツバチであるが，死亡例のほとんどは大形種の前2者による．死亡原因は刺傷後，短時間内に起こるアナフィラキシーショックであり，緊急処置を要する．

【分類】

ハチ（**wasp**, **hornet**, **bee**）は膜翅目（ハチ目）に属する昆虫で，わが国で約4,200種知られているが，そのほとんどは寄生蜂の類である．ヒトに被害を与える種は細腰亜目の中の有剣類のスズメバチ科，ミツバチ科などに属するハチである．主要な有害ハチを下記に示す．

Order Hymenoptera　膜翅目
　Suborder Symphyta　広腰亜目
　　（主として寄生蜂の類で無害）
　Suborder Apocrita　細腰亜目
　　Family Vespidae　スズメバチ科
　　　Vespa mandarinia　オオスズメバチ
　　　V. simillima xanthoptera　キイロスズメバチ
　　　Polistes jadwigae　セグロアシナガバチ
　　　P. rothneyi　キアシナガバチ
　　Family Apidae　ミツバチ科
　　　Apis cerana japonica　ニホンミツバチ

【形態】

オオスズメバチを例にハチの概形を述べると図448に示す如く頭，胸，腹部に分かれ，頭部には複眼，単眼，触覚のほかに咀嚼式の口器を持つ．胸部には2対の翅と3対の脚を有する．腹部は6節よりなり，明瞭な黒色の5～6本の横縞を有する．体長はオオスズメバチで4cm，キイロスズメバチで3cmに達する．全体に黄色と黒色の明瞭な警戒色を示す．アシナガバチ（図449）は全体にほっそりし，体長約2.5cm，腰のくびれが顕著で，飛んでいるとき脚をだらりと下げている．ミツバチは体長1cm前後と小さくややずんぐりしている．

【生活史】

スズメバチはミツバチやアリと同様，高度な社会性を持つ．5月頃，越冬してきた1匹の女王蜂が営巣を開始し，多数の働き蜂を産出し巣を拡大してゆく．9月頃巣は最大となり，次世代の雄蜂と女王蜂が産出され，初冬の頃，交尾した雌は巣を出て樹洞などの越冬場所へ移動し，雄蜂や働き蜂は死滅し巣は空になる．このヒトに害を与える働き蜂は中性化した雌で，産卵管が変化した毒針を持ち，巣を守る反応から攻撃性が強い．特に8～10月の頃は気が荒く危険である．

オオスズメバチの巣は樹洞や土中に見られ，キイロスズメバチは樹間，軒下，屋根裏などに営巣し，大きいものは一抱えもある（図450，453）．一方，アシナガバチの巣（図451）は大きいもので直径7～8cmで，樹木の間や軒下など人家の周辺に見られる．

キイロスズメバチは本州，四国，九州に分布し，オオスズメバチは北海道から九州まで分布する．キアシナガバチは全国に，セグロアシナガバチは北海道を除く全国に分布する．

【症状】

ハチ刺傷による症状はハチの種類，毒の量，刺傷部位，年齢などによって異なるが，多数のスズメバチに首から上の部分を刺されると障害が大きい．また症状はハチ毒の直接作用によるものとアナフィラキシーショックによるものとに大別される．前者の場合は局所の激痛，腫脹（図452），時に頭痛，眩暈，嘔吐，胸苦しさなどが起こるが数日で回復する．一方，アナフィラキシーショックは全刺傷例の1～2%に発生し，刺傷後数分～十数分に起こり，平滑筋収縮，血管透過性亢進，気道閉鎖，血圧低下などを生じ，1時間以内に死亡する場合がある．表22に示す如く最近徐々に減ってはいるがなお毎年かなりの死者を出している．死者の73%は60歳以上の高齢者で男性が80%と圧倒的に多い．またアシナガバチによる死者も時にあるので注意を要する．

【治療】

刺傷部をつまんで流水で洗い毒液を洗い出す．ショック症状の兆候があれば一刻も早く病院に搬送し，呼吸の確保（酸素吸入，人工呼吸，気管切開），輸液，エピネフリン・アミノフィリン・副腎皮質ステロイドなどの投与を行う．局所症状に止まる場合は安静，冷湿布，ステロイド軟膏の塗布，抗ヒスタミン剤の投与などを行う．

【予防】

死亡事故はスズメバチ特にキイロスズメバチによる例が多く，7～10月に集中して起こっている．誤って巣に近づくとハチは威嚇，攻撃に来るので大声を出したり騒いだりせず，姿勢を低くして速やかに現場を離れることが大切である．また黒い衣服はハチの攻撃を受けやすいので白い衣服や帽子がよいとされる．予め**エピペン**®（アドレナリン自己注射薬）を準備し，アナフィラキシー症状が現れたら直ちに使用し受診する．

表22. 全国のハチ刺傷による年次別死亡者数

年	死亡者数
1990	45
1991	33
1992	31
1993	16
1994	44
1995	31
1996	33
1997	30
1998	31
1999	27
2000	34
2001	26
2002	23
2003	24
2004	18
2005	26
2006	20
2007	19
2008	15
2009	13
2010	20
2011	16
2012	22
2013	24
2014	14
2015	23
2016	19
2017	13
2018	12
2019	11
2020	13
合計	726

(厚生労働省人口動態統計による)

図448. オオスズメバチ
雌成虫,体長3.8cm.

図449. セグロアシナガバチ
体長2.5cm.

図450. キイロスズメバチの巣
やや小形の巣,樹枝に営巣.

図451. セグロアシナガバチの巣

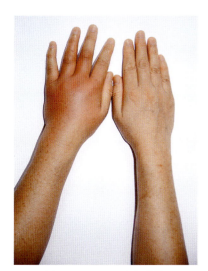

図452. アシナガバチ刺傷
左手中指刺傷による腫脹.
(61歳女性,筆者経験例)

図453. キイロスズメバチの巨大な巣

シバンムシアリガタバチ，ゴキブリ，ムカデ，ヒアリ

最近，都市部でシバンムシアリガタバチという小さな寄生蜂に刺される例が発生している．ゴキブリは現代もなお執拗に人家内に棲息し食品や書籍を食害し，その完全な駆除は容易ではない．またムカデによる刺傷例が時々発生している．また，ごく最近，南米原産の強い毒を持つヒアリが日本の港で次々に発見され注目されている．

I．シバンムシアリガタバチ *Cephalonomia gallicola*

本種は広く世界に分布する．1975年頃から東京以西の各地でこの虫に刺される例が増加し，被害は5〜10月の暖期に多い．このハチは寄生蜂の1種で，タバコシバンムシやジンサンシバンムシなどの昆虫の幼虫に卵を産みつける．これらのシバンムシは畳や乾燥食品に発生するのでシバンムシアリガタバチもその周辺に多い．

形態は図454に示すごとくアリのような形で体長は1〜2mmと小さい．夜間に蒲団の中まで入ってきて雌の尾端の産卵管で刺す．家族全員が刺される場合が多い．刺された部位には図455，456に示すような紅い点状の丘疹が発生し，強い掻痒感と掻爬による皮膚の損傷を生ずる．

治療は痒みを除くために副腎皮質ステロイドの入った軟膏を短期間塗布する．駆除は畳を日光に当てるとか，フェニトロチオンの油剤を畳の裏に撒布する．

II．ゴキブリ Cockroach

ゴキブリは3〜4億年前，古生代の石炭紀にすでに棲息していたとされ生きた化石といわれる．わが国には51種が分布し，そのほとんどは野外性で住家性のものは6種，中でも下記の3種は食品と汚物の間を往来し病原体を運搬し不潔である．今村ら（2003）によると胃癌の原因となるピロリ菌 *Helicobacter pylori* をクロゴキブリに与えると数日間にわたり糞中に菌が排出されるので本菌を媒介する可能性があるという．

1．クロゴキブリ *Periplaneta fuliginosa*（図458）

本種は日本，台湾，中国，北米などに分布する．国内では北海道には少なく，本州，四国，九州に多い．本種は比較的低温に強く，和風建築家屋に棲む最も普通のゴキブリである．台所のみならず居間や書斎に侵入し食品や書籍の糊を食い荒らす．

成虫の体長は雄約25mm，雌約30mm，全体に濃い栗色で光沢がある．雌は図457に示すような卵鞘（長さ約12mm，幅約5mm）を引き出しの隅などに産み付ける．暖期では1〜2か月後に1齢幼虫が孵化する．その体長は約3mm，真っ黒で胸背に著明な白帯がある．成虫になるまでに10齢を重ね約1年を要し，成虫の寿命は200〜300日である．行動は夜行性で昼間は物陰に潜んでいる．成虫には翅があるが滅多に飛ばない．

2．ワモンゴキブリ *Periplaneta americana*（図459）

本種は世界中の暖地に広く分布し，わが国では九州南部，奄美，沖縄，小笠原などに分布する．しかし最近，暖房普及のためか京都市内の大病院，長崎県の炭鉱，神戸市の廃棄物処理場，青森県の温泉などから報告がある．しかしまだ一般住宅には定着していない．

成虫は体長30〜40mmと大形で全体に褐色であるが前胸背部に大きな黄色輪状の斑紋のあるのが特徴である．幼虫は約10齢を重ね，寿命は数か月ないし数年と幅がある．

3．チャバネゴキブリ *Blattella germanica*（図460）

世界の暖地に広く分布し，わが国でも暖房の効いたホテル，飲食店，列車，船舶，病院に主に分布定着し，和風一般住宅では越冬が困難である．

成虫の体長は10〜15mmと小形で，全体に淡黄褐色で前胸背部に縦に太い2本の黒条を有するのが特徴である．本種は繁殖が早く幼虫期は6齢で年間3世代くらい繰り返す．

4．ゴキブリの駆除

毒餌，粘着捕虫器，殺虫スプレーなどが市販されている．また硼酸を15％の割に穀粉に混ぜ砂糖を少量加えた団子を設置してもよい．基本的には台所などの掃除を完全にし，ゴキブリの餌を絶つことである．

III．ムカデ Centipede

唇脚類に属し，オオムカデ，ジムカデ，イシムカデ，ゲジの4目に大別される．わが国には約120種が分布している．その中でオオムカデ類（図461）は通常，朽木などに棲み小動物を捕食しているが時に人家内に侵入しヒトを咬む．毒腺を有し激しい痛みを感じる．

IV．ヒアリ（火蟻）*Solenopsis invicta*

2017年5月，南米原産の強い毒を持つヒアリが中国から神戸港に到着した貨物の中に発見され，その後，大坂，名古屋，東京，博多などの港でも見つかり，国内への侵入が心配されている．このアリは体長2.5〜6mm，赤褐色で尾端に毒針を有し，刺されると激痛を発し，時にアナフィラキシーショックを起こす（ハチ刺傷参照）．

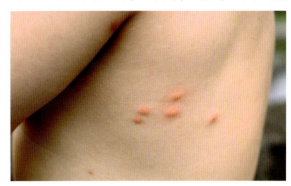

図454. シバンムシアリガタバチ

図455. シバンムシアリガタバチ刺傷例（1）

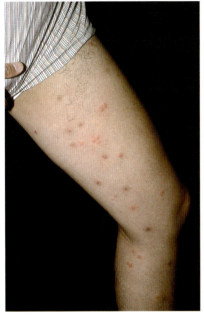

図457. クロゴキブリの卵鞘（左）とその内部（右）
26個の卵が2列に並ぶ.

図456. シバンムシアリガタバチ刺傷例（2）

図458. クロゴキブリ　　図459. ワモンゴキブリ　　図460. チャバネゴキブリ　　図461. オオムカデの一種
（筆者の部屋に侵入してきたもの）

毒　蛇

わが国の主要な毒蛇はハブ，マムシ，ウミヘビ，ヤマカガシなどである．ハブは奄美，沖縄に棲息し，次第に減少してきたが，なお毎年100例前後の咬傷例がある．被害は農業，野外活動，観光にも影響を及ぼしている．一方，ニホンマムシは北海道から屋久島まで分布し，咬傷例は年間約2,000～3,000例と推定されている．

I．ハブ　*Protobothrops flavoviridis*（図462-A）

沖縄本島とその周辺の島，奄美大島，徳之島に棲息し，体長は最大記録2.3m．頭部は明瞭な三角形を示し，毒力が強く凶暴でヒトを襲い，被害が最も大きい．

【ハブ咬傷の疫学】　過去40年間の咬傷例を表23に示す．次第に減少しているが時に死亡例を見る．

咬まれる時期は4～11月の暖期が多いが冬でも暖かい日には活動する．ハブは夜行性で昼は石垣や繁みの中におり，いきなり遭遇すると直線状に飛びかかってくるが2m離れておればまず危険はない．ハブの毒腺には約1mlの毒液があり1回の刺咬で約0.1ml注入される．

被害場所は畑とくにトウモロコシ畑が44%，屋敷内29%，道路上12%となっている．また受傷部位は手，指47%，足，指24%，下腿13%，前腕7%と末端部が多いので手袋，脚絆，長靴などでかなり防御できる．

【ハブ咬傷の症状】　咬傷時に電撃痛があり，1～2個の毒牙痕を認める．ハブ毒は出血毒で，刺咬部の血管を破壊し，出血と腫脹を起こす（図463）．毒が多いと筋肉組織の壊死を起こし（図464），治癒後も後遺症を遺す（受傷者の5～10%）．さらに毒が強い場合は全身の循環障害を生じ，嘔吐，頻脈，呼吸困難，血圧低下などを起こし，ショック状態となり死亡することがある．

【治　療】　①受傷部の中枢側を緊縛し，傷口を縦に切開し吸引する．②抗毒素血清に対する過敏反応を調べた後，血清20mlをゆっくり静注する．③抗生剤，プレドニン，輸液，その他，適切な対症療法を行う．④筋肉壊死を予防するため減張皮膚切開や筋膜切開を行う．死亡例は受傷後24時間以内に起こることが多いので絶対安静とし，十分なショック療法を行うことが大切である．

【ハブの駆除】　防蛇壁，電流壁，ネズミなどハブの餌になる動物の駆除などが研究されたがハブ買い上げ政策（1匹4,000円程度）が最も有効のようである．例えば奄美管内では2012年度に31,674匹買い上げている．

II．タイワンハブ　*Protobothropus mucrosquamatus*

ハブより強い毒を持つ．在来種のハブより体が小さい．草木に紛れると分かりにくい．沖縄県で急増しており，2020年には3,300匹が捕獲された．2011年から7年間で約4倍に増加した．沖縄県では2010年より咬症が報告され，毎年0～3例ほどである．2010～2019年までに16件報告されている．世界自然遺産登録地への侵入や外来種の定着が問題で生態系への影響が懸念されている．

III．ヒメハブ　*Ovophis okinavensis*（図462-B）

沖縄本島，伊江島，伊平屋島，徳之島，奄美大島に分布し，体長は約60cmと小さく毒の量も少ないので人命にかかわることはない．

IV．サキシマハブ　*Protobothrops elegans*（図462-C）

八重山群島特産のハブで石垣島，西表島，竹富島などに分布，体長約1m，毒力は少ない．

V．ヤマカガシ　*Rhabdophis tigrinus*

本州，四国，九州に分布し，深く咬まれると奥歯から毒液が注入される．また本種をつかむと頸腺から毒液が噴射され，眼に入ると角膜炎などを起こす．

VI．ニホンマムシ　*Gloydius blomhoffii*（図462-D）

体長約60cmで太い．ハブほど攻撃性はなく毒の量も少ないが咬傷例が多く年間6～10例の死亡例をみる．

マムシ毒も出血毒である．受傷は5～10月の暖期，午後3～6時頃が多い．山野，田園，草むら，水辺などで手や足を咬まれることが多い（図465）．

症状は局所の疼痛，出血，腫脹，壊死が主で全身症状は一般に軽いが時にショック症状を起こすことがある．

治療は，①受傷部の中枢側を緊縛し，速やかに医療機関に受診する．②マムシ抗毒素血清28～40mlを静注する．③受傷部を切開し，注射器を用い5%タンニン酸溶液で創内を洗浄する方法もある．

表23．わが国における主要なハブ咬傷の発生状況（1981～2020）

県名	ハブ種名	島　　名	1981	1982	1983	1984	1985	1986	1987	1988	1989	1990	1991	1992	1993	1994	1995	1996	1997	1998
沖縄	ハブ	沖縄本島及び周辺離島	210 (0)	183 (0)	156 (0)	188 (0)	184 (0)	180 (0)	208 (0)	174 (0)	179 (2)	157 (1)	170 (0)	86 (1)	103 (0)	100 (0)	124 (0)	104 (0)	109 (0)	93 (0)
沖縄	サキシマハブ	八重山群島	57*	88*	41*	50*	60*	45*	54*	56*	51*	57*	60*	65*	58*	59*	57*	33*	37*	46* (0)
鹿児島	ハブ	奄美大島本島	56 (0)	56 (1)	56 (0)	49 (0)	46 (1)	45 (0)	48 (2)	59 (2)	52 (0)	36 (0)	42 (0)	36 (0)	37 (0)	47 (0)	28 (0)	30 (0)	25 (0)	40 (1)
鹿児島	ハブ	徳之島	96 (2)	105 (0)	121 (0)	96 (0)	90 (0)	78 (1)	115 (0)	75 (0)	61 (0)	84 (0)	87 (0)	83 (0)	66 (0)	62 (0)	61 (0)	58 (1)	55 (0)	80 (1)
合　計			419 (2)	432 (1)	374 (0)	383 (0)	380 (1)	348 (0)	425 (2)	364 (2)	343 (2)	334 (1)	359 (0)	270 (1)	264 (0)	268 (0)	270 (0)	225 (1)	226 (0)	259 (2)

（　）内数字は死亡者数．*ヒメハブを含む．**ヒメハブ，タイワンハブを含む．

毒　蛇　179

A. ハブ (160 cm)
B. ヒメハブ (60 cm)
C. サキシマハブ (100 cm)
D. マムシ (50 cm)
E. マダラウミヘビ (150 cm)

図462．わが国の主な毒蛇
（A，B，Cは筆者撮影，Dは宮崎大学，名和行文教授，Eは沖縄公衛研・ハブ研究部の厚意による）

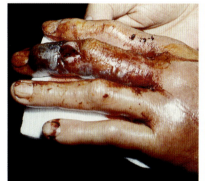

図463．ハブ咬傷（受傷1日後）
（沖縄公衛研・ハブ研究部の厚意による）

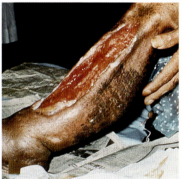

図464．ハブ咬傷による大きな傷
（沢井芳男博士の厚意による）

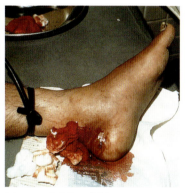

図465．兵庫県の山村におけるマムシ咬傷例
（新田　誠医師の厚意による）

Ⅶ．ウミヘビ類

わが国の近海には約12種のウミヘビが棲息し，とくに九州以南に多い．新城ら（1989）によると沖縄県で5例の死亡者と1例の重症者が報告されており，また南方漁場で咬まれて死亡した例もある．沖縄近海での重要種はマダラウミヘビ（**図462-E**），エラブウミヘビなどである．

1999	2000	2001	2002	2003	2004	2005	2006	2007	2008	2009	2010	2011	2012	2013	2014	2015	2016	2017	2018	2019	2020
81	82	61	61	63	43	67	62	61	65	55	48	62	46	42	29	23	37	35	33	30	36
(1)	(0)	(0)	(0)	(0)	(0)	(0)	(0)	(0)	(0)	(0)	(0)	(0)	(0)	(0)	(0)	(0)	(0)	(0)	(0)	(0)	(0)
34*	53*	36*	41*	30*	25*	41**	42**	35**	30**	41**	31**	26**	46**	30**	25**	44**	13**	20**	13**	18**	14**
(0)	(0)	(0)	(0)	(0)	(0)	(0)	(0)	(0)	(0)	(0)	(0)	(0)	(0)	(0)	(0)	(0)	(0)	(0)	(0)	(0)	(0)
37	39	25	21	26	26	13	26	22	19	22	32	33	23	16	15	16	19	15	18	20	13
(0)	(0)	(0)	(1)	(0)	(0)	(0)	(0)	(0)	(0)	(0)	(0)	(0)	(0)	(0)	(1)	(0)	(0)	(0)	(0)	(0)	(0)
67	53	40	45	48	51	40	36	36	44	30	45	32	34	37	18	28	36	23	29	24	16
(0)	(0)	(0)	(1)	(0)	(0)	(0)	(0)	(0)	(0)	(0)	(0)	(0)	(0)	(0)	(0)	(0)	(0)	(0)	(0)	(0)	(0)
219	227	162	168	167	145	161	166	154	158	148	156	153	149	125	87	111	105	93	93	92	79
(1)	(0)	(0)	(1)	(0)	(0)	(0)	(0)	(0)	(0)	(0)	(0)	(0)	(0)	(0)	(1)	(0)	(0)	(0)	(0)	(0)	(0)

（沖縄県衛生環境研究所，鹿児島県くらし保健福祉部などの統計による．また新城安哲博士の厚意による）

ネズミ

ネズミは古来ヒトの生活と密接にかかわってきた哺乳動物で，ヒトの食料や器物を食害し，種々の伝染病や寄生虫を媒介する．しかし実験動物として利用され，医学の研究に貢献しているのもまた事実である．われわれは便宜上ネズミを，ヒトの住居に出没する家鼠と，野外に棲む野鼠とに分けている．

I．わが国のネズミの分類

現在わが国に棲息するネズミは2亜科11属24種とされているが，その中で医学上重要なものは次のごとくである．

ネズミ科　Family Muridae
　ネズミ亜科　Subfamily Murinae
　　クマネズミ　　*Rattus rattus*
　　ドブネズミ　　*R. norvegicus*
　　ハツカネズミ　*Mus musculus*
　　アカネズミ　　*Apodemus speciosus*
　　ヒメネズミ　　*A. argenteus*
　　カヤネズミ　　*Micromys minutus*
　ハタネズミ亜科　Subfamily Microtinae
　　ハタネズミ　　*Microtus montebelli*
　　カゲネズミ　　*Eothenomys kageus*
　　スミスネズミ　*E. smithii*
　　ヒメヤチネズミ　*Clethrionomys rutilus*
　　エゾヤチネズミ　*C. rufocanus bedfordiae*

II．主なネズミの特徴

1．クマネズミ

主として倉庫や人家の天井裏などに棲んでおり roof rat といわれる．耳介が大きく折りまげると眼を覆う点と，尾の長さが体長より長い点で下記のドブネズミと区別できる．また毛並み，頭蓋骨，臼歯の形態も両種で異なる．

2．ドブネズミ

クマネズミより体が大きく，耳介が比較的小さくて折りまげても眼を覆わず，尾が体長より短い．人家の台所，下水，ドブ，風呂場まではやってくるが押入れや天井裏までは入ってこない．堤防や耕地など野外にも棲む．

3．ハツカネズミ

体が小さく体重20〜40gである．欧米では本種が人家内に多い．日本では農家の納屋などによく見かける程度であったが，最近は都市の住居内に相当みられるようになった．

4．野鼠

上述の3種以外を一般に野鼠と呼んでいる．これらは通常，山林，原野，田畑に穴を掘って生活している．

III．ネズミの害

1) **食害**　人間の貯蔵食品，器物，衣類を食害し，時に電線を噛んで火事を起こしたりする．

2) **ネズミ咬傷**　時に乳幼児を噛むことがある．

3) **ペスト**（第93項参照）

4) **ワイル病**　病原体はスピロヘータの1種 *Leptospira icterohaemorrhagiae* で通常ネズミの腎に寄生し，ネズミの尿に出てくる．これがヒトに経皮的または経口的に侵入すると発症する．ネズミは感染していても症状を出さないがヒトが感染すると発熱，黄疸，脾腫，下痢などを示す．有光（1984）によるとわが国のドブネズミの約半数が感染しており，1972年から1983年までの本症による死亡者は236人と報告されたが最近では数人に止まっている．

その他，ワイル病類似のレプトスピラ病が全国各地に存在する．

5) **鼠咬症**　病原体はスピロヘータの1種 *Spirillum minus* でネズミに噛まれたとき感染する．

6) **サルモネラ症**　ネズミが保菌獣で，その糞便中のサルモネラ菌に汚染された食品をヒトが食べると激しい食中毒を起こす．

7) **腎症候性出血熱**（4類感染症）　Hantaan virus による出血性熱性疾患．わが国でも一時流行した．

8) **ツツガムシ病**（第87項参照）

9) **寄生虫性疾患**　ネズミが関係している寄生虫性疾患は下記のごとく多い．精細は各寄生虫の項を参照されたい．

赤痢アメーバ，トキソプラズマ，広東住血線虫，旋毛虫，肝吸虫，棘口吸虫，日本住血吸虫，小形条虫，縮小条虫，多包条虫．

10) **バベシア症**　欧米では野鼠が保有する *Babesia microti* という原虫をダニが媒介し，ヒトに感染を起こすことが知られている．日本では1999年，兵庫県で最初の感染症例が斉藤らによって報告された（第24項参照）．

各 論

IV. 知識のまとめと検査法

(筆者画)

100 人体寄生虫の感染経路のまとめ

医学的に重要な寄生虫を原虫と蠕虫に分け，蠕虫はさらに線虫，吸虫，条虫に分け，その感染経路をまとめた．とくに現在わが国で重要なものは太字で示した．

原虫類	蠕虫類		
	線虫類	吸虫類	条虫類
① 囊子の経口摂取 　**赤痢アメーバ** 　大腸アメーバ 　小形アメーバ 　ヨードアメーバ 　**ランブル鞭毛虫** 　**トキソプラズマ** 　**ヒトブラストシスチス** 　大腸バランチジウム ② 栄養型の経口摂取 　歯肉アメーバ 　腸トリコモナス ③ 栄養型の経粘膜感染 　トキソプラズマ 　ネグレリア 　アカントアメーバ（眼寄生） ④ 性交による感染 　**腟トリコモナス** 　赤痢アメーバ（同性愛者など） ⑤ 昆虫の刺咬による感染 　**三日熱マラリア原虫** 　**熱帯熱マラリア原虫** 　**四日熱マラリア原虫** 　卵形マラリア原虫 　ガンビアトリパノソーマ 　ローデシアトリパノソーマ 　クルーズトリパノソーマ 　ドノバンリーシュマニア 　熱帯リーシュマニア 　ブラジルリーシュマニア 　メキシコリーシュマニア ⑥ ダニの刺咬による感染 　ネズミバベシア ⑦ オーシストの経口摂取 　戦争シストイソスポーラ 　**クリプトスポリジウム** 　サイクロスポーラ 　**トキソプラズマ** 　肉胞子虫（肉胞囊摂取） 　ナナホシクドア（粘液胞子摂取） ⑧ 胎盤感染 　トキソプラズマ ⑨ 吸入感染 　ニューモシスチス ⑩ 輸血による感染 　各種マラリア原虫 　ネズミバベシア 　リーシュマニア 　トリパノソーマ	① 幼虫形成卵の経口摂取 　回虫 　ブタ回虫 　イヌ回虫 　ネコ回虫 　アライグマ回虫 　蟯虫 　鞭虫 ② 感染幼虫の経口摂取 　ズビニ鉤虫 　アメリカ鉤虫 　　（経口腔粘膜侵入） 　セイロン鉤虫 　東洋毛様線虫 ③ 感染幼虫の経皮感染 　アメリカ鉤虫 　ズビニ鉤虫 　セイロン鉤虫 　ブラジル鉤虫 　**糞線虫** ④ 中間宿主の経口摂取（待機宿主摂取の場合も含む） 　**アニサキス** 　テラノバ 　**有棘顎口虫** 　**剛棘顎口虫** 　ドロレス顎口虫 　日本顎口虫 　旋毛虫[#] 　旋尾線虫 　広東住血線虫 ⑤ 昆虫の刺咬による感染 　バンクロフト糸状虫 　マレー糸状虫 　回旋糸状虫 　ロア糸状虫 　**イヌ糸状虫** 　**東洋眼虫**（刺咬でなく涙摂取） ⑥ 自家感染を行うもの 　**糞線虫** [#]中間宿主ではなく感染動物の筋肉	① 中間宿主の経口摂取（待機宿主摂取の場合を含む） 　肝吸虫 　**ウェステルマン肺吸虫** 　宮崎肺吸虫 　**横川吸虫** 　有害異形吸虫 　肝蛭[*] 　巨大肝蛭[*] 　槍形吸虫 　肥大吸虫[*] 　膵蛭 　咽頭吸虫 　浅田棘口吸虫 ② セルカリアの経皮感染 　日本住血吸虫 　マンソン住血吸虫 　ビルハルツ住血吸虫 　メコン住血吸虫 　ムクドリ住血吸虫 　*Trichobilharzia brevis* 　*T. physellae* [*]中間宿主ではなく植物などに付着したメタセルカリアの経口摂取	① 中間宿主の経口摂取（待機宿主摂取の場合を含む） 　広節裂頭条虫 　日本海裂頭条虫 　クジラ複殖門条虫 　マンソン裂頭条虫 　芽殖孤虫（？） 　**無鉤条虫** 　有鉤条虫 　小形条虫 　縮小条虫 　瓜実条虫 　多頭条虫 　有線条虫 ② 虫卵の経口摂取 　単包条虫（単包虫） 　**多包条虫**（多包虫） 　小形条虫 　有鉤条虫（有鉤囊虫） ③ 自家感染を行うもの 　小形条虫 鉤頭虫類 ① 幼虫（**cystacanth**）の摂取 　*Moniliformis dubius* 　*Bolbosoma* sp.

101 人体寄生虫の寄生部位のまとめ

ヒトを固有宿主とする寄生虫の成虫は人体内で，それぞれ好適な寄生場所を有しているが，他の臓器へ異所寄生する種もある．また動物を固有宿主とする寄生虫がヒトに感染したときは，その幼虫が人体各所に寄生する．

部位	寄生虫	部位	寄生虫	部位	寄生虫
口腔咽頭	歯肉アメーバ 口腔トリコモナス ブラジルリーシュマニア 咽頭吸虫	胆管	**ランブル鞭毛虫** **回虫迷入** **肝吸虫・タイ肝吸虫** **巨大肝蛭** 槍形吸虫	血液	ガンビア・ローデシア・クルーズトリパノソーマ トキソプラズマ **マラリア原虫** ネズミバベシア バンクロフト・マレー糸状虫ミクロフィラリア **日本住血吸虫** マンソン住血吸虫 ビルハルツ住血吸虫 メコン住血吸虫
胃	回虫 **アニサキス・テラノバ幼虫**	膵管	膵蛭		
小腸	**ランブル鞭毛虫** 戦争シストイソスポーラ **クリプトスポリジウム** サイクロスポーラ 肉胞子虫 ナナホシクドア（一過性） **回虫** **アニサキス・テラノバ幼虫** ズビニ・アメリカ・セイロン鉤虫 東洋毛様線虫 **糞線虫** フィリピン毛細虫 旋尾線虫幼虫 **旋毛虫** **横川吸虫** 有害異形吸虫 **浅田棘口吸虫** 肥大吸虫 **広節裂頭条虫・日本海裂頭条虫** **無鉤条虫・有鉤条虫** 小形条虫 縮小条虫 有線条虫 *Moniliformis dubius*	腹腔	回虫迷入 アニサキス・テラノバ幼虫迷入 巨大肝蛭迷入 マンソン孤虫 *Bolbosoma* sp.		
		肺	赤痢アメーバ トキソプラズマ **ニューモシスチス** **イヌ糸状虫幼虫** **ウェステルマン肺吸虫** 単包虫・多包虫	リンパ系	ガンビア・ローデシア・クルーズトリパノソーマ ドノバンリーシュマニア **トキソプラズマ** バンクロフト・マレー糸状虫
		胸腔	**宮崎肺吸虫**	心臓	クルーズトリパノソーマ ドノバンリーシュマニア
		脾	赤痢アメーバ ガンビアトリパノソーマ ドノバンリーシュマニア マラリア原虫	骨	ドノバンリーシュマニア マラリア原虫 単包虫・多包虫
		脳	赤痢アメーバ ネグレリア アカントアメーバ ガンビアトリパノソーマ ローデシアトリパノソーマ トキソプラズマ **熱帯熱マラリア原虫** イヌ回虫幼虫 **広東住血線虫幼虫** **ウェステルマン肺吸虫** **日本住血吸虫卵** **有鉤嚢虫** 単包虫・多包虫	筋肉	クルーズトリパノソーマ トキソプラズマ リンデマン肉胞子虫 イヌ回虫幼虫 **旋毛虫幼虫** **有鉤嚢虫**
盲腸	**赤痢アメーバ** 腸トリコモナス **蟯虫** **鞭虫**			皮膚・皮下	赤痢アメーバ 熱帯・ブラジル・メキシコリーシュマニア **ブラジル鉤虫・イヌ鉤虫幼虫** 回旋糸状虫 ロア糸状虫 **イヌ糸状虫幼虫** **有棘・剛棘・ドロレス・日本顎口虫幼虫** 旋尾線虫幼虫 肺吸虫幼虫 **ムクドリ住血吸虫セルカリア** **マンソン孤虫** 芽殖孤虫 **有鉤嚢虫**
大腸	赤痢アメーバ 大腸・ヨード・小形アメーバ メニール鞭毛虫 大腸バランチジウム **ヒトブラストシスチス** **蟯虫** **鞭虫**	脊髄	広東住血線虫幼虫 多頭条虫幼虫		
		眼	**アカントアメーバ** **トキソプラズマ** **イヌ回虫幼虫** **東洋眼虫** ロア糸状虫 マンソン孤虫 有鉤嚢虫	腟	**腟トリコモナス**
肝	赤痢アメーバ ガンビアトリパノソーマ ドノバンリーシュマニア **マラリア原虫** トキソプラズマ イヌ回虫幼虫 **肝吸虫・タイ肝吸虫** **巨大肝蛭** **日本住血吸虫卵** 単包虫・**多包虫**				

（太字はわが国で医学上とくに重要なもの）

102 中間宿主または媒介者を有する寄生虫のまとめ

ヒトに感染する寄生虫の中で中間宿主を必要とするもの，またヒトが中間宿主になっているものなど種々である．現在日本で重要なものは太字で示した．

	寄生虫	第1中間宿主	第2中間宿主 （カッコ内は待機宿主）	終宿主
原虫	ガンビアトリパノソーマ	ツェツェバエ		ヒト
	ローデシアトリパノソーマ	ツェツェバエ		ヒト，種々の家畜
	クルーズトリパノソーマ	サシガメ		ヒト，イヌ，ネコ
	ドノバンリーシュマニア	サシチョウバエ		ヒト，イヌ
	熱帯リーシュマニア	サシチョウバエ		ヒト，ゲッ歯類，イヌ
	ブラジルリーシュマニア	サシチョウバエ		ヒト，ゲッ歯類
	メキシコリーシュマニア	サシチョウバエ		ヒト，ゲッ歯類
	トキソプラズマ	ヒト，ネズミ		ネコ
	マラリア原虫	ヒト		蚊
	ネズミバベシア	マダニ		野鼠，ヒト
線虫	アニサキス	オキアミ	（サバ，イカ，ヒト）	イルカ，クジラ，トド，アザラシ
	広東住血線虫	アフリカマイマイ	（カエル，エビ，ヒト）	ネズミ
	東洋眼虫	メマトイ		イヌ，ヒト
	有棘顎口虫	ケンミジンコ	ドジョウ（雷魚，ヒト）	イヌ
	ドロレス顎口虫	ケンミジンコ	淡水魚（ヒト）	イノシシ
	日本顎口虫	ケンミジンコ	ドジョウ（ヒト）	イタチ
	旋尾線虫	?	（ホタルイカ，ヒト）	ツチクジラ
	バンクロフト・マレー糸状虫	蚊		ヒト
	回旋糸状虫	ブユ		ヒト
	ロア糸状虫	アブ		ヒト
	イヌ糸状虫	蚊		イヌ，ヒト（未熟成虫）
吸虫	肝吸虫・タイ肝吸虫	マメタニシ・*Bithynia* sp.	モツゴ，ヒガイ，淡水魚	ヒト，イヌ
	横川吸虫	カワニナ	アユ，フナ	ヒト，イヌ
	有害異形吸虫	ヘナタリ	ボラ，メナダ	ヒト，イヌ
	槍形吸虫	カタツムリ	アリ	ヒツジ，ヒト
	肥大吸虫	ヒラマキガイ	水生植物の表面で被嚢する	ブタ，ヒト
	膵蛭	カタツムリ	ササキリ	ブタ，ヒツジ，ヒト
	ウェステルマン肺吸虫	カワニナ	モクズガニ，サワガニ	ヒト，イヌ
	宮崎肺吸虫	ホラアナミジンニナ	サワガニ	イタチ，ヒト（未熟成虫）
	浅田棘口吸虫	モノアラガイ	ドジョウ，カエル	ネズミ，イヌ，ヒト
	巨大肝蛭	ヒメモノアラガイ	水生植物の表面で被嚢する	ウシ，ヒト
	日本住血吸虫	ミヤイリガイ		ヒト，ウシ
	マンソン住血吸虫	*Biomphalaria glabrata*		ヒト，ゲッ歯類
	ビルハルツ住血吸虫	*Bulinus truncatus*		ヒト
	ムクドリ住血吸虫	ヒラマキガイモドキ		鳥類
	咽頭吸虫	モノアラガイ	淡水魚	水鳥，ヒト
条虫	広節裂頭条虫・日本海裂頭条虫	ケンミジンコ，海産橈脚類?	カワカマス，マス，サケ	ヒト，イヌ，クマ
	クジラ複殖門条虫	海産橈脚類?	イワシ?	クジラ，ヒト
	マンソン裂頭条虫	ケンミジンコ	ヘビ，カエル，スッポン（ヒト）	ネコ，イヌ
	無鉤条虫	ウシ		ヒト
	有鉤条虫	ブタ（ヒトもなりうる）		ヒト
	単包条虫・**多包条虫**	ヒト，ヒツジ，ネズミ		キツネ，イヌ
	小形条虫	ノミ（ヒトもなりうる）		ネズミ，ヒト
	縮小条虫	コクヌストモドキ		ネズミ，ヒト
	瓜実条虫	ノミ		イヌ，ヒト
	有線条虫	昆虫?	マムシ?	イヌ，ヒト

103 現在の日本における主な寄生虫症の流行要因別分類

寄生虫疾患はその地域の地勢，気候，政治，経済，宗教，生活・習慣など種々の要因によってその消長が左右される．わが国における現状をこれらの要因別にまとめてみた．

流行要因	寄生虫名（一部疾患名）			備考
	原虫	蠕虫	衛生動物	
輸入寄生虫症	マラリア，赤痢アメーバ，ランブル鞭毛虫，トリパノソーマ，リーシュマニア，サイクロスポーラ，ナナホシクドア	剛棘顎口虫，フィリピン毛細虫(?)，回旋糸状虫，ロア糸状虫，有鉤条虫（有鉤嚢虫），広節裂頭条虫，旋毛虫	ケジラミ，疥癬，毒グモ，ヒアリ	国際交流が盛んになるに伴い，日本人の海外での感染，あるいは感染外国人の入国，輸入害虫の増加がみられる
人獣共通寄生虫症	赤痢アメーバ，トキソプラズマ，ナナホシクドア，フェイヤー肉胞子虫，バベシア	アニサキス，イヌ糸状虫，ブタ・イヌ・ネコ回虫，旋毛虫，広東住血線虫，東洋眼虫，顎口虫，肝蛭，棘口吸虫，ムクドリ住血吸虫，マンソン孤虫，クジラ複殖門条虫，多包虫	ネコノミ，マダニ	寄生虫症のほとんどのものは人獣共通感染の性質をもっているが，ここにはその性質のとくに顕著なもののみをあげた
日和見寄生虫症	ニューモシスチス，トキソプラズマ，クリプトスポリジウム	糞線虫	角化型疥癬	免疫不全の際，とくに重症化する寄生虫症で，癌や臓器移植時の合併症，AIDSの合併症として重要である
医療器具由来寄生虫症	アカントアメーバ			コンタクトレンズ装着者に発症する重症の角膜炎
生鮮食品および飲料水由来寄生虫症	赤痢アメーバ，ランブル鞭毛虫，ナナホシクドア，クリプトスポリジウム，フェイヤー肉胞子虫	アニサキス，顎口虫，旋毛虫，旋尾線虫，肝吸虫，横川吸虫，ウェステルマン肺吸虫，宮崎肺吸虫，肝蛭，棘口吸虫，咽頭吸虫，広節裂頭条虫，日本海裂頭条虫，クジラ複殖門条虫，無鉤条虫，マンソン孤虫，多包虫		飲料水，国内産野菜，魚介類，肉類などの生食によって感染するもののほか，輸入食品によるものもみられる
性感染寄生虫症	腟トリコモナス，赤痢アメーバ，ランブル鞭毛虫，クリプトスポリジウム	蟯虫	ケジラミ，疥癬	性行為により感染する寄生虫症で，男性同性愛（肛口感染）による感染を含む
ほぼ撲滅された在来寄生虫症	土着マラリア	回虫，鉤虫，東洋毛様線虫，バンクロフト糸状虫，マレー糸状虫，日本住血吸虫		以前わが国で猖獗を極めたが，近年，絶滅あるいは著しく減少した寄生虫症
まだ撲滅されていない在来寄生虫症	腟トリコモナス，ヒトブラストシスチス，赤痢アメーバ，ランブル鞭毛虫，トキソプラズマ，クリプトスポリジウム，ニューモシスチス	蟯虫，糞線虫，鞭虫，横川吸虫，肝吸虫，肺吸虫，水田皮膚炎，日本海裂頭条虫，クジラ複殖門条虫，無鉤条虫，多包虫	ツツガムシ病，疥癬，ニキビダニ，マダニ，シラミ，屋内塵ダニアレルギー，日本紅斑熱，ライム病，野兎病	以前からわが国に流行し，現在もなおかなり存在している寄生虫症，とくに一般的なもののみを示す

寄生虫名のうち**太字**は比較的症例が多く重要なもの

104 人獣共通寄生虫症

WHO（世界保健機関）およびFAO（国際連合食糧農業機関）は人獣共通感染症 zoonosis という疾病群を定め，次のように定義している．「ヒトと脊椎動物との間を自然に移行する疾病および感染症」．したがって病原体はウイルス，リケッチア，細菌，真菌，寄生虫と多岐にわたり，合計122疾患が指定されており，その中で寄生虫性疾患が45を占めている．ここでは主な人獣共通寄生虫症にかかわる動物（主として保虫宿主）をまとめて示す．

	寄生虫	関与する動物
原虫	赤痢アメーバ	イヌ，ネズミ，サル
	ローデシアトリパノソーマ	カモシカ，ウシ
	クルーズトリパノソーマ	イヌ，ネコ，アルマジロ
	ドノバンリーシュマニア	イヌ
	熱帯リーシュマニア	イヌ，ゲッ歯類
	ブラジルリーシュマニア	イヌ，ネコ，ゲッ歯類
	マラリア	サル
	トキソプラズマ	ネコ，ブタ，ヒツジ
	肉胞子虫	ウシ，ウマ
	ニューモシスチス	ネズミ，イヌ？
	大腸バランチジウム	ブタ
	ネズミバベシア	野鼠
	ナナホシクドア	ヒラメ
線虫	ブタ回虫	ブタ
	イヌ回虫	イヌ，ネコ
	アニサキス	イルカ，クジラ
	テラノバ	イルカ，クジラ
	セイロン鉤虫	イヌ，ネコ
	ブラジル鉤虫	イヌ，ネコ
	イヌ鉤虫	イヌ
	広東住血線虫	ネズミ
	糞線虫	イヌ，サル
	毛様線虫	ヒツジ，ウシ
	有棘顎口虫	イヌ
	剛棘顎口虫	ブタ
	ドロレス顎口虫	イノシシ
	日本顎口虫	イタチ
	東洋眼虫	イヌ
	マレー糸状虫	サル
	イヌ糸状虫	イヌ
	旋毛虫	クマ，ブタ，ネズミ
	旋尾線虫	海棲哺乳類？

	寄生虫	関与する動物
吸虫	肝吸虫	イヌ，ネコ，ネズミ
	ウェステルマン肺吸虫	イヌ，ネコ
	宮崎肺吸虫	イタチ，イヌ，タヌキ
	横川吸虫	イヌ，ネコ，ネズミ
	有害異形吸虫	イヌ，ネコ
	槍形吸虫	ウシ，ヒツジ
	浅田棘口吸虫	イヌ，ネズミ
	巨大肝蛭	ウシ，ヒツジ
	肥大吸虫	ブタ
	日本住血吸虫	ウシ，イヌ，ネズミ
	マンソン住血吸虫	ゲッ歯類
	ムクドリ住血吸虫	鳥類
	咽頭吸虫	水鳥
条虫	広節裂頭条虫	イヌ，クマ
	日本海裂頭条虫	クマ？
	クジラ複殖門条虫	クジラ
	マンソン裂頭条虫	イヌ，ネコ
	無鉤条虫	ウシ*
	有鉤条虫	ブタ*
	単包条虫	イヌ，キツネ
	多包条虫	キツネ，イヌ
	小形条虫	ネズミ
	縮小条虫	ネズミ
	瓜実条虫	イヌ
	有線条虫	イヌ
衛生動物	ダニ刺咬（イエダニ，マダニ，ツツガムシ，ヒゼンダニ）	イヌ，ネズミ，イノシシ
	ノミ刺咬	イヌ，ネコ，ネズミ
	蚊，ブユ，アブ，トコジラミ刺咬	種々の哺乳類および鳥類

*これは中間宿主である

主要な寄生虫症に対する最近の駆虫薬のまとめ

駆虫薬を薬剤別にまとめた．一つの駆虫薬が限られた種の寄生虫に有効なこともあればプラジカンテルのように吸虫にも条虫にも有効なものもある．またイベルメクチンのような線虫駆虫薬が疥癬のようなダニに効くものもある．下記の駆虫薬の中にはわが国で販売されていないものもあるので，これらが必要な場合は総論のⅨ項，**表4**に示す機関に相談するとよい．また治療について詳しく知りたい場合は，熱帯病治療薬研究班ホームページ（https://www.nettai.org/）の「寄生虫症薬物治療の手引き」を参照されたい．

	一般名	商品名	対象寄生虫症
原虫	メトロニダゾール	フラジール	赤痢アメーバ症（赤痢，大腸炎，肝膿瘍），ランブル鞭毛虫症，腟トリコモナス症
	チニダゾール	チニダゾール	同上
	アルベンダゾール	エスカゾール	ランブル鞭毛虫症
	パロモマイシン	アメパロモ	赤痢アメーバ囊子排泄者，ランブル鞭毛虫症，クリプトスポリジウム症
	フルコナゾール	ジフルカン	アカントアメーバ角膜炎
	スラミン	ゲルマニン	ガンビアおよびローデシアトリパノソーマ症
	メラルソプロール	アルソバール	同上
	エフロールニチン	オルニデイール	同上
	ベンズニダゾール	ラダニール	クルーズトリパノソーマ症
	ニフルチモックス	ラムピット	同上
	スチボグルコン酸ナトリウム	ペントスタム	リーシュマニア症
	ミルテフォシン	イムパビド	同上
	リポソーム化アムホテリシンB	アムビゾーム	同上
	ニタゾキサニド	Alinia	クリプトスポリジウム症（免疫不全者）
	スピラマイシン	スピラマイシン	トキソプラズマ症
	ピリメタミン	ダラプリム	同上
	リン酸クロロキン	Avloclor	三日熱，四日熱，卵形マラリア
	リン酸プリマキン	プリマキン	三日熱，卵形マラリア
	アルテメテル・ルメファントリン	リアメット	熱帯熱マラリア
	アトバコン・プログアニール	マラロン	同上
	メフロキン	メファキン	同上
	塩酸キニーネ	塩酸キニーネ	同上
	グルコン酸キニーネ（注射）	キニマックス	同上
	プリマキン	プリマキン	三日熱，卵形マラリア
	スルファメトキサゾール・トリメトプリム	バクタ	ニューモシスチス肺炎，イソスポーラ症，ブラストシスチス症
	ペンタミジン	ベナンバックス	ニューモシスチス肺炎
	アトバコン	サムチレール内用懸濁液	同上
線虫	ピランテルパモエイト	コンバントリン	回虫症，蟯虫症，鉤虫症
	メベンダゾール	メベンダゾール	回虫症，蟯虫症，鉤虫症，鞭虫症，広東住血線虫症，顎口虫症，旋毛虫症
	ジエチルカルバマジン	スパトニン	糸状虫症，顎口虫症
	アルベンダゾール	エスカゾール	幼虫移行症，広東住血線虫症，有棘顎口虫症，旋毛虫症，有鉤囊虫症，包虫症
	イベルメクチン	ストロメクトール	回旋糸状虫症，糞線虫症，リンパ性フィラリア症
吸虫・条虫	プラジカンテル	ビルトリシド	肝吸虫症，横川吸虫症，肺吸虫症，棘口吸虫症，肝蛭症，日本住血吸虫症，裂頭条虫症，クジラ複殖門条虫症，無鉤条虫症，人体有鉤囊虫症
	トリクラベンダゾール	エガテン	肝蛭症
	ガストログラフィン	ガストログラフィン	裂頭条虫症，クジラ複殖門条虫症，無鉤条虫症
衛生動物	イベルメクチン	ストロメクトール	疥癬症
	フエノトリン	スミスリン	アタマジラミ，ケジラミ

106 糞便からの寄生虫卵検査法

赤痢アメーバなど原虫の栄養型や嚢子を糞便から検出する方法は第7項で述べた．ここでは蠕虫類の虫卵の検出法について，その理論と方法とを述べる．

I．糞便からの虫卵検出法

糞便検査に際し留意すべき点を述べると，まず検査に用いる糞便は新鮮なものを，アイスクリーム容器のような密閉容器に入れて提出させ，なるべく早く検査することが大切である．

糞便内における虫卵の均一性について，少なくとも小腸に寄生している寄生虫の虫卵は，よく混和されていて均等に分布することが知られているので糞便のどの部分をとって検査してもよい．ただし，日本住血吸虫と鞭虫はその寄生部位（大腸，盲腸）から考えて均一性を欠く可能性もあり，また肝吸虫や肺吸虫のように他の臓器から虫卵が送られてくるものは変動があるので，検査を反復する必要がある．

蟯虫卵や無鉤条虫卵は原則として糞便内に虫卵は現れない．その他の寄生虫でも雄のみの寄生，未熟または老化雌虫の場合，あるいは異所寄生の場合などは虫卵が認められない．

次に**表24**に示すごとく寄生虫は種によって1日の産卵数が異なる．したがって産卵数の多い寄生虫は塗抹法のみで虫卵を検出し得るが，産卵数の少ない寄生虫では集卵法を行わないと正確な結果は得られない．

1．直接塗抹法

糞便を直接スライドグラスに塗抹して鏡検する方法であるがこれにもいくつかの方法がある．

1）薄層塗抹法 スライドグラスの上に1滴の水または生理食塩水を置き，少量の糞便を爪楊子でとりこの中で攪拌し，カバーグラスで覆って鏡検する．このときの糞便溶液の濃度は，活字が透過して読める程度とする．本法の利点は虫卵が最もよくその形態を保持している点で，欠点は糞便の量が少ない（大体3～5mg）ので検出率が低い点である．

2）厚層塗抹法 スライドグラス上にマッチの頭くらいの糞便を置き，これを直ちにカバーグラスで圧平する．本法の利点は操作が最も簡単で，かつ糞便量が10～20mgと1）より多い点である．欠点は圧迫により虫卵が変形したり，回虫卵では蛋白膜がとれて無色になったり，また夾雑物のため均一な厚さの標本ができなくて鏡検困難になることなどである．

表24．人体寄生蠕虫 雌1隻1日の産卵数

寄生虫種	雌1隻1日産卵数（EPDPF）	報告者
回虫受精卵	20万～30万	横川，大島（1956）
回虫不受精卵	6万～11万	
アメリカ鉤虫	5,000～10,000	
ズビニ鉤虫	10,000～15,000	
東洋毛様線虫	50～260	三条（1960）
糞線虫	60	Faust（1927）
鞭虫	900	森下（哲）ら（1964）
蟯虫	6,000～10,000	赤木（1952）
肝吸虫	4,200～7,000	斉藤，堀（1964）
肺吸虫	1万～2万	勝呂（1959）
横川吸虫	280	大島（1964）
広節裂頭条虫	100万	Faust（1927）

3）加藤式セロファン厚層塗抹法 やや厚めのセロファン紙を26×28mmに裁断し，蒸留水500m*l*，グリセリン500m*l*，3％マラカイトグリーン5m*l*の混液に24時間以上浸漬しておく．小豆大の糞便をスライドグラスにとり，3×4cmに切ったナイロンメッシュを載せ，棒で押して出てきた糞便60～70mgを別のスライドグラスにとる．次いで上記の湿ったセロファン紙で覆い，ゴム栓で均等に圧平する．20～30分間自然に放置し，やや乾燥したときに鏡検する．利点は使用糞便量が多いにも拘らず，便が透明になっており，虫卵がよくわかる点である．

2．集卵法

集卵法には浮遊法と沈殿法とがある．比重の比較的小さい虫卵は比重の大きな液の中で糞便を溶解し虫卵を浮上させて集卵する．一方，沈殿法は比重の大きい虫卵にも，また小さい虫卵にも適用される．

1）浮遊法 第40項参照

2）沈殿法 種々の方法があるが代表的なものについて述べる．

a）ホルマリン・エーテル遠沈法（MGL法） 本法は蠕虫卵と同時に原虫嚢子を見い出す方法として用いられている．実施法は第7項参照．

b) AMS Ⅲ法 各種の虫卵に用いられ，よい成績が得られる．

〔試　薬〕

A 液　比重 1.080 塩酸（37％塩酸 45ml に水 55ml を加えればよい）．

B 液　比重 1.080 硫酸ソーダ溶液（温水 100ml に硫酸ソーダ 9.6g を溶解する）．A 液と B 液を等量混じたものを **AMS Ⅲ液** という．

〔実施法〕（図 467）

(1) 容量約 15ml の試験管に約 10ml の水を入れ，糞便約 0.5g を入れ十分攪拌する（図 467-a）．
(2) 容量 15ml のスピッツグラスに，ガーゼ 1 枚で濾過する（b）．
(3) 1,500rpm 2 分間遠沈し，上清を捨てる（c）．
(4) 沈渣に AMS Ⅲ液 7ml を加えよく攪拌する．次いで Tween 80（界面活性剤）1～2 滴とエーテル 3ml を加える（d）．
(5) 管口を拇指でおさえ，30 秒間強く振盪する（e）．
(6) 遠心沈殿 1,500rpm 2 分間（f）．
(7) 割箸を管内壁に沿って 1 回転しスカムの層を管壁からはなす（g）．
(8) 管を傾け沈渣以外を捨て，内壁を綿棒などできれいにする（h）．
(9) 沈渣に少量の水を加え攪拌し，毛細管ピペットを用い全沈渣を鏡検する（i）．

Ⅱ．Stoll 氏卵数計算法

糞便内の虫卵数を定量的に知る方法である．糞便 3g を 45ml の目盛のある大型試験管にとり，45ml の線まで N/10 NaOH を入れてよく攪拌する．次いで小硝子球（直径約 3mm）を約 10 個入れ，ゴム栓をして振り，よく混和する．この液 0.15ml をスライドグラス上にとり，20×40mm のカバーグラスをかけ全虫卵数を数える．2 回以上検査し平均値をとる．この数を 100 倍したものが糞便 1g 中の虫卵数で **EPG**（**egg per gram**）と称する．これに 1 日の糞便重量を掛けたものが **EPD**（**egg per day**）である．卵数計算は寄生虫体数の推定（各寄生虫の雌の 1 日の産卵数は表 24 のごとくであり，雄の数は雌のほぼ 80％ とする），その地方での寄生虫の浸淫度の判定，治療薬の効果判定などに利用される．

Ⅲ．肛囲検査法（セロファンテープ法）

蟯虫卵や時に無鉤条虫卵の検出に用いられる．第 38 項参照．

Ⅳ．培養法

各種鉤虫および東洋毛様線虫の診断には糞便培養が高い検出率が得られる．そのテクニックは第 40 項を参照されたい．糞線虫については最近，寒天平板培地上に小糞便塊を置く方法が開発され高い検出率を示した（図 466）．

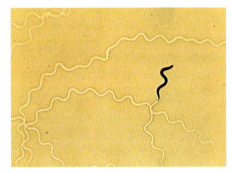

図 466．普通寒天平板培養法により認められた糞線虫幼虫とその這痕（新垣民樹博士，安里龍二博士の厚意による）（再掲）

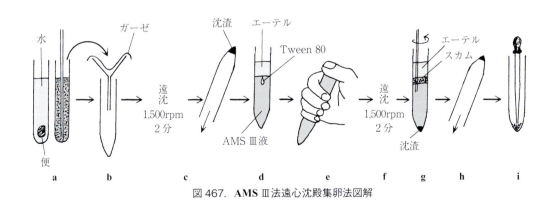

図 467．AMS Ⅲ法遠心沈殿集卵法図解

主要人体寄生虫卵図譜

主な虫卵と，検便上紛らわしいものを示した（図468）．まれな虫卵や動物の寄生虫卵は各項の中に示した．

A．回虫受精卵（長径 50〜70×短径 40〜50 μm）

黄褐色を呈するが蛋白膜がとれると無色となり鉤虫卵に似る．新鮮な糞便中では単細胞で卵殻との間に三日月形の空隙がある．線虫卵はいずれも小蓋はない．

B．回虫不受精卵（63〜98×40〜60 μm）

黄褐色，受精卵に比し蛋白膜，卵殻ともに薄い．不定形で左右非相称のものが多く，中に大小の顆粒が充満．

C．蟯虫卵（45〜50×25〜30 μm）

無色，柿の種状で一側は平たく，一側はややふくらむ．中に幼虫を蔵している．

D．鉤虫卵（50〜60×40〜45 μm）

無色，卵殻は薄い．新鮮な糞便中の虫卵は 4 分裂細胞卵がほとんどであるが，暖期に放置すると分裂が進み，約 24 時間後には幼虫形成卵となる．ズビニ，アメリカ，セイロン各鉤虫は虫卵の形態では区別し難い．

E．東洋毛様線虫卵（75〜91×39〜47 μm）

無色，長楕円形または舟形，新鮮糞便中ですでに 16〜32 個に細胞分裂が進んでいる．細胞群と尖った卵殻との間にしばしば空隙が見られる．

F．鞭虫卵（40〜50×22〜23 μm）

黄褐色ないし赤褐色，厚い卵殻を有し，前端と後端に特異な栓を有する（岐阜提灯状）．新鮮な糞便中では単細胞である．時に大形卵が見られる．

G．肝吸虫卵（27〜32×15〜17 μm）

淡黄色，小蓋あり，小蓋は陣笠状で蓋の部分が虫卵から横に突出し全体として茄子形，中にミラシジウムを蔵する．吸虫卵は住血吸虫類を除き小蓋を有する．

H．横川吸虫卵（28〜32×15〜18 μm）

褐色，小蓋あり，肝吸虫卵に似るが全体に楕円形で小蓋が陣笠状でなく横に突出していない．卵殻がやや厚い．中にミラシジウムを蔵する．

I．ウェステルマン肺吸虫卵（3 倍体型）（80〜90×46〜52 μm）

濃褐色，小蓋あり，虫卵は喀痰および糞便中に現れる．左右非相称で最大幅は小蓋側の前半にあり，後半はやや尖る．尾端は卵殻が著明に肥厚，中にミラシジウムはなく 1 個の卵細胞と数個の卵黄細胞を蔵する．

J．宮崎肺吸虫卵（70〜77×41〜46 μm）

褐色，小蓋あり，ウェステルマン肺吸虫卵に比し，小さく，卵殻薄く，尾端は肥厚していない．

K．浅田棘口吸虫卵（120〜140×70〜90 μm）

淡黄色，大形卵，不著明な小蓋あり，卵殻は非常に薄く，尾端はやや肥厚し，時に結節状．

L．巨大肝蛭虫卵（150〜190×75〜95 μm）

黄褐色，極めて大形，不著明な小蓋あり，卵殻は薄いが尾端がやや肥厚している．

M．日本住血吸虫卵（70〜100×50〜70 μm）

淡褐色，小蓋なし，短楕円形，卵殻の側面に小突起を有し，中にトックリ型のミラシジウムを蔵する．

N．マンソン住血吸虫卵（114〜175×45〜68 μm）

黄褐色，小蓋なし，大形で卵殻の一側に著明な棘を有し，中にミラシジウムを蔵する．

O．ビルハルツ住血吸虫卵（112〜170×40〜73 μm）

黄褐色，小蓋なし，大形で卵殻の尾端には後方に向かう大きな棘を有する．中にミラシジウムを蔵する．

P．広節裂頭条虫卵（60〜70×40〜50 μm）

淡黄色，短楕円形で小蓋は不著明，中に 1 個の卵細胞と多数の卵黄細胞がある．**日本海裂頭条虫卵**も同じ．

Q．クジラ複殖門条虫卵（63〜74×41〜58 μm）

広節裂頭条虫卵によく似て区別し難い．

R．無鉤条虫卵（幼虫被殻：30〜40×20〜30 μm）

外層の卵殻はとれやすい．幼虫被殻は黒褐色で小蓋なく，放射状線条を有し，中に六鉤幼虫を蔵する．**有鉤条虫卵**，**単包条虫卵**，**多包条虫卵**などと区別し難い．

S．小形条虫卵（45〜55×40〜45 μm）

淡黄色，小蓋なし，卵殻は薄く，中にレモン形の幼虫被殻があり，この両端の突起から数本のフィラメントが出ている．中に六鉤幼虫を蔵する．

T．縮小条虫卵（直径 60〜80 μm）

褐色，小蓋なし，小形条虫卵に比し球状で大形，色が濃く，幼虫被殻も球形で突起やフィラメントはない．

U．松の花粉（40〜50×20〜30 μm）

両端に特有の黒い塊状物がある．

V．トビウオなどの吸虫卵（20〜30×10〜15 μm）

魚を食べたときその体内の虫卵がそのままヒトの糞便中に現れ，横川吸虫や異形吸虫の虫卵と紛らわしい．

W．ダニの卵（60〜90×40〜50 μm）

食品中のコナダニなどの卵が一緒に摂取され，ヒトの糞便中に見い出されることがある．

X．植物の根毛（大きさは不定）

糞線虫や鉤虫の幼虫などと紛らわしい．

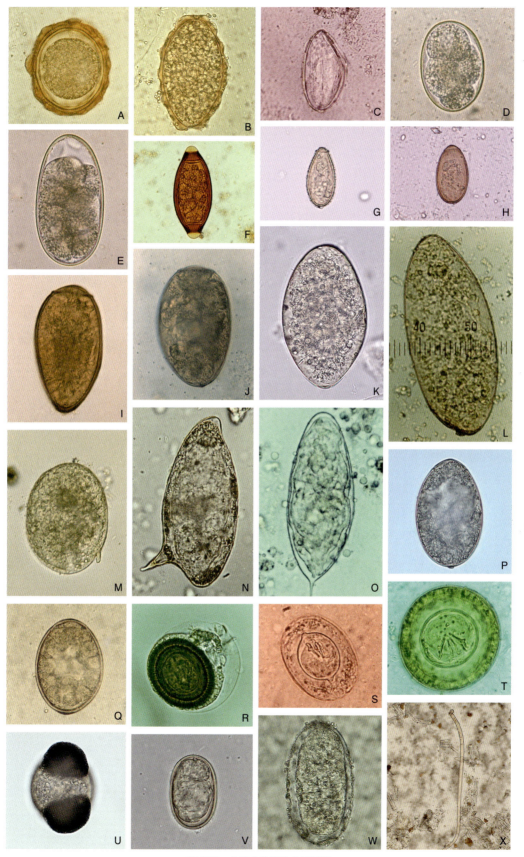

図 468. 主要人体寄生虫卵図譜

108 虫卵の大きさ，色，検査法のまとめ

糞便などから寄生虫卵を見い出し診断するためにはその形態をよく知っておかねばならない．寄生虫卵は多少の変異はあるが，一定の大きさ，色，形をもっている．またそれぞれの寄生虫卵の検出に最も適した検査法がある．それをここにまとめて示す．

I．虫卵の大きさの順（長径×短径，単位 μm）

1.	巨大肝蛭	150～190×75～95
2.	肥大吸虫	130～140×80～85
3.	浅田棘口吸虫	120～140×70～90
4.	マンソン住血吸虫	114～175×45～68
5.	ビルハルツ住血吸虫	112～170×40～73
6.	ウェステルマン肺吸虫	80～90×46～52
7.	東洋毛様線虫	75～91×39～47
8.	日本住血吸虫	70～100×50～70
9.	宮崎肺吸虫	70～77×41～46
10.	回虫不受精卵	63～98×40～60
11.	クジラ複殖門条虫	63～74×41～58
12.	縮小条虫	60～80×60～80
13.	広節裂頭条虫，日本海裂頭条虫	60～70×40～50
14.	回虫受精卵	50～70×40～50
15.	鉤虫	50～60×40～45
16.	小形条虫	45～55×40～45
17.	蟯虫	45～50×25～30
18.	鞭虫	40～50×22～23
19.	槍形吸虫	38～45×22～30
20.	無鉤条虫（幼虫被殻）	30～40×20～30
21.	横川吸虫	28～32×15～18
22.	肝吸虫	27～32×15～17
23.	有害異形吸虫	23～27×14～16

II．虫卵の色

無色	蟯虫，鉤虫，東洋毛様線虫，回虫卵の蛋白膜がとれた場合
淡黄ないし淡褐色	肝吸虫，浅田棘口吸虫，巨大肝蛭，日本住血吸虫，肥大吸虫，広節裂頭条虫，日本海裂頭条虫，クジラ複殖門条虫，小形条虫
黄褐色	回虫受精卵，回虫不受精卵，宮崎肺吸虫，マンソン住血吸虫，ビルハルツ住血吸虫
濃い褐色	鞭虫，横川吸虫，ウェステルマン肺吸虫，槍形吸虫，無鉤条虫，縮小条虫

III．各寄生虫卵に適した検査法

1. 排出虫卵が多いため塗抹標本数枚の検査で十分なもの
   回虫，広節裂頭条虫，日本海裂頭条虫，クジラ複殖門条虫
2. 虫卵の比重が小さく飽和食塩水浮遊法が適しているもの
   鉤虫，東洋毛様線虫
3. 虫卵の比重が大きく遠心沈殿集卵法が適しているもの
   比重の小さいものも含め，すべての虫卵に応用できる
4. 培養法が適しているもの
   鉤虫，東洋毛様線虫，糞線虫
5. セロファンテープ肛囲検査法が適しているもの
   蟯虫，無鉤条虫

IV．幼虫寄生のため虫卵が出てこない寄生虫症

イヌ・ネコ回虫症，ブタ回虫症，アニサキス症，広東住血線虫症，顎口線虫症，旋尾線虫症，ブラジル鉤虫またはイヌ鉤虫幼虫による皮膚爬行症，宮崎肺吸虫症，ムクドリ住血吸虫セルカリアによる皮膚炎，マンソン孤虫症，単包虫症，多包虫症，有鉤嚢虫症

V．糞便以外の材料中にも現れる虫卵

喀痰……ウェステルマン肺吸虫

尿……ビルハルツ住血吸虫

十二指腸ゾンデ採取液……肝吸虫，巨大肝蛭，浅田棘口吸虫，東洋毛様線虫，糞線虫（虫卵でなく幼虫）

大腸壁，肝臓，脳などの組織内……日本住血吸虫，マンソン住血吸虫

109 主な寄生虫症における診断検査材料

わが国でみられる主な寄生虫症を診断する場合，それぞれの寄生虫の最も適当な検査材料および方法をまとめた．

	糞便					肛囲検査	血液	喀痰	尿・腟分泌液	胆汁・十二指腸液	リンパ節穿刺液	肝・脾穿刺材料	肺穿刺・生検材料	脳脊髄液	筋肉・皮下組織	角膜材料	内視鏡採取材料	免疫反応
	薄層塗抹法	厚層塗抹法	浮遊法	沈殿法	培養法													
赤痢アメーバ栄養型	◎											○					◎	◎
囊子	◎		◎															
ランブル鞭毛虫栄養型	◎									◎								
囊子	◎		◎															
ヒトブラストシスチス	◎				○													
フォーラーネグレリア														◎				○
カステラーニアメーバ, 多食アメーバ																◎		
腟トリコモナス									◎									
トキソプラズマ							○					○		○				◎
戦争シストイソスポーラ	◎		◎							○							○	
クリプトスポリジウム	◎		◎							○								○
肉胞子虫	◎		◎															○
マラリア							◎											◎
ニューモシスチス								◎					◎					○
回虫	○	◎	○															
イヌ・ネコ・ブタ回虫												○						◎
アニサキス																	◎	○
蟯虫			○			◎												
鉤虫	○	○	○		○													
広東住血線虫														◎				◎
糞線虫	○	○		○	○			○										
顎口虫															◎			◎
バンクロフト糸状虫							◎		○									
イヌ糸状虫													◎					◎
鞭虫	○	◎	○															
旋毛虫															◎			◎
肝吸虫			○	◎						○								◎
横川吸虫			○	◎														
ウェステルマン肺吸虫				◎				◎										◎
宮崎肺吸虫																		◎
棘口吸虫	○	○		◎														◎
肝蛭	○	○		◎						○								◎
日本住血吸虫	○	○		◎								○					○	◎
広節裂頭条虫, 日本海裂頭条虫	○	◎		◎														
クジラ複殖門条虫	○	○		◎														
マンソン孤虫															◎			
無鉤条虫					○	◎												
有鉤条虫					○	◎												
有鉤囊虫															◎			
包虫												○	○					◎
小形条虫			◎															

◎：最もよく用いられる検査材料および方法．　○：時に用いられる材料および方法

（辻　守康：臨床医, 16：286-289, 1990, 改変追加）

110 免疫学的診断，DNA 診断など

寄生虫の免疫の基礎的事項については総論で述べたので，ここではその免疫現象を利用したいくつかの診断法について述べ，さらに最近進歩の著しい DNA 診断について述べる．

I．一般的事項

ヒトに寄生虫の成虫が寄生している場合は，その成虫自体，あるいは成虫から産出された虫卵や幼虫を検出して診断を確定する．ところが最近わが国では，むしろ動物を固有宿主とする寄生虫の幼虫の寄生による疾患の方が多い．そのような場合は虫卵などは排出されず，免疫診断に頼らざるを得ない．免疫学的検査法には抗体を検出する方法と，抗原を検出する方法とがある．

一般に免疫診断の標的となる IgG 抗体は通常，感染後 10 ～ 14 日経過しないと産生されないので急性感染（熱帯熱マラリア，ネグレリア，日本紅斑熱，ツツガムシ病など）の初期においては診断力は乏しい．しかし IgM 抗体は早期に産生されるのでトキソプラズマなどの診断に利用されている．

また寄生虫のなかで管腔内寄生虫（ランブル鞭毛虫，腟トリコモナス，回虫，鉤虫，鞭虫，蟯虫，横川吸虫，日本海裂頭条虫，無鉤条虫など）は表 26 に示すように目立った抗体産生を示さないので免疫診断の価値は低い．しかし組織内に寄生する寄生虫（表 26，赤痢アメーバ，マラリア，トキソプラズマ，幼虫移行症，顎口虫，糸状虫，旋毛虫，肺吸虫，肝蛭，日本住血吸虫，包虫など）においては著明な抗体産生が見られ診断的価値が高い．

寄生虫症に対する各種免疫診断の優劣について述べた報告を見ると，まず竹内ら[注1]は種々の病態における赤痢アメーバ症の抗体陽性率を 6 種の検査法により比較した．その結果は表 25 に示す如く，やはり組織侵入型のアメーバ赤痢およびアメーバ性肝膿瘍ではいずれの方法によっても高い陽性率を示したが，腸管内寄生が主体となっているアメーバ性大腸炎や，シストキャリアーでは陽性率が低く，免疫診断の価値も低い．

蠕虫感染における免疫診断の意義については辻の長期にわたる研究がある．表 26 は 17 種の寄生蠕虫症における 6 種類の免疫診断法の陽性率を示したものである[注2]．

どの方法が特に優れているとは言い難いが上に述べた如く管腔内寄生（＊印）のものの陽性率は極めて低く，免疫診断よりも糞便検査などに重点を置く方がよいことを示している．

寄生虫症の免疫診断法は従来，様々な方法が用いられてきた．すなわち皮内反応，酵素抗体法，ゲル内拡散法，免疫電気泳動法，凝集反応，補体結合反応，蛍光抗体法，ウエスタンブロット法，イムノクロマト法，生きた虫体を抗原として用いる方法，などであるが，最近は次に述べる方法が主に用いられている．

II．酵素抗体法（enzyme-linked immunosorbent assay：ELISA）

現在，最もよく用いられている方法で，抗原を固着したウエルに希釈血清を入れて反応させ，抗 IgG 抗体，酵素を用いて検出する．アメーバ赤痢の免疫診断法の 1 つに抗原検出法がある．これは糞便中の赤痢アメーバ接着因子（adhesion）を検出するもので，E. histolytica-II kit（関東化学，TECHLAB 社）が市販されている．反応を目視で，あるいは吸光度を測定して判定するもので，肝膿瘍液にも応用できる．囊子の場合は抗原の可溶化のため囊子壁を破砕（凍結融解 1 回）して用いる．

また酵素抗体法の変法の 1 つに **dot-ELISA** 法がある（69 頁，**図 136** 参照）．これは抗原を固着したニトロセルロース膜を用いて同様の反応を行うもので蠕虫症のスクリーニングに広く用いられている．

III．蛍光抗体法（fluorescent antibody technique：FAT）

普通良く用いられるのは間接蛍光抗体法（indirect fluorescent antibody technique）である．スライドグラスに塗布した原虫や虫体を含む切片に被検血清を作用させ，次いで蛍光色素をラベルした抗ヒト IgG で反応させ，蛍光顕微鏡で観察する．赤痢アメーバ，アメリカトリパノソーマ（シャーガス病），マラリア，トキソプラズマ，クリプトスポリジウム，ランブル鞭毛虫，住血吸虫をはじめ多くの寄生虫の診断に利用されている．また赤痢アメーバについてはアメーバスポット IF（赤痢アメーバ固定スライドグラス）というキットがシスメックス・ビオメリュー社より販売されている．

IV．ウエスタンブロット（western blot）法

抗原を SDS-ポリアクリルアミド電気泳動し，ニトロセルロース膜に転写後，被検血清と反応させる方法で，特異抗原の同定や検出に適しており診断的価値が高い．例としてトキソプラズマ症や包虫症の診断に用いられている．

V．イムノクロマト法（immunochromatographic test）

抗体を検出する方法と抗原を検出する方法とがある．後者の場合，試験紙上で抗原に対し特異的な標識抗体を用いて抗原・抗体複合物を形成させ，これをさらに抗原に対する特異抗体でトラップする方法である．赤痢アメーバ，マラリア，アメリカトリパノソーマ，リーシュマニア，糸状虫などに対する迅速な診断キットが開発されている．

VI．生きた虫体を抗原として用いる方法

生きた虫体を持っていなければ検査ができないので限られた機関でしか実施できない．**色素試験**（トキソプラ

ズマの診断，第18項参照）や**卵周囲沈降反応**（住血吸虫症などの診断，第63項参照）がこれにあたるが主に研究機関で用いられている．

Ⅶ．DNA 診断

各種寄生虫の DNA の塩基配列が明らかになるにつれ，寄生虫の DNA 診断，とくに **PCR（polymerase chain reaction）法**を用いた診断の有用性が高まり，一部で実用に供されている．サーマルサイクラーという機器を用いて温度を変えて DNA を増幅させる PCR 法やその変法は適切に用いれば特異性や感度において非常に優れている．このような診断法は目下，マラリア，リーシュマニア，トキソプラズマ，赤痢アメーバ，クリプトスポリジウム，ニューモシスチス（本種は現在真菌に分類されている）など原虫症の診断に実際に用いられつつある[註3]．虫体を PCR 法に供するためには 70％アルコール固定が推奨される．ホルマリン固定では DNA が断裂するからである．ただ病理切片標本は今でもホルマリン固定なので，しばしば PCR による DNA 診断が困難なことがある．感度と特異性に優れた PCR 法を実施するためにはプライマーの選択が重要である．威力を発揮するのは少数感染のため顕微鏡では検出が困難な場合や，顕微鏡観察では種の鑑別が難しい場合，また複数の種の混合感染が疑われる場合などである．

Ⅷ．LAMP（loop-mediated isothermal amplification）法

増殖した遺伝子の6つの領域と相補配列をもった特殊な4個のプライマーを用いることによって，一定温度（65℃付近）で保温することで目的核酸を増幅できる方法である．一定温度で反応を行うことができるのでサーマルサイクラーを必要としない．増幅反応の過程でピロリン酸マグネシウムが増幅産物に比例して産生され，それは白濁として目視できる．また，これにヒドロキシナフトールブルーを添加して赤紫から青色への色調の変化，または特別な蛍光試薬による蛍光等で核酸の増幅を目視で確認することができる．マラリアなどで用いられている．

Ⅸ．分子疫学 （molecular epidemiology）

同一種の寄生虫であっても DNA の特定領域の塩基配列が地方毎に差が見られたり，宿主の違いによって差が見られたりする．このような variant や genotype を鑑別していくことは寄生虫症流行を推定するのに役立つことがある．このように分子疫学は寄生虫の蔓延実態（感染ルートの推定）の解明に役立ち，表現型（病原性，薬剤耐性など）を規定する種内・種間の遺伝子多型とその分布が明らかにできることにより，各多型に応じた有効な診断や治療を進めることができると思われる．一例を挙げればクリプトスポリジウムは genotype 1（ヒト型）と genotype 2（家畜型であるがヒトにも感染する）にわけられ，この genotype を鑑別することによって感染ルートの推定に役立つことがある[註4]．

表25．赤痢アメーバ症における各種血清診断法の陽性率（％）の比較[註1]

	GDP	IHA	LA	IFA	CIE	ELISA
アメーバ性肝膿瘍	93〜98	91〜96	96	92〜98	98	98
アメーバ赤痢	83〜93	85〜95	92	59〜92	70	85〜95
アメーバ性大腸炎	54〜92	61	…	25〜88	…	80〜91
シストキャリアー	52〜55	9〜58	…	15〜23	…	…

各法の陽性判定基準は：
①GDP（ゲル内沈降反応，Ouchterlony 法）：沈降線の出現，陽性コントロールとの比較など．発症例では多く複数の沈降線をみる．
②IHA（間接赤血球凝集反応）：≧64×（発症例では多くの場合 256〜16,000×）．
③LA（ラテックス凝集反応）：≧64×（発症例では 256〜4,096×）．
④IFA（間接蛍光抗体法）：≧64×（発症例では 256〜4,096×以上）．
⑤CIE（向流免疫電気泳動法）：①にほぼ同様．

表26．蠕虫症における各種血清反応の陽性率（％）の比較[註2]

	CFT	IHA	IFA	IEP	ELISA	COP
線虫症						
回虫症*	0	0	20	20	20	
鉤虫症*	0	0	15	5	15	
アニサキス症	85	85	95	95	95	
イヌ回虫症	90	85		95	95	
顎口虫症	80	80	90	85	90	
糸状虫症	75					
回旋糸状虫症	85	85	95	90	95	
吸虫症						
日本住血吸虫症	90	90	92	95	95	98
肝蛭症	98	95	98	98	98	
肺吸虫症	95	90	95	98	95	
肝吸虫症	45	30	50	50	50	
横川吸虫症*	5	5	15	5	10	
条虫症						
無鉤条虫症*	20	15	25	20	20	
有鉤嚢虫症	85	85	95	95	95	
包虫症	90	85	98	95	98	
広節裂頭条虫症*	20	15	25	20	25	
マンソン孤虫症	90	85	98	95	95	

CFT：補体結合反応，IEP：免疫電気泳動法，ELISA：酵素抗体法，COP：卵周囲沈降テスト，他は表25参照．＊管腔内寄生虫の陽性率は低い．

Ⅹ．フローサイトメトリー法によるマラリア原虫感染赤血球の検出

感染症法に基づく届出の基準の変更としてマラリアの遺伝子診断の項目に「PCR 法」とあったものを「核酸増幅法による病原体の遺伝子の検出（PCR 法・LAMP 法・その他）と修正しフローサイトメトリー法が追加された．

註1．竹内　勤（1989）：臨床医，15：1468．
註2．辻　守康（1990）：臨床医，16：286-289．
註3．Weiss JB et al.（1995）：Clin. Microbiol. Rev. 8：113-30.
註4．McLauchlin J et al.（2000）：J. Clin. Microbiol. 38：3984-90.

寄生蠕虫標本作成法 [A] 吸虫類，条虫類

概　説　寄生蠕虫の成虫および幼虫を保存するだけならば，十分な量の10％ホルマリン，80％アルコールあるいはグリセリン・アルコール（グリセリンを10％の割合に混じた80％アルコール）などに浸漬しておけばよい．

寄生蠕虫の成虫および幼虫の永久染色標本を作成する方法には全形標本と切片標本の2通りがある．小形虫体であればその全体を，大形虫体であればその一部を，また虫体を含む組織などは型のごとく固定，脱水，パラフィン包埋を行って作成する．その術式は基本的には一般の病理組織標本作成法と同じであるが，硬い角皮を有する虫体を材料とする場合は，固定や脱水の時間，パラフィンの硬度など種々工夫を要する．

ここでは吸虫類の全形標本または条虫類の頭節や体節の全形標本などの作成法について述べることにする．

1. 虫体の採取

ヒトや動物から取り出した生きた虫体はまず37℃生理食塩水の中で数時間飼育し，過度の虫卵や腸内容を排出させ，虫体表面もよく洗浄したのち標本作成を行う．

2. 固　定

固定液　無水のエタノール

従来固定液としてシャウジン液を用いていたが塩化第二水銀を含む昇汞を含むため使用できない．そのため代わりに無水エタノールが用いられる．まず厚い虫体は2枚のスライドグラスの両端に厚紙を入れ挟んでタコ糸などで圧平し，無水エタノールに浸漬する．その後タコ糸と厚紙を除き，再度固定液に沈め十分固定後水洗し染色液に圧平された虫体を染色液に沈める．

3. 染　色

通常次の2染色液が用いられる．

① デラフィールド・ヘマトキシリン染色

染色液作成法　ヘマトキシリン4gを無水アルコール25mlに溶解し，これを明ばんアンモニア飽和水溶液400ml（蒸留水11部に対し明ばんアンモニア1部を溶解したもの）と混合し，広口瓶に入れ栓をしないで放置する．1週間後にこれを沪過し，沪液にメチルアルコール100mlとグリセリン100mlとを加え，そのまま放置して液が十分暗色になるのを待って沪過する．約2か月後には使用できるようになる．この液は長く使用することができる．

② ボラックス・カルミン染色

染色液作成法　カルミン2～3g，硼砂4g，蒸留水100mlを混じ，30分ないし1時間煮沸し，冷却した後，70％アルコール100mlを加え，24時間後沪過して使用する．

染色　上記虫体を①あるいは②の染色液に1晩入れ染色する．

脱色　過染色になっているので塩酸アルコール（70％アルコールに1％の割に塩酸を加える）に入れ，時々観察しながら脱色する．

水洗　30分～1時間

脱水　70％→80％→90％→純アルコール→無水アルコール2回

透化　キシロール

封入　バルサムで封入し，カバーグラスで覆い，その上に錘を置いて圧平しつつバルサムを固まらせる．

112 寄生蠕虫標本作成法 [B] 線虫類

　線虫類は角皮が強固なため吸虫類や条虫類にくらべなかなかよい全形標本が作り難い．また染色も行い難く，通常は無染色透過標本を作成している．幼虫は成虫にくらべさらに標本が作り難く，例えば鉤虫の感染幼虫などについて満足すべき方法はまだない．

　したがって，線虫類は虫体を10％ホルマリン液，80％アルコールまたはグリセリン・アルコール液（前頁参照）に保存し，適時，これをとり出して観察する方法がとられている．以下に他の2, 3のスライドグラス標本作成法について述べる．

1. グリセリン・ゼリー封入法

① **透過**　例えば鉤虫の成虫などをグリセリン・アルコール液（この場合は70％アルコール100mlにグリセリン5mlを混じた液）を入れた瓶に投入し，蓋をしないで50℃の恒温器に入れる．するとアルコールは次第に蒸発してグリセリンだけが残り，この時，虫体は透過している．

② **グリセリン・ゼリー封入**

処方　グリセリン　100ml
　　　　ゼラチン　　　20g
　　　　蒸留水　　　　120ml
　　　　石炭酸　　　　20ml（加温溶解）

方法　前記混合液は常温では固形であるから，使用する前にその小塊をスライドグラス上にとり加温してとかす．その中へ透過した上記虫体を入れ，カバーグラスで覆い，周囲をバルサム，またはエナメルなどで封じる．

2. ラクトフェノール法

処方　グリセリン　2容量
　　　　石炭酸　　　1容量
　　　　乳　酸　　　1容量
　　　　蒸留水　　　1容量

方法　2～10％ホルマリンで固定した虫体をまず上記の混液（ラクトフェノール液 lactophenol solution）の1/2希釈液（水で希釈する）に入れ30分以上放置した後，原液に移し，そのまま貯蔵する．虫体は透明になっているので，適時スライドグラス上にとり出してカバーグラスで覆って観察すればよい．またカバーグラスの周辺をエナメルなどで封じるとかなり長期間の保存に耐える．

各論

V. 練習問題

(筆者画)

I．医動物学全般

① 性行為により伝播する寄生虫はどれか．
    a．腟トリコモナス
    b．回虫
    c．トキソプラズマ
    d．三日熱マラリア
    e．鞭虫

② 輸血で感染しうるのはどれか．
    a．サイクロスポーラ
    b．シストイソスポーラ
    c．ランブル鞭毛虫
    d．トリパノソーマ
    e．クリプトスポリジウム

③ 寄生虫性食中毒に当てはまるのはどれか．
    a．マラリア
    b．ウェステルマン肺吸虫症
    c．ロア糸状虫症
    d．日本住血吸虫症
    e．リーシュマニア症

④ 手洗いで予防できるのはどれか．
    a．アニサキス症
    b．蟯虫症
    c．横川吸虫症
    d．ウェステルマン肺吸虫症
    e．日本海裂頭条虫症

⑤ 肝内休眠体（ヒプノゾイト）を持つ寄生虫はどれか．
    a．肝吸虫
    b．有鉤条虫
    c．赤痢アメーバ
    d．三日熱マラリア
    e．バンクロフト糸状虫

⑥ 次の寄生虫卵のうち小蓋（卵蓋）を持っているのはどれか．
    a．日本住血吸虫
    b．無鉤条虫
    c．マンソン住血吸虫
    d．ビルハルツ住血吸虫
    e．ウェステルマン肺吸虫

⑦ 次の組み合わせのうち正しいのはどれか．
    a．ウシ——糞線虫症
    b．ウマ——肺吸虫症
    c．ネコ——有鉤条虫症
    d．ヒツジ——トキソプラズマ症
    e．イヌ——無鉤条虫症

⑧ 次の組み合わせのうち正しいのはどれか．
    a．有鉤囊虫症——ウシ
    b．蟯虫症——イヌ
    c．宮崎肺吸虫症——サワガニ
    d．横川吸虫症——サケ
    e．旋毛虫症——マス

解答　① a．（第10項）　　⑤ d．（第20項）
　　　② d．（第12項）　　⑥ e．（第57項）
　　　③ b．（第57項）　　⑦ d．（第17項）
　　　④ b．（第38項）　　⑧ c．（第59項）

⑨ 次の虫卵のうち無色のものの組み合わせはどれか．
    a．肺吸虫卵――日本海裂頭条虫卵
    b．肝蛭卵――小形条虫卵
    c．日本住血吸虫卵――無鉤条虫卵
    d．鉤虫卵――東洋毛様線虫卵
    e．横川吸虫卵――回虫卵

⑩ 次の組み合わせのうちで正しいものはどれか．
    a．マラリア――血液塗抹ギムザ染色法
    b．トキソプラズマ症――糞便検査法
    c．ランブル鞭毛虫症――喀痰検査法
    d．鉤虫症――蔗糖遠心沈殿浮遊法
    e．蟯虫症―― skin snip 法

⑪ 次の中で正しいのはどれか．
    a．鞭虫は主として盲腸に寄生する．
    b．蟯虫は主として小腸に寄生する．
    c．赤痢アメーバは主として小腸に寄生する．
    d．ランブル鞭毛虫は主として大腸に寄生する．
    e．鉤虫は主として大腸に寄生する．

⑫ 虫卵を摂取して感染する寄生虫について正しいのはどれか．
    a．鉤虫症
    b．包虫症
    c．無鉤条虫症
    d．バンクロフト糸状虫症
    e．旋毛虫症

⑬ 経皮感染する寄生虫について正しいのはどれか．
    a．鞭　虫
    b．糞線虫
    c．イヌ回虫
    d．横川吸虫
    e．日本住血吸虫

⑭ 寄生虫とその病態の組み合わせで正しいのはどれか．
    a．剛棘顎口虫――皮膚爬行症
    b．旋尾線虫――胸水
    c．広東住血線虫――肝硬変
    d．バンクロフト糸状虫――好酸球性髄膜炎
    e．多包条虫――イチゴゼリー状粘血便

⑮ 消化不良症候群（脂肪吸収障害）を起こし水様性の下痢を伴う寄生虫はどれか．
    a．糞線虫
    b．ランブル鞭毛虫
    c．赤痢アメーバ
    d．クリプトスポリジウム
    e．メニール鞭毛虫

⑯ 次の組み合わせのうち正しいのはどれか．
    a．イヌ糸状虫――蚊
    b．有棘顎口虫――オキアミ
    c．アニサキス――フナ
    d．回旋糸状虫（オンコセルカ）――アブ
    e．東洋眼虫――蚊

解答
⑨　d．（第 39, 41 項）
⑩　a．（第 22 項）
⑪　a．（第 49 項）
⑫　b．（第 74 項）
⑬　b．（第 43 項）
⑭　a．（第 44 項）
⑮　b．（第 9 項）
⑯　a．（第 47 項）

⑰ 幼虫移行症を起こすのはどれか．
　　a．ズビニ鉤虫
　　b．旋尾線虫
　　c．横川吸虫
　　d．日本住血吸虫
　　e．無鉤条虫

⑱ 虫卵で経口感染し成虫が腸管に寄生する寄生虫について正しいのはどれか．
　　a．鞭　虫
　　b．糞線虫
　　c．イヌ回虫
　　d．肝　蛭
　　e．日本住血吸虫

⑲ 感染症の予防及び感染症の患者に対する医療に関する法律（感染症法）で4類感染症に指定されている寄生虫症はどれか．
　　a．アメーバ赤痢
　　b．クリプトスポリジウム症
　　c．トキソプラズマ症
　　d．ランブル鞭毛虫症
　　e．エキノコックス症

⑳ 自家感染するのはどれか．
　　a．蟯　虫
　　b．糞線虫
　　c．バンクロフト糸状虫症
　　d．日本住血吸虫
　　e．無鉤条虫

解答　⑰　b．（第51項）　　⑲　e．（総論）
　　　　⑱　a．（第49項）　　⑳　b．（第43項）

II. 原虫類

① シャーガス病に関する記述の中で誤ったものを選べ．
　a．サシガメにより媒介される．
　b．中南米ではなく熱帯アフリカで発生する．
　c．現在日本では日系ブラジル人の輸血が問題となっている．
　d．クルーズトリパノソーマが心筋を侵し，心不全，拡張型の心筋症を来す．
　e．先天性感染も指摘されている．

② トキソプラズマについて正しいのはどれか．
　a．栄養型，嚢子，オーシストの時期がある．
　b．感染はブタなどの生肉中の急増虫体の経口摂取によって起こる．
　c．ヒト体内では脳や筋肉内に嚢子を作らない．
　d．先天性トキソプラズマ症は起こらない．
　e．AIDS 患者では潜在していたトキソプラズマにより重篤な脳炎が起こらない．

③ クリプトスポリジウムについて正しいのはどれか．
　a．感染はオーシストの経口摂取による．
　b．大腸粘膜上皮細胞の微絨毛に寄生する．
　c．診断は糞便検査で虫卵を検出する．
　d．再興感染症の１つである．
　e．AIDS 患者では致死的下痢症の原因病原体とはならない．

④ 腟トリコモナスについて正しいのはどれか．
　a．栄養型と嚢子の時期がある．
　b．性感染症の１つである．
　c．体表には波動膜がない．
　d．男性では症状がひどい．
　e．女性では肛門に寄生する．

⑤ アメーバ性赤痢の便の典型的な性状はどれか．
　a．灰白色便
　b．黒色（タール状）便
　c．コメのとぎ汁様便
　d．苺ゼリー状便
　e．新鮮血通常硬便

⑥ 細胞内寄生をするのはどれか．
　a．赤痢アメーバ
　b．ランブル鞭毛虫
　c．腟トリコモナス
　d．腸トリコモナス
　e．トキソプラズマ

⑦ ランブル鞭毛虫について正しいのはどれか．
　a．栄養型は下痢便中に見られる．
　b．嚢子は下痢便中に見られる．
　c．嚢子は十二指腸ゾンデ採取液中にも見られる．
　d．栄養型は組織侵入性がある．
　e．嚢子を飲み込んでも感染しない．

⑧ アメーバ赤痢の検査法について誤った組み合わせはどれか．
　a．粘血便――栄養型
　b．有形便――嚢子
　c．大腸生検――嚢子
　d．大腸洗浄液――栄養型
　e．肝膿瘍液――栄養型

....

解答　① b．（第12項）　　⑤ d．（第4項）
　　　② a．（第17項）　　⑥ e．（第18項）
　　　③ a．（第14項）　　⑦ a．（第9項）
　　　④ b．（第10項）　　⑧ a．（第5項）

⑨ 囊子が見られず栄養型のみ存在する原虫はどれか.
   a．赤痢アメーバ
   b．ランブル鞭毛虫
   c．腟トリコモナス
   d．トキソプラズマ
   e．大腸アメーバ

⑩ 次の組み合わせで正しいのはどれか.
   a．アフリカ睡眠病──ガンビアトリパノソーマ
   b．シャーガス病──ローデシアトリパノソーマ
   c．カラアザール──クルーズトリパノソーマ
   d．肝膿瘍──ランブル鞭毛虫
   e．アメーバ性髄膜脳炎──ヨードアメーバ

⑪ 先天性トキソプラズマ症児の徴候について正しいのはどれか.
   a．好酸球増多
   b．水頭症
   c．クモ膜下出血
   d．髄膜脳炎
   e．脊髄炎

⑫ 三日熱マラリアについて正しいのはどれか.
   a．感染赤血球は大きくなる.
   b．感染赤血球にシュフナー斑点がない.
   c．発熱・解熱の周期は72時間である.
   d．分裂体は普通亡くなる前に見られることがある.
   e．再発ではなく再燃を起こす.

⑬ この虫は何ですか.

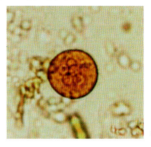

核を4個以上認める

   a．赤痢アメーバ
   b．大腸アメーバ
   c．小形アメーバ
   d．ランブル鞭毛虫
   e．アカントアメーバ

⑭ マラリア原虫の検査で正しいのはどれか.
   a．採血は解熱時に行う.
   b．厚層塗抹標本は100％メタノールで固定する.
   c．血液塗抹標本のギムザ染色液はpH7.2で行う.
   d．熱帯熱マラリアでは赤血球内にアメーバ体が検出される.
   e．三日熱マラリアの発熱周期は72時間である.

⑮ ニューモシスチス肺炎について正しいのはどれか.
   a．虫体は肺胞に寄生し，症状は呼吸困難である.
   b．日和見感染病原体ではない.
   c．古くは真菌と考えられていたが，現在は原虫である.
   d．診断は喀痰，気管支肺洗浄液（BAL）から栄養型，囊子を検出されない.
   e．セルフルオール染色で栄養型は非特異的に染まる.

解答
  ⑨　c．（第10項）
  ⑩　a．（第12項）
  ⑪　b．（第18項）
  ⑫　a．（第21項）
  ⑬　b．（第6項）
  ⑭　c．（第22，23項）
  ⑮　a．（第25項）

⑯ 水系感染で髄膜脳炎を起こす寄生虫はどれか.
  a．病原性自由生活アメーバ
  b．トキソプラズマ
  c．クリプトスポリジウム
  d．腟トリコモナス
  e．戦争シストイソスポーラ

⑰ アメーバ性肝膿瘍について正しいのはどれか.
  a．肝左葉に多く見られる.
  b．大腸アメーバによって起こる.
  c．膿汁は鮮血色である.
  d．肝臓から肺や脳に転移することがある.
  e．細菌の感染を伴う発熱が必ずある.

⑱ ブラジルから来日した中年男性が突然の心不全で亡くなり，心筋の組織切片に多数の無鞭毛期の虫体が見られた．この男性が感染した原因は以下のどれか.
  a．サシチョウバエが吸血に際して寄生虫を血中に注入した.
  b．感染したハマダラカが吸血時に寄生虫を注入した.
  c．感染したサシガメに刺され，その部位にサシガメの糞が付着した.
  d．飼っているネコの糞を誤って口にした.
  e．ダニに刺された際に寄生虫が伝播した.

⑲ 妊婦が初感染すると子宮内の胎児に重篤な障害を与えることがある寄生虫はどれか.
  a．赤痢アメーバ
  b．トキソプラズマ
  c．ランブル鞭毛虫
  d．腟トリコモナス
  e．クドア

⑳ マラリアについて正しいのはどれか.
  a．熱帯熱マラリアの生殖母体は半月形をしている.
  b．三日熱マラリアに感染した赤血球にはモーラー斑点が見られる.
  c．熱帯熱マラリア患者の末梢血には必ず分裂体やアメーバ体が見られる.
  d．熱帯熱マラリアに感染した赤血球は大きくなる.
  e．マラリアはヒトの体内で有性生殖，蚊の体内で無性生殖をする.

解答　⑯　a．（第8項）
　　　　⑰　d．（第4項）
　　　　⑱　c．（第12項）
　　　　⑲　b．（第18項）
　　　　⑳　a．（第21項）

III. 線虫類

① 線虫とその病態の組み合わせで正しいのはどれか．
　a．回虫——皮膚爬行症
　b．ズビニ鉤虫——門脈圧亢進
　c．広東住血線虫——好酸球性髄膜炎
　d．旋尾線虫——皮膚色素脱
　e．糞線虫——網膜炎

② 急性期の診断に末梢血塗抹標本のギムザ染色が有用なのはどれか．
　a．旋毛虫症
　b．広東住血線虫症
　c．バンクロフト糸状虫症
　d．ウェステルマン肺吸虫
　e．マンソン住血吸虫

③ 鞭虫について正しいのはどれか．
　a．ヒトへの感染は幼虫の経口摂取による．
　b．成虫は小腸に寄生する．
　c．成虫は木の葉状である．
　d．糞便検査によって虫卵を検出する．
　e．虫卵には蓋がある．

④ 旋毛虫について正しいのはどれか．
　a．ヒトは終宿主から排出される糞便内幼虫を経口的に摂取し感染する．
　b．ヒトは横紋筋中に幼虫が被囊することによって筋肉痛や発熱等の症状が現れる．
　c．ヒトが幼虫を摂食すると幼虫はそのまま筋肉内に移行し，そこで被囊する．
　d．旋毛虫の終宿主はイヌで，わが国でも流行がみられる．
　e．診断には免疫学的検査は無駄である．

⑤ 正しい組み合わせはどれか．
　a．糸状虫——成虫は雌雄同体
　b．バンクロフト糸状虫——陰囊水腫，象皮病
　c．マレー糸状虫——上肢の象皮病
　d．回旋糸状虫——血尿
　e．イヌ糸状虫——ヒト体内での寄生部位は肝臓

⑥ 蟯虫について正しいのはどれか．
　a．日本で最もよく見られる寄生虫である．
　b．成虫は胃に寄生している．
　c．雌は昼間，肛門付近の皮膚に産卵する．
　d．虫卵の検出は血液検査による．
　e．虫卵は左右対称で岐阜提灯様である．

⑦ 糞線虫症について正しいのはどれか．
　a．日本では奄美大島，沖縄に多くみられる．
　b．フィラリア型幼虫（感染幼虫）が経口感染する．
　c．糞便には普通虫卵が認められる．
　d．小腸粘膜には雌雄成虫が寄生する．
　e．自家感染を起こさない．

⑧ 次の組み合わせのうち正しいのはどれか．
　a．バンクロフト糸状虫——ブユ
　b．日本顎口虫——オキアミ
　c．アニサキス——コイ
　d．回旋糸状虫（オンコセルカ）——ヌカカ
　e．東洋眼虫——メマトイ

解答　　① c．（第42項）　　⑤ b．（第46項）
　　　　② c．（第46項）　　⑥ a．（第38項）
　　　　③ d．（第49項）　　⑦ a．（第43項）
　　　　④ b．（第50項）　　⑧ e．（第48項）

⑨ アニサキスについて正しいのはどれか.
　a．アニサキスの終宿主（成虫になる）は魚類である.
　b．ヒトは水中に浮遊する虫卵を経口摂取して感染する.
　c．ヒト体内ではアニサキスは成虫にはならない.
　d．人獣共通感染症ではない.
　e．アニサキス症の診断は糞便内の虫卵を検出する.

⑩ 糞線虫症の感染経路はどれか.
　a．飲水による感染
　b．性交感染
　c．経皮感染
　d．経口感染
　e．母子感染

⑪ 次の線虫のうちヒトが終宿主になるのはどれか.
　a．回　虫
　b．イヌ鉤虫
　c．アニサキス
　d．広東住血線虫
　e．有棘顎口虫

⑫ ヒトのイヌ糸状虫症に関する記述の中で間違っているのはどれか.
　a．終宿主はイヌである.
　b．ブユにより伝播される.
　c．肺寄生の場合，肺動脈に栓塞し，肉芽腫を作り，肺癌と誤診されやすい.
　d．肺外では皮膚の爬行症や皮下腫瘤を作る.
　e．血中にはミクロフィラリア（幼虫）が見られない.

⑬ 蟯虫について正しい説明はどれか.
　a．セロファンテープ法により肛門周囲に付着した虫卵が検出できる.
　b．成虫は肺に寄生している.
　c．虫垂炎を起こすことはない.
　d．血液検査によりミクロフィラリアを検出する.
　e．虫卵は左右対称で蛋白膜を有する.

⑭ 回虫及び回虫症について正しい説明はどれか.
　a．成虫の寄生部位は小腸であるが，胆管に迷入することがある.
　b．肺で幼虫は2回脱皮し，レフラー症候群を起こさない.
　c．雌雄同体である.
　d．雌成虫が産む虫卵数は少ない.
　e．虫卵の特徴は内側に蛋白膜の層があることである.

⑮ アメリカ鉤虫について正しいのはどれか.
　a．感染幼虫の頭部咽頭には特徴的な槍形構造物が見られる.
　b．主症状は下痢である.
　c．成虫は主に大腸に寄生する.
　d．成虫の頭部には小さい鉤が列をなしている.
　e．主な終宿主はイヌやネコで，ヒトには感染しない.

⑯ 次の寄生虫で幼虫移行症を起こすのはどれか.
　a．旋尾線虫
　b．鞭　虫
　c．バンクロフト糸状虫
　d．マレー糸状虫
　e．蟯　虫

解答　⑨　c．（第36項）
　　　⑩　c．（第43項）
　　　⑪　a．（第32項）
　　　⑫　b．（第47項）
　　　⑬　a．（第38項）
　　　⑭　a．（第32項）
　　　⑮　a．（第40項）
　　　⑯　a．（第34項）

⑰ 次の線虫のうちヒトが終宿主になるのはどれか.
    a．ネコ回虫
    b．ドロレス顎口虫
    c．日本顎口虫
    d．セイロン鉤虫
    e．広東住血線虫

⑳ 線虫疾患と検査法の組み合わせで正しいのはどれか.
    a．回虫症――肛門周囲検査法
    b．蟯虫症――糞便培養
    c．東洋毛様線虫症――糞便検査
    d．糞線虫症――飽和食塩水浮遊法
    e．アニサキス症――糞便検査

⑱ 寄生虫とその感染源の組み合わせで正しいのはどれか.
    a．アニサキス――ゴマサバ
    b．顎口虫――シロザケ
    c．旋尾線虫――モクズガニ
    d．旋毛虫――ホタルイカ
    e．広東住血線虫――サクラマス

⑲ この虫は何ですか.

    a．回　虫
    b．フィラリア（糸状虫）
    c．鞭　虫
    d．糞線虫
    e．肝吸虫

解答　⑰　d．（第39項）　　⑳　c．（第41項）
　　　⑱　a．（第36項）
　　　⑲　a．（第32項）

IV. 吸虫類

① サワガニの生食が原因となる疾患はどれか．
  a．肝吸虫症
  b．横川吸虫症
  c．日本住血吸虫症
  d．ウェステルマン肺吸虫症
  e．肝蛭症

② 日本住血吸虫について正しいのはどれか．
  a．ヒトへの感染はセルカリアの経口摂取である．
  b．成虫は雌雄異体である．
  c．成虫は胃に寄生する．
  d．急性期，虫卵は糞便内には検出されない．
  e．虫卵には小蓋がある．

③ 横川吸虫について正しいのはどれか．
  a．成虫は肺に寄生している．
  b．第1中間宿主はマメタニシである．
  c．第2中間宿主はアユやシラウオなど淡水魚である．
  d．虫卵の色は無色である．
  e．症状は黄疸である．

④ 日本住血吸虫について正しいのはどれか．
  a．雌雄同体である．
  b．現在でも日本人に新患者が見られる．
  c．虫卵による栓塞（虫卵結節）は起こらない．
  d．成虫は門脈系の種々の静脈内に寄生する．
  e．日本以外に流行地がない．

⑤ 肝吸虫症の対策として正しいのはどれか．
  a．川魚の生食を避ける．
  b．川で泳がない．
  c．蚊帳に入って就寝する．
  d．熱処理の不十分な豚肉を食べない．
  e．性行為時にコンドームを装着する．

⑥ 成虫が門脈に寄生するのはどれか．
  a．肝吸虫
  b．横川吸虫
  c．肝蛭
  d．日本住血吸虫
  e．ビルハルツ住血吸虫

⑦ ヒトのウェステルマン肺吸虫症に関する記述で間違っているのはどれか．
  a．第1中間宿主はマメタニシである．
  b．第2中間宿主はモクズガニである．
  c．カニの中のメタセルカリアの経口感染による．
  d．肺に虫嚢を形成し，血痰が主症状で結核と間違いやすい．
  e．イノシシが待機宿主である．

⑧ 次の吸虫のうち第2中間宿主となる動物を持たないのはどれか．
  a．ウェステルマン肺吸虫
  b．棘口吸虫
  c．日本住血吸虫
  d．宮崎肺吸虫
  e．有害異形吸虫

解答
① d．（第57項）
② b．（第63項）
③ c．（第55項）
④ d．（第63項）
⑤ a．（第54項）
⑥ d．（第63項）
⑦ a．（第57項）
⑧ c．（第63項）

⑨ 次の吸虫のうちヒトの腸管内に寄生するのはどれか．
　a．肝吸虫
　b．浅田棘口吸虫
　c．マンソン住血吸虫
　d．ビルハルツ住血吸虫
　e．日本住血吸虫

⑩ 次の吸虫卵のうち小蓋を持っていないのはどれか．
　a．肝吸虫
　b．ウェステルマン肺吸虫
　c．肝蛭
　d．ビルハルツ住血吸虫
　e．横川吸虫

⑪ 吸虫類一般について正しいのはどれか．
　a．2つの吸盤を持つ．
　b．肛門を持っている．
　c．擬体腔を持っている．
　d．雌雄異体のものが多い．
　e．中間宿主を必要としない．

⑫ ヒトに経皮感染するのはどれか．
　a．肝吸虫
　b．肝蛭
　c．横川吸虫
　d．ウェステルマン肺吸虫
　e．日本住血吸虫

⑬ 最も小さい虫卵はどれか．
　a．肝蛭
　b．ウェステルマン肺吸虫
　c．浅田棘口吸虫
　d．横川吸虫
　e．日本住血吸虫

解答　⑨　b．（第61項）
　　　　⑩　d．（第64項）
　　　　⑪　a．（第52項）
　　　　⑫　e．（第63項）
　　　　⑬　d．（第108項）

V. 条虫類

① キタキツネが媒介する感染症はどれか.
　a．エキノコックス症
　b．マラリア
　c．デング熱
　d．黄熱病
　e．トキソプラズマ

② エキノコックス及びエキノコックス症について正しいのはどれか.
　a．わが国ではヒトのエキノコックス症は存在しない.
　b．ヒトでは症状が現れるまで十数年を要しない.
　c．ブタに成虫が寄生している.
　d．北海道のネズミには感染が見られない.
　e．北海道を中心に流行が拡大し重要問題となっており, 本州のイヌからも糞便内にその虫卵や遺伝子がみつかっている.

③ 日本海裂頭条虫の中間宿主となるのはどれか.
　a．シラウオ
　b．アユ
　c．ドジョウ
　d．シロザケ
　e．サバ

④ 次の記述のうち正しいのはどれか.
　a．クジラ複殖門条虫は淡水魚の生食によって感染する.
　b．無鉤条虫に感染していると体節が肛門から垂れ下がる.
　c．日本海裂頭条虫の場合は長い虫体の体節が1個ずつ糞便に出てくる.
　d．有鉤条虫の受胎体節の子宮の分岐数は無鉤条虫のそれより多い.
　e．マンソン裂頭条虫の幼虫はヘビ, カエル, スッポン, ニワトリなどに寄生している.

⑤ 単包虫症と多包虫症について正しいのはどれか.
　a．多包虫症の発生が多い都道府県は北海道である.
　b．多包虫のヒトにおける主な寄生部位は腸管である.
　c．多包虫の終宿主はヒトである.
　d．単包虫症の患者は日本では見られない.
　e．単包虫の終宿主はネズミである.

⑥ 次の条虫卵のうち小蓋を持っているのはどれか.
　a．無鉤条虫
　b．有鉤条虫
　c．多包条虫
　d．日本海裂頭条虫
　e．単包条虫

解答　
① a．(第74, 75項)
② e．(第75項)
③ d．(第69項)
④ e．(第70項)
⑤ a．(第74, 75項)
⑥ d．(第69項)

⑦ 次の条虫のうちヒトが中間宿主となりうるのはどれか．
   a．日本海裂頭条虫
   b．クジラ複殖門条虫
   c．マンソン裂頭条虫
   d．広節裂頭条虫
   e．無鉤条虫

⑧ 次のうち正しいのはどれか．
   a．条虫は消化管を持つ．
   b．条虫は擬体腔を有する．
   c．条虫の体組織の中には幼虫，成虫を問わず石灰小体がある．
   d．条虫は大腸腔内に寄生する．
   e．条虫の頭部には固着器官（吸溝，吸盤，小鉤など）がない．

⑨ エキノコックス及びエキノコックス症について正しいのはどれか．
   a．ヒトのエキノコックス症は本州に存在する．
   b．ヒトでは症状が現れるまで時間を要しない．
   c．ウマに成虫が寄生している．
   d．本州のネズミに感染が見られる．
   e．世界ではイヌやオオカミに感染が見られる．

⑩ サクラマスの喫食で感染するのはどれか．
   a．エキノコックス
   b．マラリア
   c．トキソプラズマ
   d．蟯虫
   e．日本海裂頭条虫

⑪ この虫は何ですか．

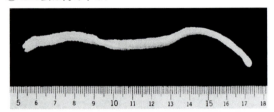

   a．マンソン孤虫
   b．フィラリア（糸状虫）
   c．鉤虫
   d．多包条虫
   e．肝蛭

解答　⑦　c．（第71項）
⑧　c．（第67項）
⑨　e．（第74項）
⑩　e．（第69項）
⑪　a．（第71項）

VI. 衛生動物

① 性感染症（STD）の病原体となるのはどれか．
   a．マダニ
   b．ツツガムシ
   c．アタマジラミ
   d．ケジラミ
   e．コロモジラミ

② 次の昆虫と疾病の組み合わせのうち正しいのはどれか．
   a．トコジラミ——発疹チフス
   b．ケオプスネズミノミ——ペスト
   c．ヒトスジシマカ——マラリア
   d．ハマダラカ——日本脳炎
   e．ブユ——黄熱

③ 次の感染症のうちマダニが関与するのはどれか．
   a．重症熱性血小板減少症候群（SFTS）
   b．マラリア
   c．黄 熱
   d．発疹チフス
   e．デング熱

④ 次の寄生虫の発育史上において節足動物が関与しているのはどれか．
   a．鉤 虫
   b．回旋糸状虫
   c．無鉤条虫
   d．トキソプラズマ
   e．有棘顎口虫

⑤ 次の寄生虫の生活史において水棲の巻貝が中間宿主になっているものはどれか．
   a．無鉤条虫
   b．回 虫
   c．日本住血吸虫
   d．横川吸虫
   e．日本海裂頭条虫

⑥ 海外旅行中ピョンピョン飛ぶノミが見つかった．この虫が引き起こす可能性のある疾病はどれか．

   a．ツツガムシ病
   b．ペスト
   c．疥 癬
   d．発疹チフス
   e．重症熱性血小板減少症候群

解答　① d．（第95項）　　　⑤ c．（第63, 79, 80項）
　　　② b．（第93項）　　　⑥ b．（第93項）
　　　③ a．（第85項）
　　　④ b．（第48項）

⑦ 田んぼで農作業中に全身が毛で覆われたこの小さなダニ（幼虫，日本に常在する）に刺咬を受けた．発症する可能性のある病気はどれか．

a．クリミア・コンゴ熱
b．エボラ出血熱
c．マールブルグ病
d．ツツガムシ病
e．オウム病

⑧ 吸血しているこの昆虫が媒介する疾病はどれか．

a．マラリア
b．トキソプラズマ症
c．クリプトスポリジウム症
d．糞線虫症
e．腟トリコモナス症

⑨ 現在日本には存在しない病気だが，昔，人の衣服に寄生して吸血したこの昆虫が媒介する疾病はどれか．

a．ペスト
b．ライム病
c．発疹チフス
d．日本紅斑熱
e．デング熱

⑩ 陰毛に寄生する虫体が見つかった．感染様式はどれか．

a．性感染（接触感染）
b．経口感染
c．経皮感染
d．空気感染
e．胎盤感染

解答　⑦　d．（第86項）　　⑨　c．（第94項）
　　　⑧　a．（第20，90項）　⑩　a．（第95項）

⑪ 節足動物が媒介しない寄生虫症はどれか．
　a．マラリア
　b．糸状虫症
　c．横川吸虫症
　d．ツツガムシ病
　e．シャーガス病

⑫ 次の感染症のうち蚊が関与するのはどれか．
　a．重症熱性血小板減少症候群（SFTS）
　b．ロア糸状虫
　c．回旋糸状虫
　d．東洋眼虫
　e．デング熱

⑬ 次の寄生虫の発育史上において節足動物が関与しているのはどれか．
　a．糞線虫
　b．ロア糸状虫
　c．日本海裂頭条虫
　d．腟トリコモナス
　e．剛棘顎口虫

⑭ 次の寄生虫の生活史において巻貝が中間宿主になっているものはどれか．
　a．鞭虫
　b．東洋眼虫
　c．マンソン住血吸虫
　d．マンソン裂頭条虫
　e．日本海裂頭条虫

⑮ 蚊が媒介動物でない疾患はどれか．
　a．マラリア
　b．広東住血線虫症
　c．マレー糸状虫症
　d．バンクロフト糸状虫症
　e．イヌ糸状虫症

⑯ 毛包虫症の病原体となるのはどれか．
　a．タカサゴキララマダニ
　b．キチマダニ
　c．ケジラミ
　d．ニキビダニ
　e．アタマジラミ

⑰ ダニ類が媒介する感染症はどれか．
　a．ライム病
　b．チクングニア熱
　c．日本脳炎
　d．ジカ熱
　e．デング熱

解答
⑪　c．（第55項）
⑫　e．（第90項）
⑬　b．（第48，91項）
⑭　c．（第64，80項）
⑮　b．（第42，80項）
⑯　d．（第89項）
⑰　a．（第85項）

⑱ これは何ですか．

a．トコジラミ
b．シュルツェマダニ
c．ネコノミ
d．ヒアリ
e．ハエ蛆

⑲ これは何ですか．

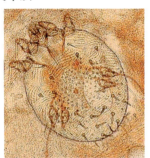

a．イエダニ
b．ヒゼンダニ
c．シバンムシアリガタバチ
d．フタトゲチマダニ
e．ヒトノミ

⑳ ダニ類が媒介する感染症はどれか．
    a．日本紅斑熱
    b．黄　熱
    c．ペスト
    d．ニパウイルス感染症
    e．マラリア

解答　　⑱　a．（第95項）　　　　⑳　a．（第84項）
　　　　　　⑲　b．（第88項）

日本語索引

あ

アオキツメトゲブユ 166
アオサギ 125
アカイエカ 92, 94, **164**
アカクラアシマダラブユ 166
アカツツガムシ **156**, 157, 158
アカテガニ 148
アカネズミ 180
アカントアメーバ角膜炎 **24-25**
アクリジンオレンジ染色(法) 49, **52**
アサリ 146
アシナガバチ 174
アシハラガニ 148
アシヒダナメクジ 146
アシブトコナダニ 162
アシマダラブユ 166
アジア条虫 134
アジスロマイシン 35
アタマジラミ 9, **170-171**
アトバコン 51
アナフィラキシーショック 174, 176
アニサキス(症) 4, 6, 64, 70, **72-77**, 146
アネメトロ 18
アヒル 124
アフリカ睡眠病 **30**
アフリカマイマイ 85, **146**
アブ 96, **166**
アマゴ 90
アミノフィリン 174
アムホテリシンB 24
アメーバ症 **14**
アメーバ性肝膿瘍 14, **16**, 194
アメーバ性大腸炎 14, **16**, 194
アメーバ性肉芽腫性脳炎 24
アメーバ赤痢 **14-19**
アメーバ体 46
アメパロモ 18, **35**
アメリカ鉤虫 **80-83**, 188
アメリカザリガニ 148
アメリカトリパノソーマ症 **30**, 194
アメリカ粘膜皮膚リーシュマニア症
　　　　　　　　　　　32
アユ 90, 106
アライグマ回虫 **68**, 70
アリ 108
アルテメテル 51
アルベンダゾール
　　　 26, 70, 85, 88, 96, 99, 138

アンフィッド腺 64
悪性マラリア 50
浅田棘口吸虫 117, 146, 190
安息香酸ベンジル 160

い

イエカ 164
イエダニ 160
イエバエ 167
イカ 74
イシムカデ 176
イタチ 90, 114, 116, 117
イヌ 32, 38, 94, 96, 99, 104, 106, 117,
　　　　　　　　　　　132, 136, 140
イヌ回虫(症) **68-69**
イヌ回虫幼虫移行症 **70**
イヌ鉤虫 70, 82
イヌ糸状虫(症) 64, 70, **94-95**, 164
イヌノミ 169
イノシシ 90, 96, 110, 114
イベルメクチン 86, 88, 92, 96, 160
イムノクロマト法 194
イヨシロオビアブ 166
イルカ 72
イワシ 74, 132
囲蛹 167
胃アニサキス症 76
胃盲囊 72
家鼠 180
硫黄華軟膏 162
異形吸虫 108
異所寄生 5, 112
異食症 70, 82, 98
咽頭吸虫 125
陰囊水腫 92
陰囊象皮病 63
陰門 66, 80

う

ウエスタンブロット法 194
ウェステルマン肺吸虫(症)
　　　　　　110-113, 116, 146, 148
ウェステルマン肺吸虫卵 190
ウグイ 106
ウシ
　　　34, 38, 108, 118, 120, 134, 136, 140
ウマ 38, 136
ウミヘビ 178, 179

瓜実条虫 140, 168

え

エキノコックス(症) 9, **136**
エスカゾール 26, 70
エゾヤチネズミ 138, 180
エピネフリン 174
エピペン® 174
エフロールニチン 30
エラブウミヘビ 179
栄養型 14, 24, 26, 28, 54
塩酸キニーネ 51
延長中間宿主 5
円葉目 129

お

オイカワ 106
オイラックス®軟膏 160
オオクロバエ 167
オオカミ 136
オオスズメバチ **174**
オオツルハマダラカ 46
オオムカデ 176
オオメマトイ 167
オーシスト 34, 36, 40, 46
オキアミ 74
オキシブプロカイン塩酸塩 96
オナジマイマイ 108, 146
おこり 44
黄熱 9, 164
横紋理 64, 82
大平肺吸虫 116, 146
屋内塵ダニ 162

か

カエル 85, 88, 117, 133
カゲネズミ 180
カステラーニアメーバ 24
カムルチー 88
カモ 124
カヤネズミ 180
カラ・アザール **32-33**
カラス 124
カラフトマス 130
カリオソーム 12, 14, 24, 26
カリニ肺炎 54
カルバートソンアメーバ 24

カルミン染色　130
カワカマス　130
カワニナ　106, 110, 145, **146**
カワネミジンツボ　114
ガストログラフィン　130
ガンビアトリパノソーマ(症)　30-31
蚊　164
回復期保虫者　16
回帰熱　9, 170
回旋糸状虫(症)　64, **96-97**, 143, 166
回虫(症)　3, 4, 5, 64, **66-67**, 190, 194
疥癬(虫)　**160-161**
角化型疥癬　160
喀痰集シスト法　56, **59**
獲得免疫　6
仮足　12
括弧状構造物　54
加藤式セロファン厚層塗抹法　188
肝吸虫(症)
　　4, 8, 64, **104-105**, 146, 180, 188, 190
肝シンチグラム　18, 118
肝蛭(症)　6, 70, **118-119**, 146, 194
肝毛細虫　98
肝内休眠型原虫　46
間接赤血球凝集反応　42, 195
間接発育　86
間接蛍光抗体法　70, 152, 154, 158
間接免疫ペルオキシダーゼ法　158
間接ラテックス凝集反応　42
感染症法　8
感染免疫　6
感染幼虫　7, 80, 82, 83, 84, 86
緩増虫体　40
寒天平板培養法　86, 87, 189
広東住血線虫(症)　64, 70, **85**, 146, 180
過ヨウ素酸シッフ反応　23
外肉　12
外被　12, 128
外部寄生虫　5
顎口虫(症)　64, **88-91**, 133
顎体部　149, 150, 151
額嘴　128, 134, 135, 136
芽殖孤虫　133

───── き ─────

キアシツメトゲブユ　166
キアシナガバチ　174
キイロスズメバチ　**174**
キタオオブユ　166
キタキツネ　138
キチマダニ　150, 152, 154, 155
キニーネ　51
キニマックス　51
キネトプラスト　12, 29

ギニア虫　96
ギムザ染色　23, 25, 26, 27, 28, 35, 41,
　　52, 54, 55, 58, 92, 159
機械的伝播　8, 144
気管支鏡的肺生検　56
気管支洗浄法(BAL)　56
気胸　114
気孔突起　170, 172
寄生世代　86
岐尾セルカリア　120, 122
吸溝　128, 130
吸着円盤　26
吸虫　64, 102
吸盤　128, 134, 135, 136
急性腹症　67, 76
急増虫体　40
旧世界皮膚リーシュマニア症　32
頬棘櫛　168
胸水　110, 114
共尾虫　129, 140
棘口吸虫　117, 146, 180
極東ロシア脳炎　150
巨大肝蛭　**118-119**, 190
偽陰茎　170
擬充尾虫　130
擬嚢尾虫　129, 140
凝集反応　194
偽足　12, 14
逆行性膵胆管造影　104, 118
蟯虫(症)　8, 64, **78-79**, 188, 190, 194
擬葉目　129

───── く ─────

クジラ　72, 132, 142
クジラ複殖門条虫　130, **132**, 190
クドア食中毒　60
クマ(肉)　99
クマネズミ　180
クモ　149
クリシジア型　29
クリプトスポリジウム(症)
　　　　　　　　　9, 23, **34-35**
クルーズトリパノソーマ(症)　30-31
クロオブユ　166
クロゴキブリ　176
クロタミトン　160
クロベンケイガニ　116, 148
クロマチン　12
クロラムフェニコール　158
クロロキン　51
クロロキン耐性マラリア　51
クロロマイセチン　158
グラム染色　24
グリコーゲン胞　14, 20

グリセリン・ゼリー封入法　197
グルコン酸キニーネ注射　51

───── け ─────

ケオプスネズミノミ　168
ケジラミ　8, 9, **172-173**
ケナガコナダニ　162
ケブカクロバエ　167
ケンミジンコ
　　　　　88, 90, 96, 130, 132, **148**
ゲジ　176
ゲル内拡散法　194
ゲル内沈降反応　8, 56, 195
蛍光抗体法　153, **194**
経皮的肺吸引　56
頸翼　68
血液厚層塗抹標本　50, 52
血液薄層塗抹標本　50, 52
血痰　112
血尿　122
嫌気的代謝　12
原核生物　2
原生生物界　2
原頭節　136
原発性アメーバ性髄膜脳炎　**24-25**

───── こ ─────

コイ　104, 106, 125
コガタアカイエカ　92, 94, **164**
コガタハマダラカ　46
コクゾウムシ　140
コクヌストモドキ　140
コナダニ　149
コナヒョウヒダニ　162
コニキビダニ　162
コラシジウム　130
コロモジラミ　9, **170-171**
コンタクトレンズ　24
コンバントリン　67, 78
コーン染色変法　22
ゴキブリ　8, 142, 176
ゴマフアブ　166
肛囲検査法(セロファンテープ法)
　　　　　　　　　78, 134, 189
口吸盤　102
口腔トリコモナス　28
好気的代謝　12
好酸球性髄膜脳炎　85
好酸球性肉芽種　6, 74
好酸球増加　6, 67, 70, 82, 85, 88, 90,
　　99, 114, 117, 118, 120
後天性トキソプラズマ症　42
後天性免疫不全症候群　61

後天免疫　6
交接刺　66
交接嚢　80, 84, 85
交接輪　66
広節裂頭条虫（症）
　　　64, 128, **130-131**, 148, 188, 190
厚層塗抹法　188
酵素抗体法（ELISA）　42, **194**
鉤虫（症）　64, **80-83**, 190
鉤頭虫　64, 102, 142
紅斑　152
紅斑熱　153
抗ヒスタミン軟膏　124
小形アメーバ　20
小形大平肺吸虫　116, 146, 148
小形クリプトスポリジウム　34
小形条虫　128, **140-141**, 180, 190
湖岸病　124
黒水熱　50
孤虫症　**133**
古典型ツツガムシ病　156, 158
根足虫　12
剛棘顎口虫　**88-89**
5類（感染症）　9, 14, 26, 34

――― さ ―――

サイクロスポーラ（症）　9, **36-37**
サカマキガイ　146
サキシマハブ　178
サクラマス　74, 130
ササキリ　108
ササラダニ　140
サシガメ　30
サシチョウバエ　32, 143
サソリ　149
サトウダニ　162
サナダムシ　128
サバ　74
サヤアシニクダニ　162
サル条虫　9, **140**
サルマラリア　9, **44**, 50
サルモネラ症　180
サワガニ　110, 114, 116, **148**
サンショウウオ　90, 117
細菌性赤痢　19
細胞肛門　12
細胞性免疫　6
臍孔　145
再興感染症　8
再発　46
刺し口　152, 153, 158, 159, 173
佐渡肺吸虫　116, 148
三倍体型　110
塹壕熱　170

――― し ―――

シカ　110
シストイソスポーラ（症）　23, **36-37**
シストキャリアー　194, 195
シナハマダラカ　46, 92, 94, **164**
シナプトネマ構造　54
シバンムシアリガタバチ　176
シャーガス病　30, 31
シャウジン液　22, **196**
シャルコー・ライデン結晶　112
シュフナー斑点　48
シュルツエマダニ　150, 154
シラウオ　90, 106
シラサギ　125
シラス　132
シラミ　140
シロアリ　3
シロザケ　130
ジアルジア症　9, **26**
ジアルジア性下痢　26
ジエチルカルバマジン　92, 187
ジカ熱　9, **164**
ジストマ　102
ジムカデ　176
ジンサンシバンムシ　176
歯肉アメーバ　20
歯板　80
色素試験（DT）　42, **195**
糸状虫　64, **194**
雌性生殖体　46
雌性生殖母体　46
雌雄異体　4, 64, 120, 142
雌雄同体　4, 64, 102
種　3
種名　3
種小名　3
終宿主　4
収縮胞　12, 53
集嚢子（集シスト）法　23, 26, 56
集卵法　188
宿主　3
縮小条虫　**140**, 168, 180, 190
出芽　4
小蓋　104, 130
小核　53
小鉤　128
小腸内視鏡　67
小胞体　12
少宿主性　4
掌状毛　164
食胞　12
瘴気　44
蔗糖液濃度勾配法　26, 27

蔗糖遠心沈殿浮遊法　23, 26, 34, 37
浸淫的発生　8
真核生物　2
新型ツツガムシ病　156
新興感染症　8, 34
心窩部痛　76, 117, 118
唇弁　167
自然免疫　6
自家感染　64, 86, 98, 140
自家蛍光　36
自由生活　3
自由生活世代　86
充核　12
住血吸虫セルカリア皮膚炎　**124**
柔組織　102, 128
受精嚢　66
受精卵　66
受胎体節　128, 134, 135, 136
十脚類　148
十二指腸ゾンデ　26, 86, 104, 118, 130
十二指腸虫　80
重症熱性血小板減少症候群（SFTS）
　　　9, 150, **154**, 155
橈脚類　148
褥盤　167
人工胃液　104
人体内ダニ症　**162**
人体有鉤嚢虫（症）　**135**
人獣共通感染（寄生虫）症
　　　4, 40, 70, 185, **186**
腎症候性出血熱　9, 180

――― す ―――

スイギュウ　108
スズメ　124
スズメバチ　174
スッポン　99
ステロイド軟膏　124
ストレプトマイシン　153
ストロビラ　128
ストロメクトール　86, 96, 160
スパトニン　92
スピラマイシン　42
スポロシスト　12, 37, 102
スポロゾイト
　　　12, 34, 35, 36, 37, 40, 46, 49
スミスネズミ　180
スミスリンパウダー　170
スラミン　30
スルファジアジン　42
スルファメトキサゾール・トリメトプリム（ST）合剤　20, 36, 56
スルメイカ　74, 146
ズビニ鉤虫　**80-83**, 188

水系感染(症) 26, 34
水田皮膚炎 124, 146
水頭症 42
膣蛭 108-109, 146
錐鞭毛期 29

─── せ ───

セアカゴケグモ 149
セイロン鉤虫 80
セキレイ 124
セグロアシナガバチ 174
セファロスポリン 158
セルカリア 102, 104, 110, 120, 122, 124
セロファンテープ法 78, 134, 189
センチニクバエ 167
ゼゼラ 104
生殖器原基 71, 82, 83, 84
生殖細胞 93
生殖体形成 36, 46
生殖腹吸盤装置 106
生物学的伝播 8, 144
生毛体 26, 29
性感染症 8, 14, 26, 28, 172
成熟分裂体 46
成熟体節 128, 130, 132, 136
成人 T 細胞白血病 86
赤痢アメーバ(症)
 4, 5, 6, 9, 10, 12, 14-19, 61, 180, 194
赤血球外発育(赤外発育) 46
赤血球内発育(赤内発育) 46
石灰小体 128
接合 53
接触保虫者 16
線形動物(線虫) 64
穿歯 72
戦争シストイソスポーラ 36-37
戦争マラリア 44
先天性トキソプラズマ症 40, 42, 43
旋尾線虫(幼虫症) 9, 70, 100, 146
繊毛 12, 53
旋毛虫(症) 7, 64, 99, 180, 194
銭形陰影 94
前擬充尾虫 130
前胸棘櫛 168
前鞭毛期 29
全身性エリテマトーデス 57
蠕虫(類) 2, 64, 102

─── そ ───

相利共生 3
側索 65, 72
側線 66
側翼 78

即時型過敏反応 6, 76
組織型 46
鼠咬症 180
象皮病 63, 92

─── た ───

タイ肝吸虫 104
タイワンドジョウ 88
タイワンカクマダニ 152
タイワンハブ 178
タカサゴキララマダニ 150, 154
タテツツガムシ 156, 158
タナゴ 104, 106
タバコシバンムシ 176
タモロコ 104
タラ 74, 100
ダニ 149, 150
ダニアレルギー 162
体液性免疫 6
体外診断法 30
体抗原 6
待機宿主 5, 74, 85, 88, 110, 133
胎盤感染 8, 40, 68
多筋細胞型 64
多宿主性 4
多食アメーバ 24
多数分裂 4, 36, 46
多頭条虫 140
多包条虫 64, 128, 136-139, 180, 190
多包虫(症) 136-139
単為生殖 4, 86
単包条虫 136-138, 190
単包虫(症) 136-139
蛋白膜 66
短尾セルカリア 110
第 5 のヒトマラリア 44
大核 53
大腸アメーバ 3, 19, 20-21
大腸バランチジウム 12, 53
大複殖門条虫 132

─── ち ───

チーマン斑点 48
チニダゾール 18, 26, 28
チャコウラナメクジ 146
チャバネゴキブリ 176
遅延型過敏反応 6
腟炎 28
腟トリコモナス(症) 8, 28
地方病 8
中央小体 26
中間宿主 4, 64, 128, 184
虫血症 40

虫様体 46
腸アニサキス症 76
腸アメーバ症 16, 18
腸管外アメーバ症 18
腸トリコモナス(症) 28
腸盲嚢 72
超音波(エコー) 18, 19, 138
長江浮腫 88
鳥類住血吸虫 124, 146
直接発育 86
直腸細胞 93
青蒿素(チンハオスー) 11

─── つ ───

ツェツェバエ 29, 30, 31, 167
ツチクジラ 100
ツツガムシ(病)
 9, 149, 152, 156-159, 180
ツツガムシ病リケッチア 156
ツバメハルブユ 166

─── て ───

テトラサイクリン 152, 154, 158
テラノバ 70
デラフィールド・ヘマトキシリン染色
 115, 130, 196
デング熱 9, 164
鉄線虫 64
伝染病予防法 8
伝播者 8

─── と ───

トウゴウヤブカ 94, 164
トキシラズ 130
トキソプラズマ(症)
 4, 6, 8, 12, 40-43, 180, 194
トキソプラズマ脳炎 42, 61
トコジラミ 9, 172-173
トドシュードテラノバ 72
トビウオ 190
トリクローム染色 21, 23
トリクラベンダゾール 118
トリパノソーマ(症) 29, 30
トリパノソーマ型 29
トルイジンブルー O 染色 54, 59
ドキシサイクリン 51, 96, 152, 158
ドジョウ 88, 90, 117
ドノバンリーシュマニア(症) 32-33
ドブネズミ 85, 180
ドロレス顎口虫(症) 70, 90-91, 148
頭冠(棘) 117
頭節 128, 130, 132, 134, 135, 136

頭足類　145
東洋眼虫（症）　64, 96-97, 167
東洋毛様線虫（症）　84, 188, 190
東洋瘤腫　32
毒グモ　149, 185
毒蛇　178-179

─── な ───

ナタネミズツボ　116
ナナホシクドア　9, 60
ナマズ　90
ナメクジ　85
ナミカ　164
内生出芽　40
内臓リーシュマニア（症）　32-33
内臓幼虫移行症　70
内肉　12
内部出芽　54
南京虫　172

─── に ───

ニキビダニ　9, 149, 162-163
ニタゾキサニド　34
ニッポンヤマブユ　166
ニフルチモックス　30
ニホンマムシ　178
ニホンミツバチ　174
ニューキノロン　152
ニューモシスチス（肺炎）（症）　54-59
ニューモシスチス・イロベチイ　54
ニューモシスチス・カリニ　54
肉胞子虫　9, 38-39
肉胞嚢　38
日周性　92
日水培地　28
日本海裂頭条虫（症）　127, 130-131, 190
日本顎口虫　70, 90-91, 148
日本洪水熱　156
日本紅斑熱　9, 150, 152-153, 155
日本住血吸虫（症）　64, 101, 120-121, 146, 180, 188, 190, 195
日本脳炎　164
二次性紅斑　154
二倍体型　110
二名法　3
乳糜尿　92

─── ぬ・ね ───

ヌマカ　92

ネグレリア　24, 194
ネコ回虫　68-69, 70
ネコノミ　169
ネズミ　16, 54, 85, 99, 104, 117, 140, 142, 156, 160, 180
ネズミバベシア　53
ネッタイイエカ　92
ネッタイシマカ　164
熱帯熱マラリア（原虫）　44-46, 48-51
熱帯リーシュマニア（症）　32-33
粘液胞子（虫）　60
粘血便　16, 120

─── の ───

ノハラナメクジ　146
ノミ　140, 168-169
ノルウェー疥癬　160
嚢子　14, 24, 26, 42, 54
嚢子形成　14
嚢子内小体　54, 58
嚢子保有者　14, 16, 26
嚢尾虫　129
脳内石灰化像　42
脳肺吸虫症　110, 112
野鼠　136, 180

─── は ───

ハイデンハイン鉄ヘマトキシリン（HIH）染色　15, 22
ハエ　8, 167
ハエ症　167
ハゼ　108
ハタネズミ　180
ハチ　9, 144, 174-175
ハッカネズミ　180
ハブ　178-179
ハマガニ　148
ハマダラカ　92, 164
ハルトマンアメーバ　20
バクタ　56
バクトラミン　56
バベシア（症）　9, 53, 155, 180
バルサン燻蒸　168
バンクロフト糸状虫（症）　64, 92-93, 164
パパニコロウ（染色）　23, 24
パロモマイシン　18, 35
肺イヌ糸状虫症　94
肺外イヌ糸状虫症　94
肺吸虫　5, 6, 9, 64, 188
背甲板　149, 150, 156
排泄細胞　93

排泄腺　65, 72
排泄分泌抗原　6
薄層塗抹法　188
発育終末トリパノソーマ型　29
発疹チフス　170
発疹熱　168
播種性糞線虫症　86
波動膜　12, 28, 29
繁殖胞　136
媒介者　29, 46, 184
馬肉（馬刺し）　38

─── ひ ───

ヒアリ（火蟻）　176
ヒガイ　104, 106
ヒゼンダニ　9, 160-161
ヒツジ　108, 118, 140
ヒトクリプトスポリジウム　34
ヒトスジシマカ　94, 164
ヒト肉胞子虫　38-39
ヒトノミ　168
ヒトブラストシスチス　20-21
ヒプノゾイト　46, 51
ヒメアシマダラブユ　166
ヒメイエバエ　167
ヒメダニ　150
ヒメネス染色　153
ヒメネズミ　180
ヒメハブ　178
ヒメモノアラガイ　117, 118, 124, 146
ヒメヤチネズミ　180
ヒラマキガイ　108
ヒラマキガイモドキ　124, 146
ヒラメ　60
ヒロズキンバエ　167
ビルトリシド　104, 112, 120
ビルハルツ住血吸虫（症）　122-123, 190
ピランテル　パモエイト　67, 78, 82, 84
ピリメサミン・スルファドキシン合剤　56
ピリメタミン　42
皮棘　110
非固有宿主　4
肥大吸虫　108-109
皮内反応　7, 88, 112, 118, 194
被嚢幼虫　104
皮膚爬行症　70, 82, 88, 90, 94, 96, 100
皮膚幼虫移行症　70
日和見感染　54
日和見病原体　54
微小管　12
微小毛　128
尾突起　72

ふ

ファンギフローラY　24
フィラリア　92
フィラリア型幼虫　86
フィリピン毛細虫　98
フェイヤー肉胞子虫　38
フェニトロチオン　162, 176
フェノトリン　160, 170, 172
フォーラーネグレリア　24
フタトゲチマダニ　150, 152, 154
フトゲツツガムシ　156, 158
フトツメダニ　162
フナ　106, 125
フラジール　18, 26
フルコナゾール　24
フロ酸ジロキサニド　18
ブタ　88, 99, 108, 134, 135, 136, 138
ブタ回虫　64, 68, 70
ブユ　96, 166
ブラジル鉤虫　64, 70
ブラジルリーシュマニア（症）　32-33
ブルーギル　90
プラジカンテル　104, 106, 112, 114, 117, 118, 120, 130, 135, 140
プリマキン　51
プレロセルコイド　129, 130, 133
プログアニール塩酸塩　51
プロセルコイド　130, 133
風土病　8
腹吸盤　102
腹足類　145
斧足類　145
副腎皮質ステロイド　85, 174, 176
不受精卵　66
吻　142
糞線虫（症）　9, 64, 86-87, 189
糞便培養法　82, 84
二日熱マラリア　44-45, 50
部分筋細胞型　64
分子疫学　195
分裂体　46

へ

ヘナタリ　108, 146
ヘビ　133, 178
ヘマトキシリンエオジン（HE）染色　57, 58
ベナンバックス　56
ベンケイガニ　116, 148
ベンズニダゾール　30
ペスト　9, 168, 180
ペニシリン　152, 154, 158
ペンタミジン　30, 56
扁形動物　64, 102
片利共生　3
鞭虫（症）　64, 98, 188, 190
鞭毛　12, 26, 28, 29
鞭毛型　24
鞭毛放出　46
鞭毛虫　12
βラクタム系抗生剤　152, 158

ほ

ホタルイカ　100, 146
ホラアナミジンニナ　114, 146
ホルマリン・エーテル遠沈法（MGL法）　23, 188
ホンモロコ　104
ボラ　108
ボラックス・カルミン染色　196
ポリメラーゼ連鎖反応　51
胞核　12
胞子虫　12
胞子形成　36
蜂窩状泡沫物質　56
抱雌管　120
包虫（症）　70, 129, 136, 194
包虫液　136
包虫砂　136
飽和食塩水浮遊法　82, 83, 84
補体結合反応　112, 194
保虫者　8
保虫宿主　8, 16, 111
焔細胞　102, 103, 128
母胞嚢　136

ま

マイマイ　85, 108
マガキ　146
マガモ　124
マクロライド系抗生剤　154
マゴットセラピー　167
マス　130
マダニ　9, 149, 150, 152, 154
マダラウミヘビ　179
マッコウクジラアニサキス　72
マムシ　90, 140, 178-179
マメタニシ　104, 146
マラリア　4, 5, 7, 9, 11, 44-52, 164, 194
マラリア色素　46
マラロン　51
マルピギー管　149
マレー糸状虫（症）　92-93, 164
マンソン孤虫（症）　70, 133
マンソン住血吸虫（症）　122-123, 190
マンソン裂頭条虫　132, 148

み

ミクロフィラリア　92, 94, 96
ミコナゾール　24
ミツバチ　174
ミドリキンバエ　167
ミノサイクリン　152, 158
ミヤイリガイ　120, 146
ミヤコオオブユ　166
ミラシジウム　102
ミルテホシン　32
ミンククジラアニサキス　72
未熟体節　128
三日熱マラリア（原虫）　44-50, 164
宮崎肺吸虫（症）　70, 114-115, 116, 146, 190

む

ムカデ　176
ムクドリ　124
ムクドリ住血吸虫　124, 146
ムシヤドリカワザンショウ　116, 146
無鉤条虫（症）　4, 64, 128, 130, 134, 188, 190, 194
無鉤嚢虫　134
無性生殖　4, 12, 46
無鞭毛期　29
娘胞嚢　136

め

メーリス腺　102
メキシコリーシュマニア（症）　32-33
メクラアブ　166
メクラネズミノミ　169
メコン住血吸虫（症）　120
メジナ虫　96-97, 148
メタセルカリア　102, 104, 106, 110, 114, 116, 117, 118
メチレンブルー染色　60
メテナミン銀染色　54, 58
メトロニダゾール　18, 20, 26, 28
メナダ　108
メニール鞭毛虫（症）　28
メファキン　51
メフロキン　51
メベンダゾール　67, 82, 85, 98, 99
メマトイ　96
メラルソプロール　30
メロゾイト　38, 46
迷入寄生　5
免疫回避機構　7

免疫電気泳動法　　7, 70, 85, 94, 114, 118, 194
免疫ペルオキシダーゼ反応　152, 158

——— も ———

モーラー斑点　48
モクズガニ　110, 148
モツゴ　104
モネラ界　2
モノアラガイ　117, 124, 125, 146
毛垢塊　170
毛嚢虫　162
毛包虫　162
網膜芽細胞腫　70
網膜膠腫　70
網脈絡膜炎　42

——— や ———

ヤケヒョウヒダニ　162
ヤブカ　92, 164
ヤマアラシチマダニ　152
ヤマカガシ　90, 178
ヤマトネズミノミ　169
ヤマトマダニ　149, 150, 152, 154
ヤマメ　90
野兎病　150, 152, 155
槍形吸虫　108-109
槍形構造　82

——— ゆ ———

有害異形吸虫　108-109, 146
有棘顎口虫　5, 70, 88-89, 148
有鉤条虫(症)　70, 135
有鉤嚢虫(症)　135
有性生殖　4, 12, 46
有線条虫　140
有毛虫　12
融合体　46
雄性生殖体　46
雄性生殖母体　46

遊走性限局性皮膚腫脹　88, 133
遊走性紅斑　154
輸血マラリア　44
輸入マラリア　44
輸卵管　66

——— よ ———

ヨードアメーバ　20-21
ヨード染色　15, 21, 22, 27
ヨーロッパネズミノミ　169
ヨシダカワザンショウ　146
幼生生殖　4, 102, 104
幼虫移行症　68, 70, 88
幼虫形成卵　8, 66
幼虫被殻　134
幼若分裂体　46
幼裂頭条虫症　133
蠅蛆症　167
横川吸虫(症)　64, 106-107, 146, 188, 190, 194
四日熱マラリア(原虫)　44-51
4類(感染症)　9, 50, 138, 150, 152, 154, 158, 170, 180

——— ら ———

ライヒー　88
ライム病　9, 150, 154-155
ラウエル管　102
ラクトフェノール液　197
ラダニール　30
ラテックス凝集反応　7, 42, 99, 195
ラブジチス型幼虫　86
雷魚　88, 89
卵形マラリア(原虫)　44-51
卵周囲沈降反応　120, 195

——— り ———

リアメット　51
リーシュマニア(症)　32-33, 143
リーシュマニア型　29

リファンピシン　158
リン酸クロロキン　51
リン酸プリマキン　51
リンデマン肉胞子虫　38
流行的発生　8
硫酸亜鉛遠心浮遊法　23, 26
良性マラリア　50
旅行者下痢　26
輪状体　46

——— る ———

ルメファントリン　51
類線形動物　64
類染色質体　14

——— れ ———

レジア　102
レネット細胞　72
レプトモナス型　29
レフラー症候群　67, 82
裂頭条虫症　130

——— ろ ———

ロア糸状虫(症)　96-97, 166
ロイカルトケンミジンコ　148
ロイコボリン　42
ローデシアトリパノソーマ(症)　30-31
ロッキー山紅斑熱　150, 152, 155
老化体節　128
六鉤幼虫　134, 135, 136
濾紙培養法　83, 86

——— わ ———

ワイル病　180
ワモンゴキブリ　176
わらわやみ　44
若菜病　82
和名　3

外国語索引

A

acanthameba keratitis 24
Acanthamoeba castellanii 24
　A. culbertsoni 24
　A. polyphaga 24
Acarus siro 162
accessory factor 42
acetabulum 102
Achatina fulica 85, 146
acquired immunity 6
acquired immunodeficiency syndrome
　（AIDS） 14, 26, 32, 34, 36, 54, 61, 86
acute abdomen 67, 76
adhesive disc 26
Aedes aegypsi 164
　A. albopictus 164
　A. togoi 164
African sleeping sickness 30
albendazole 70
Alinia 34
alveolar hydatid cyst 136
alveolar hydatid disease 136
amebiasis 14
amebic colitis 14, 16
amebic dysentery 14, 16
amebic liver abscess 14, 16
ameboid form 46
Amiota 属 96
AMS Ⅲ法 98, 104, 112, 118, 120, 189
anal swab 78
Ancylostoma duodenale 80
Angiostrongylus cantonensis 85
Angustassiminea parasitologica 146
　A. yoshidayukioi 146
Anisakis 72-77
Anisakis pegreffii 72, 74
　A. physeteris 72, 74
　A. simplex 72, 74
　A. simplex C 72
Anopheles 46, 143
Anopheles lesteri 46
　A. minimus 46
　A. sinensis 46, 164
Apis cerana japonica 174
Apodemus argenteus 180
　A. speciosus 180
Argas persicus 150
ascariasis 66

Ascaris lumbricoides 3, 66
　A. lumbricoides suum 68
asexual reproduction 4, 12
Austropeplea ollula 146
autoinfection 64, 86, 140
Avloclor 51

B

Babesia divergens 53
　B. microti 53, 180
Balamuthia mandrillaris 24
Balantidium coli 53
Bartonella quintana 170
Baylisascaris procyonis 68
bed bug 172
bee 174
benign malaria 50
Bertiella studeri 140
binary fission 4
binomial nomenclature 3
biological transmission 8
Biomphalaria glabrata 122
Bithynia siamensis 104
black fly 96, 166
black water fever 50
Blastocystis hominis 20
Blattella germanica 176
blepharoplast 26
body louse 170
Bolbosoma sp. 142
boring tooth 72
Borrelia afzelii 154
　B. burgdorferi 154
　B. garinii 154
　B. japonica 154
　B. recurrentis 170
Bradybaena similaris 146
bradyzoite 38, 40
Brugia malayi 92
BSH-H 培地 154
budding 4
Bulinus truncatus 122
Bythinella nipponica 146

C

calcareous corpuscle 128
Calodium hepaticum 98
Carpoglyphus lactis 162

carrier 8
Centipede 176
Cephalonomia gallicola 176
cercaria 102
Cercomonas intestinalis 26
Cerithidea cingulata 146
cervical alae 68
CFT（complement fixation test） 194
Chagas' disease 30
Chalvardjian's toluidine blue-O stain
　　59
Channa argus 88
　C. maculata 88
Cheyletus fortis 162
Chilomastix mesnili 28
Chiromantes dehaani 148
chromatoid body 14
CIE（counter immunoelectrophoresis）
　　194
cilia 53
Cimex lectularius 172
Clethrionomys rutilus 180
　C. rufocanus bedfordiae 180
Clinostomum complanatum 125
clonorchiasis 104
Clonorchis sinensis 104
cockroach 176
coenurus 129
coin lesion 94
commensalism 3
conjugation 53
contact carrier 16
Contracaecum 72
convalescent carrier 16
crab louse 172
Crassicauda giliakiana 100
Crassostrea gigas 146
creeping eruption 70, 88, 94
cryptosporidiosis 34
Cryptosporidium hominis 34
　C. meleagridis 34
　C. muris 34
　C. parvum 34
Ctenocephalides canis 169
　C. felis 169
CT 像 19, 56, 104, 139
Culex pipiens pallens 164
　C. tritaeniorhynchus 164
cutaneous infection 8
cutaneous larva migrans 70

Cyclops strenuus　88, 148
　　C. vicinus　89
Cyclospora cayetanensis　36
cyclosporiasis　36
cyst　14, 26, 40, 54
cyst carrier　14, 16, 26
cyst passer　16
cystacanth　142
cysticercoid　129
cysticercus　129
Cystoisospora belli　36

━━━ D ━━━

DDT　44
Decapoda　148
delayed type hypersensitivity　6
Demodex folliculorum　162
　　D. brevis　162
Dermacentor andersoni　150
Dermatophagoides farinae　162
　　D. pteronyssinus　162
Diaptomus gracilis　148
Dicrocoelium dendriticum　108
diphyllobothriasis　130
Diphyllobothrium latum　130
　　D. mansoni　132
　　D. nihonkaiense　130
Diplogonoporus balaenopterae　132
　　D. grandis　132
Dipylidium caninum　140
Dirofilaria immitis　94
　　D. repens　94
dirofilariasis　94
distoma　102
DNA 診断法　18, 32, 51, **195**
dot-ELISA　18, 69, **194**
Dracunculus medinensis　96
dye test（DT）　42

━━━ E ━━━

Echinococcus granulosus　136
　　E. multilocularis　136
Echinostoma hortense　117
ectoplasm　12
ELISA　7, 42, 70, 86, 88, 90, 94, 112,
　　　　　118, 138, **194**
embryonated egg　8, 66
emerging disease　8
encystation　14
endemic disease　8
endemic prevalence　8
endodyogeny　40
Endolimax nana　20

endoplasm　12
Entamoeba coli　20
　　E. dispar　14, 16, 18
　　E. gingivalis　20
　　E. hartmanni　20
　　E. histolytica　14
enterobiasis　78
Enterobius vermicularis　78
eosinophilic granuloma　6, 74
Eothenomys kageus　180
　　E. smithii　180
EPD（egg per day）　189
EPG（egg per gram）　189
epidemic prevalence　8
Eriocheir japonica　110, 111, **148**
erythema　152
erythema migrans　154
eschar　152
eukaryote　2
Eurytrema pancreaticum　108
Eustoma rotundatum　72
excretory-secretory antigen　6
exflagellation　46
extraintestinal amebiasis　16
extrapulmonary dirofilariasis　94

━━━ F ━━━

falciparum malaria　50
Fasciola gigantica　118
　　F. hepatica　118
fascioliasis　118
Fasciolopsis buski　108
Flagyl　18
flame cell　102
flea　168
fluorescent antibody technique（FAT）
　　　　　194
Francisella tularensis　152
free living　3

━━━ G ━━━

γBHC　160
gametogony　34, 46
genal comb　168
Geothelphusa dehaani　148
Giardia intestinalis　26
　　G. lamblia　26
giardial diarrhea　26
giardiasis　26
Giemsa stain　58
Gigantobilharzia sturniae　124
Gilliam　158
Glossina morsitans　30

　　G. palpalis　30
Gloydius blomhoffii　178
glycocalyx　12
glycogen vacuole　14
Glycyphagus destructor　162
gnathosoma　149
Gnathostoma doloresi　90
　　G. hispidum　88
　　G. nipponicum　90
　　G. spinigerum　88
Gomori's methenamine silver nitrate
　　stain　58
granulomatous amebic encephalitis
　　（GAM）　24
gravid proglottid　128

━━━ H ━━━

Haemaphysalis flava　151, 152
　　H. longicornis　151
hair cast　170
halzoum　125
Hantaan virus　180
hard tick　149
HE 染色　15
head louse　170
Helicobacter pylori　176
helminth　64
Heterophyes heterophyes　108
　　H. heterophyes nocens　108
hookworm　80
hookworm disease　82
hornet　174
horse fly　96, **166**
host　3
host specificity　4
house dust mites　162
human immunodeficiency virus（HIV）
　　　　　61
Humatin　18
hydatid cyst　129
hydrocephalus　42
Hymenolepis diminuta　140
　　H. nana　140
hypnozoite　46

━━━ I ━━━

immature proglottid　128
immediate type hypersensitivity　6, 76
immunochromatographic test　**194**
infective larva　8
integument　128
intestinal amebiasis　16
Iodamoeba bütschlii　20

Isospora belli 36
   I. bigemina 40
   I. hominis 38
isosporiasis 36
ivermectin 86, 96, 160
Ixodes ovatus 151, 154
   I. persulcatus 151, 154

───── J ─────

Japanese spotted fever 152-153

───── K ─────

kala-azar 32
Karp 158
karyosome 12, 14
Kato 158
Kawasaki 158
kinetoplast 29
Kingdom Monera 2
Kinyoun 染色 23, 34, 35, 36
Kohn's stain 変法 22
Kudoa septempunctata 60
Kuroki 158

───── L ─────

lactophenol solution 197
LAMP 法 195
larva migrans 70, 88
larval spiruriniasis 100
Lehmannia valentiana 146
Leishmania braziliensis 32
   L. donovani 32
   L. gondii 40
   L. mexicana 32
   L. tropica 32
Leptopsylla segnis 169
Leptospira icterohaemorrhagiae 180
Leptotrombidium akamushi 156
   L. pallidum 156
   L. scutellare 156
life cycle 4
life history 4
Loa loa 96
Löffler syndrome 67
Lutzomyia 32, 143
Lyme disease (Lyme borreliosis) 154

───── M ─────

macrogamete 46
macrogametocyte 46

malaria 44
malaria pigment 46
malignant malaria 50
malignant tertian malaria 50
mature proglottid 128
mature schizont 46
mechanical transmission 8
Medical Zoology 2
merozoite 38, 46
merthiolate-iodine-formalin (MIF) 27
Mesocestoides lineatus 140
Mesocyclops leuckarti 88, 148
metacercaria 102
metagonimiasis 106
Metagonimus yokogawai 106
metazoa 12
metronidazole 18
miasma 44
microfilaria 92, 94
microgametocyte 46
Micromys minutus 180
microtrix 128
Microtus montebelli 180
miracidium 102
mite 149
molecular epidemiology 195
Moniliformis dubius 142
   M. moniliformis 142
monoclonal antibody 16
Monopsyllus anisus 169
mucron 72
multiple fission 4
Mus musculus 180
mutualism 3
myiasis 167

───── N ─────

Naegleria fowleri 24
natural immunity 6
Necator americanus 80
neck 128
Neotricula aperta 120
NNN 培地 30, 32
Nosopsyllus fasciatus 169

───── O ─────

Onchocerca volvulus 96
   O. japonica 96, 166
Onchorhynchus gorbuscha 130
   O. keta 130
   O. masou 130

Oncomelania hupensis nosophora 120, 146
oncosphere 134
oocyst 36, 40, 46
ookinete 46
Opisthorchis viverrini 104
opportunistic infection 54
opportunistic pathogen 54
OptiMal 51
oral infection 8
oral sucker 102
Oriental eyeworm 96
Orientia tsutsugamushi 156
Ornithonyssus bacoti 160
Ouchterlony 法 7, 18, 70, 85, 88, 90, 94, 99, 112, 113, 118, 138, 195
ovale malaria 50
Ovophis okinavensis 178
oxyuriasis 78

───── P ─────

paedogenesis 4
Paracapillaria philippinensis 98
Parafossarulus manchouricus 146
Paragonimus iloktsuenensis 116
   P. miyazakii 114
   P. ohirai 116
   P. sadoensis 116
   P. skrjabini miyazakii 114
   P. westermani 110
parasite count (PC) 50, 52
parasite density (PD) 50
parasitemia 40
parasitism 3
paratenic host 5
parenchyma 128
PAS 染色 23
Pediculus humanus capitis 170
   P. humanus humanus 170
Pentatrichomonas hominis 28
Pentostam 32
Periplaneta americana 176
   P. fuliginosa 176
Phlebotomus argentipes 32
   P. papatasi 32
Phthirus pubis 172
Phylum Acanthocephala 102, 142
physa acuta 146
pinworm 78
placental infection 8, 68
Plasmodium cynomolgi 45
   P. falciparum 44
   P. knowlesi 44
   P. malariae 44

P. ovale 44
P. vivax 44
plerocercoid 129
Pneumocystis（pneumonia） 54
Pneumocystis carinii 54
P. jirovecii 54
pneumocystosis 54
Polistes jadwigae 174
P. rothneyi 174
polymerase chain reaction（PCR）
　　　　　　16, 18, 51, 56, 60, 154, **195**
Polypylis hemisphaerula 146
praziquantel 104, 106, 112
premunition 6
prenatal infection 8
primary amebic meningoencephalitis
　（PAM） 24
proboscis 142
Procambarus clarki 148
prokaryote 2
pronotal comb 168
Protobothrops elegans 178
P. flavoviridis 178
protozoa 12, 64
Pseudoterranova azarasi 72, 74
P. bulbosa 72
P. cattani 72
P. decipiens 72, 74
P. krabbei 72
pubic louse 172
Pulex irritans 169
pulmonary dirofilariasis 94
pulmonary infiltration with eosino-
　philia（PIE 症候群） 67, 82
puparium 167
pyrantel pamoate 67

── Q ──

Q 熱 9, 150
quartan malaria 50
Quinghaosu 11
quinine 51

── R ──

Raditapes philippianum 146
Radix auricularia japonica 146
Raphidascaris 72
Rattus norvegicus 180
R. rattus 180
redia 102
reemerging disease 8
relaps 46
reservoir host 4, 8

retinochoroiditis 42
Rhabdophis tigrinus 178
Rhodnius prolixus 30
Rickettsia japonica 152
R. prowazekii 170
R. tsutsugamushi 156
ring form 46
Rodentolepis diminuta 140
R. nana 140
Romaña 徴候 30, 31
roof rat 180

── S ──

Sabin-Feldman dye test 42
sarcocyst 38
Sarcocystis cruzi 38, 39
S. fayeri 38, 39
S. hominis 38, 39
S. lindemanni 38
S. suihominis 38
Sarcoptes scabiei 160
scabies 160
Schistosoma haematobium 122
S. japonicum 120
S. mansoni 122
S. mekongi 120
schistosome cercarial dermatitis 124
schistosomiasis 120
schizogony 4, 34, 46
schizont 46
scolex 128
scrub typhus 158
scutum 149, 156
Semisulcospira libertina 146
severe fever with thrombocytopenia
　syndrome（SFTS） 150, **154**
sexual reproduction 4, 12
sexually transmitted disease（STD）
　　　　　　　　　　　8, 14, 28, 172
shell 145
Shimokoshi 158
Simulium bidentatum 96
S. ochraceum 143
skin snip 法 96
soft tick 149
Solenopsis invicta 176
somatic antigen 6
sparganosis 133
Sparganum mansoni 133
S. proliferum 133
Spirillum minus 180
Spirometra erinaceieuropaei 132
splenomegaly 50
sporocyst 102

sporogony 46
sporozoite 46
ST 合剤 20, 36, 56
Stoll 氏卵数計算法 189
strobila 128
Strongyloides stercoralis 86
strongyloidiasis 86
swimmer's itch 124
symbiosis 3
synaptonemal complex 54
Synchytrium miescherianum 38

── T ──

tachyzoite 40
Taenia asiatica 134
T. multiceps 140
T. saginata 134
T. solium 135
taeniasis 134
tapeworm 128
Tarodes sp. 146
tertian malaria 50
Thelazia callipaeda 96
thick blood smear 50
thin blood smear 50
tick 149
tinidazole 18
tissue form 46
Toxocara canis 68
T. cati 68
toxocariasis 70
Toxoplasma gondii 40
toxoplasmosis 40
transmitter 8
Triatoma infestans 30
Trichinella spiralis 99
trichinosis 99
Trichobilharzia brevis 124
T. physellae 124
Trichomonas tenax 28
T. vaginalis 28
Trichonympha 3
Trichostrongylus orientalis 84
trichuriasis 98
Trichuris trichiura 98
trophozoite 14, 54
Trypanosoma brucei gambiense
　　　　　　　　　　　　29, 30
T. brucei rhodesiense 29, 30
T. cruzi 30-31
tsutsugamushi disease 156
tularemia 152
turnus 92
type X 100

Tyrophagus putrescentiae 162

U

undefinitive host 4
unilocular hydatid cyst 136
unilocular hydatid disease **136**
unit membrane 12

V

Vampirolepis nana 140
vector 8, 46, 92
ventral sucker 102
Vero 細胞 153
Vespa mandarinia 174
　V. simillima xanthoptera 174
visceral larva migrans 70
vivax malaria 50
Vulpes vulpes schrencki 138

W

wasp 174
Watasenia sp. 146
Western blot 法 138, 154, 194
Winterbottom 徴候 30
Wuchereria bancrofti 92

X, Y, Z

X 線胃腸透視 67, 76, 77
Xenopsylla cheopis 169
young schizont 46
zoite 38
zoonosis 4, **186**
zygote 46
zymodeme 16

医動物学

1985 年 4 月 25 日	1 版 1 刷		©2023
2018 年 3 月 1 日	7 版 1 刷		
2020 年 9 月 10 日	3 刷		
2023 年 2 月 15 日	8 版 1 刷		
2024 年 3 月 15 日	2 刷		

著　者
　よしだゆきお　　ありぞのなおき　　やまだみのる
　吉田幸雄　　　有薗直樹　　　山田　稔

発行者
　株式会社 南山堂　代表者 鈴木幹太
　〒113-0034　東京都文京区湯島 4-1-11
　TEL 代表 03-5689-7850　　www.nanzando.com

ISBN 978-4-525-17328-9

JCOPY〈出版者著作権管理機構 委託出版物〉
複製を行う場合はそのつど事前に(一社)出版者著作権管理機構(電話03-5244-5088,
FAX 03-5244-5089, e-mail: info@jcopy.or.jp)の許諾を得るようお願いいたします.

本書の内容を無断で複製することは，著作権法上での例外を除き禁じられています．
また，代行業者等の第三者に依頼してスキャニング，デジタルデータ化を行うことは
認められておりません．